武林舊事 卷一

青城劍俠

武林舊事 卷一 青城劣徒

目次

作者序　賴魅客……004
推薦序〈比劍法武藝更重要的東西——閱讀賴魅客《武林舊事》〉　沈默……006
第一章　大雪……013
第二章　戰帖……061
第三章　悟劍……103

第四章　驚蟄　145
第五章　暴雨　189
第六章　鐵鍊　231
第七章　殘丐　267
第八章　花宴　305
第九章　盲女　357

作者序

賴魅客

我永遠記得，小時候站在家門口等著聯合報，第一時間打開副刊，看完當天連載的《連城訣》才肯背起書包的往事。無論如何，我得知道狄雲與血刀老祖周旋的結果如何？方能安心上學。

後來大一點到外地求學，不慎挑了一所男校，常到校外租書店租借武俠小說，帶到課堂。當時還是盛世，小說家如過江之鯽，也有些武藝不怎麼樣的，寫來寫去不外乎男主角是個身負絕世武功的大帥哥，深受無數姑娘喜愛。這等情節，剛開始頗能滿足我這個單身宅男的美好遐想，後來卻覺得老梗不斷重複，如果由我來寫，應該如何如何……

最常在腦裡編撰的，是一個其貌不揚、口齒笨拙的英雄，儘管武功蓋世，卻始終得不到心儀女子的垂青，有時愈想愈是悲催，不禁眼眶都有些濕了！當年的老師應該對我的印象不錯：「這個學生雖然功課不怎麼樣，學習還算認真，有時聽到入神，還會流下感動的淚水。」

數年之後，進了社會，一個百無聊賴的下午，打開人家送的日記本，心想：「真要寫日記嗎？寫給誰看？什麼『每日三省吾身』，這輩子被人罵得還不夠嗎？還要我每天罵自己！」不如就寫寫武俠吧！反正寫得不好，也沒什麼損失。就這麼一頭栽了進去！

寫了幾章，心底一直有個聲音：「你俗不可耐又市儈，作文從來沒有拿高分，又是一個學工程的，怎麼瞧也不像是一個作家，哪能寫出一部好看的小說？」為了測試，便開始上傳國內一個文學網站，後來也被對岸的網站收錄，還真有讀者喜歡，這才比較定了心。

書中的主角，是一個具有堅毅性格的勇者，也是筆者這輩子難以企及的理想典型。如果有他一半的恆心毅力，這部小說早該有個了斷；偏偏我生性舒懶，得過且過，昨天沒心情，今天缺靈感，工作忙，家事煩，找了一堆藉口，幾度想放棄；但偶爾上網搜尋，還有人說想看完結局，把它寫好寫完，變成一種責任，這輩子庸庸碌碌，總該留下一點東西吧！

交稿後，心中舒了一口氣，至於讀者喜不喜歡，已經不是我能決定的。

淡然吧！

推薦序
〈比劍法武藝更重要的東西——閱讀賴魅客《武林舊事》〉

沈默（武俠作家）

（因評論內文部分有雷，請讀者自行評斷是否閱讀）

《武林舊事》開頭古宏劍的衰慘經歷，大概第一時間就會聯想到《笑傲江湖》令狐沖、《天佛掌》姜青等角色的師門際遇。而世間第一高手狐九敗，也可見得金庸筆下的獨孤九敗、風清揚、謝煙客或柳殘陽所寫邪神厲勿邪等人物的身影。

狐九敗（後來是狐十敗了）與古宏劍（本名古劍）對劍法的傳授、思悟，則類似獨孤九劍的哲學用心；同時，也容易連結到《俠客行》狗雜種修泥偶所藏的羅漢伏魔神功及石碑上以圖所悟的俠客行神功。另外，我還聯想到溫瑞安《俠少》在廁所刺蒼蠅裡悟出絕頂劍術的關貧賤。古劍劍法因悟性啟動、內功生於各種陰錯陽差的機緣，也與令狐沖、狗雜種、狄雲相仿，所受霸凌或冤屈也頗有雷同。乍讀《武林舊事》之下，似曾相識感濃厚，實為典型的新派武俠寫法。

我以為，當代（21世紀）武俠小說書寫而今大方向有三：一是走在網路風潮上的中國玄幻仙俠類，致力於從現實中脫離的逃避主義，將天上人間混同，全心於另外的架空世界，但優秀的作品如烽火戲諸侯《雪中悍刀行》，仍舊隱晦埋著關乎現實的真心針貶；二是延續傳統與典範的寫法，如李永平《新俠女圖》、張北海《俠隱》、王駿《江湖無招》、東南《任俠行》、宴平樂《六合槍》等，雖然披戴著武林既有套路，但終歸在細部上各有各的獨特推演；第三種是勇於突破武俠制式，在主題、結構、人物塑造和核心精神等方面，有大幅度、大魄力的翻新，如喬靖夫《武道狂之詩》、徐行《跖狗》、《刀背藏身——徐皓峰武俠短篇集》、郭箏《大話山海經》、樓蘭未《光明行》、邱常婷《哨譜》等。

這套四卷、長達七十六多萬字、寫了二十五年的《武林舊事》，當屬第二路徑。從書名就可以讀見他的心懷，顯然也不介意被歸類在舊（新派武俠）行列裡。唯即便不具備小說疆界的拓荒精神，但並不代表是了無新意的作品，就像林海音透過女孩英子的視野去描寫舊北京社會風貌的《城南舊事》，看似緬懷追憶，但實際上不但反映了時代風貌與變異，且對人心的認識多有詮釋演繹，尤其是女性的處境、生存樣態，更是有深刻的觀照——

賴魅客正如日本的匠人，一生只做一件事，專注且長久的堅持，將所會的武俠寫法推展到極致，也就自然淬鍊出自己的聲音與風格。其筆名，想來是化自Maker（創客、自造者），創意與實作並行，也正符合小說創作的精髓。而《武林舊事》名之為舊，卻能夠把傳統武俠最核心的部分堅實化，並融入個人生命體驗，創造出可安然閱讀但又不勝唏噓的心境感受。

《武林舊事》把過去武俠小說的特點，盡力發演，比如說常見的武林大會，賴魅客針對百劍門（門派排行榜）和試劍大會賽程，就設計得極為細膩，讓人很難不聯想ＮＢＡ、奧運會等世界、職業運動競賽，多想一些，或也有劍指體壇的意思。

抑或是那些千奇百怪劍法的經營，真正儼然一部《天下劍法大觀》，如尋龍劍法最後一招飛燕驚龍（臥龍生也有一套《飛燕驚龍》，曾翻拍為電影《仙鶴神針》、《新仙鶴神針》等），就是人在空中轉動，將身骨內縮，形似一顆急旋的球，練到絕頂，四面八方都可發出刺擊，而且旋轉圈數愈多，勁道就愈強，這創意是加入了體操或極限運動的概念吧。

還有被視為邪道、會使人癲狂失去自我的化身劍法（也很難不想到化功大法、吸星大法和辟邪劍法），則更有趣了，居然得從五歲前還是孩童就開始，練法極其殘酷，塗藥於手，再把劍以綿布纏綁在手，即便潰爛也不管，日以繼夜的將劍與手密合化，直至手劍同體，像是長成了一起，無論遇到什麼狀況，劍就是手，不可能脫體棄劍，「整個人變成了一把會動的劍」。

再舉一例，悟性和記性超強的苦海頭陀，跟人交過手，就能把對方的招式學得一分不差（這不啻於漫威電影《黑寡婦》裡的模仿大師吧）。學盡天下武學的苦海頭陀與狐九敗約定兩年後要以自創新招對戰，一生學會五百五十六套武功，其中劍法兩百三十二套的他，卻在決戰現場拋劍自戕，只因腦中充滿太多招式的他，完全想不出一記屬於己身的新招，就像狐九敗說的「他沒有敗給我，是敗給了自己」。是以，當狐九敗要古劍去思悟劍法時，說的是武藝，其內藏意味何嘗不是賴魅客的真心話——必須寫下唯有自己能夠寫出的武俠作品。

《武林舊事》這類劍法對人事物的寓意指涉，著實不勝枚舉。賴魅客在全力設想各式劍法的同時，又將劍法與人的關聯性，做出最大可能的結合。而奇觀也如的劍法設定、人體極限的鬥技畫面，除在隱喻上接榫著一九五〇年代以來的新派武俠，特別是擅長將招式與人物個性、命運締合起來的金庸外，在華麗場面上，《武林舊事》又能拉回到一九二〇—一九四〇年代的舊派武俠，如超技擊派鄭證因所寫的《鷹爪王》，有著各式各樣的武功異想，打造出一萬花筒也似的技擊宇宙。

而狐九敗傳授給古劍的劍理，起於「劍本無常」，終於「世間無不敗之劍法，劍網再密，仍存縫隙，總有妙招可破之。所謂妙招：選最適當之時機，以最合宜之速度，取最精準之方位，攻敵最弱之要害。」其後，他為古劍所創有陰陽剛柔兼得、變幻無常的劍法命名之際，講著「天地無常，人物無常，劍亦無常」，因而起名無常劍法。

無常，一種持續變動生滅的人生觀，即是《武林舊事》的核心思想。不確定性與未知感，總是伴隨著生命與世界，無可遁逃。而單由古宏劍恢復本來名姓的古劍來看，就帶著一份用心，一方面是去除了宏大，回復原貌本真裡，體悟到再偉大的劍客仍然也都是一名普通人；另一方面，恐怕也是賴魅客暗藏著關乎舊與新的思維辯證，不管是怎麼樣傳統的老故事，亦都能以新視角找出新鮮事。

整本《武林舊事》正如一把古劍，樸實而精準地指向了武林的核心：天人交戰的心性世界。我總以為，作品寫到最後，真正好看的是書寫者的人生體悟。《武林舊事》在劍法的設想上極其出色，唯確實打動我的仍是小說裡蘊含的情感、思維。就以結尾來說吧，如同岸本齊史那套把忍法戰鬥演化到空前絕後的漫畫《火影忍者》出現了漩渦鳴人、春野櫻、宇智波佐助的第二代（也就是後續《火影新世代：慕留人》那些未曾經歷忍界大戰、活在和平裡的主角群像，他們得處理日常小事，走出前人們的偉大陰影），《武林舊事》也有了新生代——

前一代們，全都是活在家族振興、傳承的使命裡，必須繼往開來，不獨古劍被迫輾轉於各大劍門練劍，要光大古家門楣，郭綺雲甚至要自願挖掉自己的眼睛習武，以求練成盲人專使的魑魅劍法，成為劍缽，替啞父瞎母扛下重擔，接手殘幫，更不用說其他諸多角色活在家國宿命、非得成為絕強劍客的悲劇色彩，種種凡此。家庭可不是完全甜蜜的樂園，有時候呢身世會作為詛咒，綑綁著人的命運，乃至於無有出路，恐怖顛倒。

臺灣盡得素樸筆法奧義的陳雨航在《小鎮生活指南》如是我寫：「……幾乎每一個人都是人性和他自己個性的俘虜，終其身無能掙脫，要不然我們為什麼要稱呼滿街的人是芸芸眾生？」

《武林舊事》寫的也是那樣被人性、個性所束縛的凡夫俗子。但人生裡還有比家族或劍法武藝更重要的東西，是這樣啊，人最重要的，就是自己的人生。沒有什麼比自己的人生、走自己想要的道路更至關緊要。小說裡那幾句「誰說名師一定得出高徒？」、「誰說虎父不能有犬子？」、「做人並不是非練劍不可！」，委實是賴魅客贈給筆下人物，乃至於現實世界中新人類的真摯祝福吧。

第一章
大雪

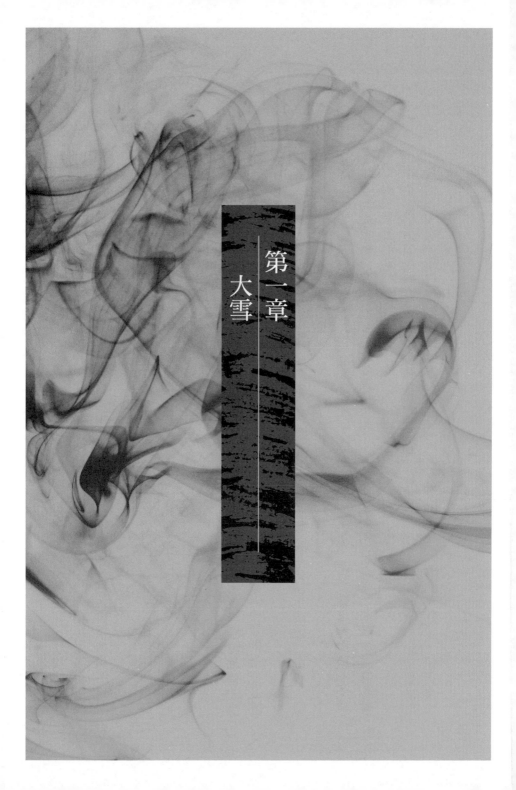

臘月上旬，青城山彭祖峰上，時過三更，明月西斜，月光下白雪皚皚，一灰衣少年正自入神的舞劍，苦練青城派最基本的入門功夫——「逐鹿劍法」，卻見劍招凌亂，似乎尚未領悟劍法要義。他一遍又一遍反覆練習，眼角下貼著兩行細細的冰柱，神情疲憊不堪，卻仍咬緊牙關強自苦撐。

忽然間後方響起另一少年的語音：「不對！不對！你這一劍刺偏了，這招『斜削鹿角』應是刺向對手的百會穴，再倒腕削向太陽穴；而你一劍就刺太陽穴，人家只要稍稍把頭一偏，你就再無後招可用！」說著撿起一根樹枝朝松樹幹刺去，再往下斜削斬斷一根旁枝，正是標準的「斜削鹿角」。

這少年一身黑衣，看上去比灰衣少年大了一、兩歲，身旁還站著一位身穿綠綿襖的少女，倒比灰衣少年小了一、兩歲。男的叫魏宏風，女的叫貝甯，是灰衣少年的師兄及師姐。

灰衣少年一心練劍，對這兩人的到臨竟渾然未覺。他慌忙將黏在臉上的淚柱撕去，似乎心事重重而未能專注，苦嘆道：「風師哥，您又何必白費苦心……」

「不要說話，專心看好！這招『迴風驚鹿』應使得虎虎生風，劍刃朝下，從頂上急速掃過……」魏宏風打斷他的話，邊說邊演，將十三招「逐鹿劍法」逐一演練，並詳細解說各招要義和使勁的竅門。

少年不忍拂逆師兄的一番好意，強打精神凝神觀注，心中卻不禁在想：「這些要訣師父不知教過多少次，早已背得滾瓜爛熟，只怪自己資質太過愚昧，要訣雖熟記，使出來卻往往不是那麼一回事！」

不多會兒，魏宏風使完十三招「逐鹿劍法」，隨即督促少年練習，自己則在旁指導；卻見少年的劍法散亂無常，始終不得要領，偶有一、兩招使得稍微像樣，貝甯即鼓掌叫好，但到了下一輪，又往往變了樣，如此再練半個時辰，反覆數十遍，卻看不出有什麼明顯進步，似乎今夜又將徒勞無功。

少年愈練愈是沮喪，突然將劍甩出，嘆道：「師父說得沒錯，我是朽木，不可雕也！」

貝甯柔聲安慰道：「阿劍！你別灰心，常言道『勤能補拙』，只要你肯努力，總會練成的！」

不料這番話反而刺激了少年，雙手握拳憤然道：「勤能補拙！勤能補拙！難道我還不夠勤勞嗎？」猛抬頭望著天邊那如彎刀的弦月，聲音不禁有些哽咽：「老天爺未免太不公平！同樣一套劍法，有人幾天就學會，而我呢？這一年來，我為了學這套本派最基本的入門劍招，日夜苦練，不敢跟著師兄弟們休息玩耍，每到半夜，不論颳風下雨，總偷偷到這裡練劍，這『逐鹿劍法』也不知練了幾千幾萬遍，到如今卻是一招也還不會！」說到後來，益加苦澀，淚水不禁又奪眶而出。

貝甯把劍拾起，遞還給他道：「不要難過！說不定哪天你突然開了竅，功夫突飛猛進，把我們都給嚇了一大跳呢？」

少年搖頭苦笑道：「李師弟年方九歲，入門不過半年，『逐鹿劍法』早就練得滾瓜爛熟；而我足足比他大了五歲，又早了半年入門，明天的月校若輸給他，還有臉再待下去嗎！」

貝甯道：「你也別擔心，李師弟雖會逐鹿劍，但畢竟年紀還小，氣力不如你；只要你用勁使劍，把他的劍震歪，應該不難取勝。」

少年嘆道：「唉！逼不得已時，也只有這樣！」說著收起長劍，三人並肩下山，少女仍一路安慰著少年，他卻默默無言。三人在道觀前分手，各自回房入睡。

少年躡手躡腳爬上床，蓋上被子，閉起眼睛，卻壓不住心中思潮洶湧：「爹和爺爺為了將我培育成劍術高手，打從六歲起就帶著我東奔西跑，四處拜師學藝。自少林、武當、丐幫、峨嵋、華山、崑崙，再到現在的青城派，拜遍了七大門派的名師，每個師父都說我不是習武的料，用各種名目把我逐離師門。

「雖然如此，爹仍不死心，帶著我一試再試，總要找到適合我的武功路子才肯罷休；而爺爺深怕師父不肯認真教，從不敢少送拜師禮，於是我每換一次門派，家裡的田產就少掉一塊。這一次為了讓我順利進入青城派，把老家僅存的最後一塊田也給頂讓出去，臨上山時，爹認真的對我說：『這是你最後一次機會，再沒學成劍法，不要回來見我！古家沒有這種窩囊子弟！』

「然而，到了青城我還是如此的不堪造就。師父說：『這套「逐鹿劍法」是本派最粗淺的入門劍法，資質高者，十天半個月可成；一般人兩、三個月亦可學通；悟性再差，半年也該足夠！』然而我苦練年餘，卻始終無法領會一招半式，怎麼對得起爹娘和師長！明天的月校若敗給李師弟，師父的責罵及師兄弟們的嘲弄，又該如何面對？」

少年躺在床上翻來覆去，一會兒愧對父祖，一會兒對自己太過愚蠢的天資感到哀傷，一會兒又恐懼於次日的月校難關，憂心忡忡，暗地裡也不知流下多少眼淚，直至四更過半，才迷迷糊糊的睡去。

一覺醒來，見太陽已高高掛起，整個臥鋪空無一人。他大吃一驚，嚇得冷汗直流，想必昨夜太晚入睡，才會如此晏起。慌忙起身著裝，心中正納悶：「師兄們都已起床勞動，怎麼沒人過來叫醒我？」

原來他勞務特重，每天必須比人早半個時辰起床才能按時做完，但整理棉被衣物時難免會發出一些聲響，習武之人耳聰目明，往往因此驚醒，除了受罵挨打，更惹得師兄們個個惱他。今天好不容易發現這個「撮鳥」晚起，大夥們決定要整他一次，不但不叫人，反倒輕聲細語躡手躡腳，深怕發出一點聲響將他驚醒而錯失好戲。

少年匆匆下床，手忙腳亂整好被褥隨即衝至農舍，提著木桶和扁擔又往茅廁奔去，裝了兩桶糞便。他力氣還不是很夠，平常只裝七分滿，如今眼看時間所剩不多，硬是裝到九分滿，咬牙扛起，搖搖晃晃挑到菜園；如此來回施了七、八趟的水肥，只覺得腰酸腿軟，一個不支，失足跌個狗吃屎，衣服、褲子，甚至口鼻全都沾到糞便，他隨即往一旁的沙地滾了幾圈，再將糞土拍去。抬頭看日勢，心中暗暗叫苦：「糟糕！真要遲到啦！」急忙衝到溪裡，將全身泡在水中，冷得發顫，草草浸洗幾下，也不及擦身更衣，逕往山上奔去。

趕到練武場，大家正凝神觀看場中大師兄和二師兄的比試，少年心中涼了半截，心道：「慘了！已經比到最後，而我該是第一個出場之人。」

按青城派月校的規矩，是將各支派的弟子依武功高下排列，除入門未滿半年者免試之外，首先由武功最差者對次差者比劍，勝者再向倒數第三名挑戰，如此依序比試，直到首徒，最後贏的人再與師父練劍。月校與年校均為掌門商廣寒苦心創立的辦法，目的是考校各年輕弟子在一段期間來的武功進展，並激勵弟子們彼此競爭，勤練劍術。

他誠惶誠恐的走到師父邱廣平跟前，不敢直視，顫聲道：「師……父，徒兒該……該死，來遲了！」

邱廣平舉手欲打，卻見他全身溼臭，把手收回，厲聲道：「先到旁邊跪著看，離我遠一點。」

少年依言退開，找個無人的角落跪下，卻又聽見師父猶有餘憤道：「豬狗不如的東西，功夫練不好還敢遲到！」心中忐忑不安，刺骨的寒風陣陣颳過溼冷的身軀，他愈發抖得厲害！

不多時，兩位師兄分出高下；二師兄魏宏風以一招「除豹安良」逼得大師兄江宏漢撤劍認輸，隨即退步道：「師兄，承讓了。」

大師兄卻搖頭說道：「二師弟，你愈來愈厲害！我敗得心服口服。」

邱廣平平和的說：「阿漢，你能看開就好。雖然你入門在先，但風兒是本派罕有的奇才，能在他手下走過三十餘招，也不算差了！」

江宏漢聞言恭謹的道：「師父所言極是，弟子今後會向魏師弟多加學習。」

邱廣平點頭稱許，又轉身對魏宏風道：「風兒，這一、兩年來你找不到練劍的對手也挺寂寞，而為師也只有在月校時和你練上一練。再過一陣子等你把『襲豹劍法』都學得差不多時，可真不知再拿什麼來教你？」

魏宏風道：「師父過獎，和您比起來，弟子的武功實在微不足道！」

邱廣平搖頭笑道：「差不了多少，進招吧！」

魏宏風雙手合拱，倒持劍柄，劍尖朝下，正是一般江湖上晚輩向長輩請教武藝的禮節；見師父點頭回禮後，翻轉右腕，長劍自下而上劃一圓弧，正是「驅狼劍法」中的一招「惡狼擺尾」，端是迅捷靈動，顯然已得其中精髓，邱廣平也以一招「驅狼劍法」擋架，並道：「不必再使『驅狼劍法』，直接從『搏熊劍法』練起。」

魏宏風應了一聲「是」，劍勢突變，由快轉慢，卻是虎虎生風，氣勢不凡，邱廣平亦以「搏熊劍法」對招，圍觀的眾弟子，個個看得目眩神馳，心中有股說不出的欽羨，不禁想著：「不知那一天才能像二師兄這樣，可以將『搏熊劍法』使得如此凜凜生威。」

師徒倆一來一往將「搏熊劍法」拆解一遍後，劍風突變，一招快過一招，卻是「襲豹劍法」。只聽鏗鏗鏘鏘的劍擊聲連綿不絕，眾徒看得眼花撩亂，再也難以領會其中奧妙。原來早先的「搏熊劍法」只是一場示範，讓其他弟子觀摩學習，現在才是真正的師徒考校武功。

青城派共有五套劍法，依次為逐鹿、驅狼、搏熊、襲豹、尋龍，循序漸進，一套比一套深奧，前一套劍法若未能練得精熟決難再練下一套，如最簡單的「逐鹿劍法」，一般弟子只要花兩、三個月就可學通，即使學成充其量也只能嚇嚇山裡的野鹿，沒有什麼了不起的威力，卻是往後四套劍法的基礎。若未能完全領會「逐鹿劍法」，後面的「驅狼劍法」說什麼也難以學通。

接下來的劍法更是一套難過一套，以一般資質平平的弟子而言，兩年驅狼，六年搏熊，再苦練個二十年方能襲豹，至於青城的鎮派絕學「尋龍劍法」則不是人人可練，非得品性純良，資質優異，經掌門首肯後方可開始學習。若天分不夠即使窮畢生之力，亦難有所成。

而魏宏風卻是難得一見的習武瑰寶，入門不到六年已差不多學會了「襲豹劍法」，此一成就不但令同儕們難以望其項背，甚至放眼歷代的前輩也罕有聽聞。

過了百餘招邱廣平只是略占上風，始終未能有明顯的優勢，遂後退一步，還劍入鞘。魏宏風亦收劍行禮，邱廣平頷首微笑說道：「風兒，以你這般進境，恐怕不用再等一年半載，便能完全領悟這套劍法！」

魏宏風恭敬回道：「師父說笑，若非您有所容讓，弟子恐怕難以走完這一百零八招『襲豹劍法』。」

邱廣平搖頭道：「練劍試招又何必讓？你天資極佳又肯勤學，看著你日日精進，做師父的心裡也歡喜，日後光大青城武學全看你了，只盼到時候可別忘了我這個啟蒙師父呀！」

魏宏風隨即跪道：「一日為師終身為父，弟子終此一生，絕不敢忘記師父的教誨之恩。」

邱廣平微笑說道：「很好，你先退下吧！」說完斂起笑容，目光射向汙衣少年，厲聲道：「古宏劍，起來跟小癸比試！」

原來這汙衣少年叫古宏劍，他全身又溼又凍，牙齒打顫吱吱作響，雙腿早麻，撐起身子挨挨蹭蹭走到場中，開口想對邱廣平解釋遲到的原因：「師……父，弟子……」

「廢話少說，快比劍！」

這時場中已有一個小孩在等著，這個年幼弟子名叫李宏癸，入門剛滿半年，兩人相對而立，李宏癸至少矮了一個頭。他對著古宏劍道：「這是小弟第一次月校，還請師兄指教！」雖然平常對這位師兄不怎麼瞧得起，在師父面前仍不敢失卻禮數，但看著對方又髒又臭的衣身，卻不禁流露出鄙夷的臉色。古宏劍見此，也察覺到自己身上餘臭未消，萬分尷尬，卻又不知該說些什麼。

兩人齊身向師父鞠躬行禮後，李宏癸率先出劍，卻是「驅狼劍法」，招招進襲，古宏劍則以「逐鹿劍法」小心應對，過了數十招，兩人鬥得齊鼓相當。「驅狼劍法」雖較精妙，但李宏癸入門不過半年，這套劍法只不過學到一點皮毛，反不如熟練的「逐鹿劍法」來得穩當；所幸古宏劍的「逐鹿劍法」也使得半像不像，正是半斤八兩，亂成一氣。邱廣平見二人使得亂七八糟猶似兒戲，不禁搖頭嘆氣，李宏癸年幼倒也罷了，但古宏劍卻始終不長進，著實令人氣結！

久戰不下，古宏劍倒先心慌，思道：「以前每次月校都是跟師兄比試，打輸還說得過去；但這次面對的是第一次參加月校的小師弟，若還無法取勝，勢必會被人更加瞧不起！」只得漸漸增加力道，想將其長劍震落，他知道這樣做有點勝之不武，但這時為了求勝，卻也顧不了這麼許多。

每當雙劍相交，李宏癸就感到對方的勁道一次強過一次，震得虎口愈來愈疼，險將長劍脫手，只得盡量減少雙劍接觸的機會，眾弟子眼見此一情狀，對古宏劍更加鄙視不平，有人忍不住低聲罵了出來：「真不要臉！」

照理說來，同門比劍，其他的人只能在一旁靜靜觀看，不得發出任何聲響干擾到場中之人，但這次卻不見邱廣平斥責發話之人，眾人見狀也開始零零星星數落起來，有人道：「你技不如人，只會以大欺小，不是好漢！」「臉皮真厚，為了求勝，什麼事都做得出來！」「古爛劍，你不要再混下去啦！像你這樣笨，練到一百歲還是『逐鹿劍法』，乾脆乖乖回家，種菜挑糞算了！」話說完大家都笑了，原來古宏劍平日的勞務正是種菜養豬。這些斥責嘲罵的聲浪一一鑽進耳裡，他的臉皮哪有這樣厚！整張臉漲得赤紅，羞慚無地，再也不敢出力使劍。如此一來，兩人又打得難分難解。

邱廣平忽道：「小癸，用『逐鹿劍法』。」

李宏癸聞言立即會意，隨即改攻他早已練熟的「逐鹿劍法」，成了「逐鹿劍」對「逐鹿劍」的一場競技；只是一個使得中規中矩，另一個卻破綻百出；再加上古宏劍心情凌亂，始終無法集中精神對敵，不出幾招，勝負已分，李宏癸的長劍抵在他的前胸。

李宏癸收劍拜謝師父，得意揚揚退下場，只剩古宏劍仍呆立在場中，兩眼茫然望著前方，似乎一時之間還難以接受這失敗的事實。邱廣平愈看愈火，斥道：「發什麼呆？輸了就可以忘記禮數嗎！」

古宏劍收心斂神，拘拘縮縮走到師父跟前，跪了下來。邱廣平舉掌欲打，卻見不遠處有一童子奔來，是廣榮師弟座下的弟子，遂緩緩把手放下。那弟子來到跟前，拜道：「啟稟邱師伯，有位峨嵋派的胡正風前來拜山，掌門師伯請您率眾師兄弟速去正武廳。」

邱廣平點頭回好，又對古宏劍道：「今天這筆帳，待會再和你好好算！這個不中用的東西，最好每天燒香拜神，求求太上老君保佑你不要抽到今年的大校。」

原來青城派除了每月初一的月校之外，在每年的正月初九創派祖師誕生之日，另舉辦一場年度大校，以此考量各門弟子的武功進境。除了掌門商廣寒，青城派另有九名廣字輩的師弟每人各收十幾個徒弟，月校只是各人所屬的弟子相互比劍，而大校卻是各出兩名弟子，一為選派的代表，派出來的當然是各門下最傑出的弟子，由這九名代表比試，分出排名先後；另外還有一種抽試，即在每一門各抽出一位與試者，除了參加第一場比試的首徒及入門未滿一年者免試外，其餘弟子均有抽中的機會，這九位中籤者也要相互比試，列出一至九名。如此兩項排名合併，名次最前者，該門可獲得象徵青城武學榮譽的「玄天劍」。

邱廣平在眾師兄弟間武功僅次於掌門，教徒最嚴，首徒魏宏風在同輩弟子中出類拔萃，已連續數年不敗，而其餘弟子在他嚴教勤管之下亦極優秀，即使籤運再差，也能打入前三名，因此這幾年來始終穩坐第一教席。但自從收了古宏劍之後卻令他擔憂不已，今年的大校若由他中籤代表出賽，自己多年來辛苦建立的名聲，不免將毀於一旦。

想到這裡，邱廣平瞧著他汙穢的外衣，心中突然升起一股無名火，朝著古宏劍胸口狠狠踹了一腳，將他踢翻到好幾丈外。古宏劍摔個人仰馬翻，立刻掙扎爬起，維持跪姿。邱廣平道：「你先回去更衣，換好衣服馬上趕到大廳，不要再丟我青城派的臉！」說罷，帶著眾徒逕往正武廳行去。

眾人來到大廳，只見黑壓壓的一片，已站滿青城弟子。掌門商廣寒坐在太師椅上，連遠字輩的師叔也都在場，分坐兩旁。正中站著一位四十來歲的漢子正和商廣寒對話，此人即是峨嵋派的胡正風，因門下弟子與青城派弟子發生衝突而受傷，今日來此是要討回一個公道。在他身旁站著數名弟子，當中一位右手綁著布帶，見到邱廣平等人進廳，即以左手指著他們道：「師父，砍傷弟子的，就是這三個人。」手指分別點向邱廣平的三徒潘宏聲、五徒林宏道及六徒郭宏宇。

那胡正風隨即道：「商大掌門，胡某說得沒錯吧！傷我徒兒的，果然是貴派弟子。想我徒兒郝大光年紀輕輕與貴派無冤無仇，絕不可能胡亂指認。」

商廣寒向三人瞪視一眼，道：「你們三個過來。」三人依言走到場中，商廣寒道：「這位峨嵋派的郝小友，真是你們所傷？」

三人面面相覷，一個個點頭默認。

商廣寒拍椅怒道：「胡鬧！平常我是怎麼告誡你們？習武之人最忌逞強鬥狠恃強凌弱。你們學藝未成，竟敢擅自在外惹是生非，敗壞本派名聲，非得嚴懲不可！」

胡正風在一旁道：「哼！恃強凌弱倒還不至於，充其量不過是以多欺少罷了。」

五弟子林宏道向來機敏，一看苗頭不對先行下跪，其餘兩名弟子見狀也跟著跪下，林宏道說：「啟稟掌門師伯，弟子知錯，下次再也不敢犯了！不過當時的情景著實令人氣憤，若非本派遭受羞辱，弟子膽子再大，也不敢如此！」

商廣寒哼了一聲，沉道：「你們把當時的情形老老實實說一遍，不得有半句虛假。」

林宏道說：「上個月初師父吩附弟子和三師兄、六師弟到縣城辦事。時至正午，我們三人先到鎮上昇祥樓吃飯，一坐下來就聽到兩個峨嵋弟子正高談闊論，其中這位受傷的說道：『這些年來「百劍門」好生囂張，走到哪都會碰到上衣繡劍的百劍弟子。』

「接著那位姓劉的弟子說：『師兄說得極是，方才街角那幾個「長生劍門」的弟子，胸口處繡了三把銀劍、四把銅劍，在百劍門中只不過排到第三十四名就自以為了不起，竟敢在大街上舞刀弄劍！』

「那郝大光道：『哼！百劍門只不過是人數眾多的烏合之眾罷了，要不是我們六大門派不屑參與試劍大會，這些微門雜派哪有機會封王稱雄。』」

講到這裡，卻見商廣寒的臉色沉了下去，林宏道不禁噤了一口氣，繼續講下去：「當時我們聽到這裡都感到十分納悶，這幫人為何要把七大門派說成六大門派？於是弟子便上前請教他們，究竟何謂『六大門派』？」

說到這裡，卻聽郝大光插口道：「這還要問嗎？天下武林誰不知道，所謂六大門派，是指少林、武當、峨嵋、丐幫、華山、崑崙，這六大門派的武功、聲望，可不是其他雜門小派……？」

「住口！不得無禮。」胡正風見這個不懂事的小徒又要因言語惹禍，趕忙喝止卻為時已晚。但見大廳中數百道慍怒的眼光全都盯向這裡，他瞧著商廣寒乍紅還青的臉色，一時沒了主意，心裡反覆嘀咕著：「糟糕！這下子可真闖了大禍，若不能妥善處理，可真回不了峨眉山！」

郝大光這番話若純屬虛言，商廣寒也不會生氣；然而事實上，青城派能否與其餘六派並列為武林大派，江湖上的說法並不一致。雖說青城已經建派百餘年，可是比起其他各派至少兩、三百年的歷史，聲望自然略遜一籌；而在武學上雖偶有高手出現，但其鎮派武學「尋龍劍法」，並非每一代都有人能練得出神入化，再加上以往青城派的門徒不多，直至商廣寒接任第七代掌門才開始大舉收徒；因此與上述六派相較，的確略顯分量不足，但相對其他微門小派而言，又儼然為一大宗派；是以武林中人，對青城派有好感或是有淵源者，往往稱青城為「七大門派」之一；但其餘的人，多將青城派剔除在外，只承認江湖上的「六大門派」；然無論如何，一般識相之人絕不會在青城門人面前說成「六大門派」，不然輕則一番口角，重則一場惡鬥。

這個情勢，商廣寒與幾位較年長的師叔、師弟們並非不知，只是誰也不肯說出來。

大廳上沉寂了好一會兒，大家都在等著看掌門人打算如何處置？卻見商廣寒調勻呼吸，緩緩啜一口茶，對林宏道說：「當時還講了些什麼？我要你一字不漏的說出來。」

「是！當時弟子三人感到不解，遂移座攀談。三師兄問道：『方才我們聽到兩位提及「六大門派」，不知所指的是哪六個門派？』那位姓劉的笑著說：『三位看似學武之人，怎麼連六大門派都不知道？所謂「六大門派」，以少林居首，武當、峨嵋次之，再加上丐幫、華山、崑崙，合稱為武功最高，聲望最隆的六大門派。』

「弟子聽他們竟未將本派列入各大門派，十分氣惱，忍不住問道：『青城派不算嗎？』那郝大光卻說：『如果硬要把青城派給安插進去也無不可，只不過不能稱做七大門派，而得說成十一大門派，這未免太拗口。』

「弟子隨即又問：『為什麼？』他說：『我師曾說，之所以稱為六大門派，是因為在這六大門派隨便派出一個弟子，都可以在「百劍門」的「試劍大會」中奪魁。但青城派如果也去參加試劍大會，那多半會排在四大劍門之後；因此若青城派也能算大門派的話，四大劍門也不能漏掉；如此一來，豈不成了十一大門派？』說完他們還笑了起來。」

聽到這裡，青城派弟子個個握拳透爪義憤填膺，恨不得立刻衝過去好好教訓這幾個狂妄的峨嵋派師徒。

林宏道續道：「弟子三人聽到這番話無不感到憤慨！六師弟拍桌罵道：『豈有此理，你們峨嵋派實在過分！竟然如此辱我青城！』他們這才愣了一下，那郝大光才說：『原來三位是青城弟子，方才不知，言語失禮，還請包涵。』

「掌門師伯，他們如此當眾詆毀本派，怎能憑其三言兩語就善罷甘休，如此一來豈不讓人以為我們怕了峨嵋派？於是弟子對他們說道：『你們如此辱我青城，難道就這樣算了？』那郝大光道：『不然你要怎樣？』我說：『請各位收回方才的話！』

「他卻道：『話已出口怎能再收？況且我們說的話句句實言，又何必更改？』三師兄實在氣不過，亮出長劍說：『既然如此，也只好來領教你們峨嵋劍法，讓你看看青城是否夠資格列名於七大門派。』他們也拔出長劍說道：『比就比，誰怕誰！老實告訴你們，在四川境內只要有我峨嵋派，青城派永遠也別想出頭！』於是我們就打了起來。」

商廣寒轉向胡正風道：「此事當真？」

胡正風看著商廣寒銳利的眼神也開始惴惴不安起來；原來郝、劉二人為了怕他責罰隱瞞部分事實，只輕描淡寫提了一小部分。他原想雙方口角並不嚴重，只帶了幾個門下弟子前來爭一口氣，料想憑我峨嵋派的聲望與實力，青城派還不敢為難；哪知兩個徒兒說了這麼多重話，眼看廳上百餘名的青城門人個個怒形於色，此事若不能好好應對，恐難善了！吶吶說道：「關於這個……我並不完全……清楚……大光、大彪，你們說，這是真的嗎？」

兩人見師父如此疾言厲色的責問，也有些心慌！彼此對看一眼，一個搖頭，一個點頭，接著點頭的又急忙搖頭，搖頭的又趕快點頭。胡正風大怒，啪！啪！兩人各掌一個耳光，喝道：「到現在還想騙我！」

二人跪下，郝大光道：「弟子不敢，是有一些話漏了說，但絕對沒說過什麼『既有峨嵋，何需青城』這類的話。」他說得也沒錯，有些話是林宏道私自加油添醋，加深掌門對他們的憎惡，以減輕自己的過失。

林宏道當然不容他有辯駁的餘地，遂道：「你撒謊，那天你們就是這樣講！」

郝大光急道：「你才亂講，我……不會騙人的，我……」

林宏道插嘴說：「你連你師父都敢騙，還有什麼謊話不敢說？」這番話倒是抓住了郝大光的要害，那天他受了傷，衝突的情形全由師弟報告，雖只是少講一段，但也和欺騙差不了多少。他口才本非靈光，現在更不知該如何辯駁？兩排牙齒咬得咯咯作響，氣得傷口都迸出血來。

胡正風知道這個徒兒沒有騙他，然事到如今再怎麼說也沒人相信，如今最重要的還是要能全身而退。計議已定，隨即說道：「在下素聞青城派商大掌門是個講理的人，本想前來弄個清楚；現在終於明白事情的發端是由吾徒而起，怨不了別人，我想少年人比劍受傷是常有的事，讓他們受點教訓也好。今天的事，就當作是一場誤會，還望商大掌門海涵，就此告退。」說罷帶著眾弟子欲行離去。

忽有一人攔在前面，正是邱廣平，兩人互瞪一會，似為舊識；原來十幾年前邱、胡二人就有過節，弄得兩敗俱傷，彼此懷恨，以至今日相見分外眼紅，新仇舊恨齊上心頭。邱廣平道：「胡兄，你未免太瞧不起本派，青城山豈能由你說來就來，想走即走？」

胡正風道：「那你待如何？」

邱廣平道：「你可有在背後誹謗我青城不配列入『七大門派』，甚至連『四大劍門』都不如？」

胡正風沉思一會，答道：「這只是在下醉後戲言，不必當真。」

邱廣平道：「那你是承認我青城派確實是武林大派囉！」

胡正風道：「是，可以走了嗎？」

邱廣平道：「哈哈！只要你能誠心誠意的說幾句話，我們自當放你回去。」

胡正風問：「什麼話？」

邱廣平一字一句的說：「所謂中原武林六大門派，乃為少林、武當、青城、丐幫、華山、崑崙。」

胡正風怒道：「那峨嵋呢？」

邱廣平道：「峨嵋可列為第十一大門派。」

胡正風道：「豈有此理，你欺人太甚！胡某雖不才，也不至於自辱本派！即使粉身碎骨，也不會再說半句。」

邱廣平道：「既然你如此死要面子，我們也只好請幾位留下。」

胡正風笑道：「哈哈！你們仗著人多硬要留住我們也不是難事；只是在下率弟子出門之前，已向敝派掌門提過要專程拜訪貴派，如果超過時日未能返回，掌門人將會親自前來拜訪，到時只怕會傷了兩派的和氣。」

其實胡正風並未稟告掌門此行去處，因為峨嵋派掌門杜百陵生性平和，若知胡正風是去青城派找麻煩，必然不允；但這番話卻起了作用，商廣寒雖不願承認，內心卻很清楚，目前峨嵋派的實力，確較青城派略勝一籌。除非今日能不聲不響將這幾人除去，否則一旦峨嵋派追究起來，青城派恐怕難以應付。他說道：「胡兄，邱師弟只不過跟你開個小玩笑，又何必動怒，汙指本派專善倚多欺少？」

胡正風見商廣寒已被其言語唬住，膽氣又壯，道：「若非倚多欺少，我徒兒怎會落敗？如果一對一的比劍輸了，那是他技不如人，受傷活該！我又何必來此自討沒趣？」

商廣寒轉向林宏道三人問道：「是嗎？」

林宏道見掌門嚴厲的眼光，心想：「千萬不可承認此等不光彩的事，反正郝、劉二人已不被眾人所信任，且這兩人傷勢尚未痊癒，難以再比劍。」遂道：「掌門師伯，這兩位峨嵋弟子說話不老實，您可千萬別信！」

郝大光罵道：「你混帳！要不是你們三個聯手打我們兩人，受傷的會是你。」

林宏道說：「怎麼，你們輸了不服氣，想賴嗎？我是打不過你，但你的峨嵋劍術也鬥不過三師兄的『搏熊劍法』。」

郝大光氣得全身發顫，這時卻聽到邱廣平道：「各位無須爭論，究竟誰是誰非，只要兩邊各自派人再比一次，便可分曉。」

胡正風聽了倒露出笑容，他本來就是要郝大光來此爭口氣的，現下可正合他意，接口道：「胡某正有此意，就由吾徒郝大光再試試閣下三徒弟的『搏熊劍法』吧！」

此話一出，大廳上所有的人都訝異，商廣寒道：「郝小友右臂有傷，恐怕今日不宜使劍，還是請貴派另擇其人吧！」

胡正風道：「他的傷不礙事，何況若非由他二人比劍來分勝負，也沒有辦法分辨事情的真偽。」

邱廣平道：「這可是你自己說的，別事後又怪我青城派占你們便宜。」

胡正風道：「正是。」

雙方議罷，將眾人退至兩旁，大廳中央只留郝大光及潘宏聲。青城門人都在想：「潘宏聲在年輕弟子當中也能排進前十，峨嵋派竟敢派傷兵出戰，如此托大自取其辱，怨不得人。」

開始交鋒，情形卻大出青城派眾人意料之外，只見郝大光以左手持劍，仍是攻勢凌厲，逼得潘宏聲處處受制。其實郝大光的武功原比潘宏聲高不了多少，右臂又受傷，本應不敵；但顯然這套劍法乃針對「搏熊劍法」而來，令潘宏聲中規中矩的劍法招招被封，被逼得左支右絀好不狼狽。

原來當年邱廣平與胡正風比劍時，所用的劍法正是「搏熊劍法」，那時他的「搏熊劍法」火候已足，略勝胡正風的「雲濤劍法」，曾重創對方右臂，但胡在危急中以左手劍亦反傷邱廣平一劍，回去之後日夜苦思，終於發現「雲濤劍法」若加以部分修改並以左手使劍，恰可制住「搏熊劍法」。他與郝大光都是天生的左撇子，左手使劍原比右手靈巧，只是峨嵋派的劍法全是宜右不宜左，只得跟著大家習練右手劍。

後來郝大光為青城所傷，他問明原委後心生一計，遂教其練習左手版的「雲濤劍法」；而郝大光也未讓師父失望，不到一個月的時間，左手劍已使得比右手劍更加凌厲流暢，胡正風見時機成熟，便帶著他來此了決恩怨。

過了五十餘招，只聽「鏘」的一聲，潘宏聲長劍落地，右臂劃上一道長長的傷口。胡正風朗聲道：「小徒年幼出手不知輕重，還請商大掌門見諒，不過也幸虧那一劍，刺出了誰是誰非、孰強孰弱；既然勝負已分，我等也不再逗留，就此告辭！」

卻聽邱廣平道：「這算什麼比劍，我敢打賭，一個月後，我帶徒兒上門挑戰，必可勝你峨嵋派的『雲濤劍法』。」

胡正風想：「這也不無可能，『雲濤劍法』在峨嵋派不算是頂尖的武功，我既能破解『搏熊劍法』，商、邱二人也可想出破解『雲濤劍法』的怪招，如此一來豈非永無寧日？」遂道：「那你要如何才會心服？」

邱廣平道：「不是我不服氣，只是四川兩個最大的門派切磋武功，隨意各派一名弟子試招，就依此來評定兩派武藝之高低，未免太過草率。」

胡正風道：「照你這麼說，難不成要每個弟子都來比比看嗎？」

邱廣平道：「那倒不必，在下倒有一法，應該相當公平。」他用手指著後面的門下弟子說道：「這幾個都是我邱某的徒弟，可在你我弟子中各挑兩名，再比兩場，以三戰兩勝者為贏，先前一場就算是我輸；餘下兩場，你們只要再贏一場，便可離開。」

胡正風道：「那要如何挑選？」

邱廣平道：「第一場，你可挑你最得意的弟子與我的首徒比試；第二場則反過來，由我來挑選你門下弟子，而我方代表由你指派。」

胡正風道：「很合理，不知商掌門意見如何？若我們得勝，是否真的可以走？」他方才一時大意，未要求青城掌門允諾勝了即可離開，以至於還得加賽兩場，這次卻也不肯再吃虧。

商廣寒道：「當然！胡兄也不必太過在意，邱師弟不過是想瞭解一下，我青城派的武學是否真如你們所說的如此一文不值！」

雙方商議完，各派一名弟子出場，胡正風這邊是由其大弟子顧少白代表比試，而邱廣平自然派出魏宏風。

雙方站定後，只見白光一閃，顧少白長劍出鞘，猶如狂風巨浪般的猛擊魏宏風四周，聲勢驚人，正是峨嵋派著名的「出雲劍法」。瞧他舞劍的氣勢與勁道，顯然已得此劍法「強、狠、快」之要訣。顧少白是峨嵋派年輕一輩弟子中出類拔萃的人物，與另兩名優秀弟子並稱峨嵋三少，胡正風敢如此爽快的答應這第二場比試，正是因為對這個愛徒有信心，認為青城派宏字輩的門徒中，不可能有人強過他。

然而卻見魏宏風好整以暇的以搏熊劍法一一架回，這「搏熊劍法」在他手上，威力竟比潘宏聲強上數倍。對手快似閃電的一刺，他也疾如流星的一封；敵方挾風帶勁的一掃，他則沉重堅穩的一擋。任憑顧少白如狂風暴雨般在其四方遊走急攻，他卻只在原地踏圈，化解對方每一招攻勢。這絕不是在風雨中漂搖的破船，而是一座遮擋暴雨狂風始終屹立不搖的高山。約莫過了七、八十招，魏宏風突然往前躍出，劍尖直抵對方咽喉，正是「襲豹劍法」的一招——「飛豹穿喉」。

胡正風動也不動注視著魏宏風，實在不敢相信青城派有這麼傑出的弟子，他悉心調教的大弟子，輸得一點也不冤枉！只聽邱廣平道：「胡兄，今日你總算見識到青城武學了吧！」接著手指其身旁一名幼童道：「這位小兄弟看似機伶得很，想必學武神速，我想請他代表貴派比試第三場。」

這小孩叫胡大朝，只有八歲，是胡正風的幼子，平日十分寵愛，他聽說父親要帶師兄們到青城派找人比武，玩心大動，硬吵著要跟來，胡正風一時拗不過帶來，不料卻被對方看上。瞧瞧邱廣平的幾個門徒，即使最小的也比自己的兒子高上半個頭，不知練了幾年功夫。他早料到對方想挑定這孩子比第三場，只沒料到顧少白會輸，不禁後悔當初答應得太過爽快。

正自懊惱之際，恰見門口進來一灰衣少年向邱廣平行禮後入列，胡正風大喜，指著這少年道：「貴派果然人才濟濟，連這位身兼各大門派武學的少年高手也在貴派學藝，當真是臥虎藏龍。」

邱廣平問道：「你這話是什麼意思？」

胡正風道：「這是你們家務事，留給你自己問吧！我現在就要挑他比劍。」又對那少年道：「你現在應該叫古宏劍吧，恭喜你又轉投名師，想必武功大進，哈哈！」

那少年正是古宏劍，他沐浴更衣後立即奔來，卻看到了以前的師父和師兄弟，一進門就飽受譏嘲，窘得滿臉通紅。

他在胡正風門下學藝也將近一年的光景，這時再度相見，習慣性的叫了一聲：「師父！」

胡正風喝道：「住口！別忘了你已被逐出門牆，不准再用以前的稱呼！」

聽胡正風的語氣，顯然古宏劍在進入青城之前，已在包括峨嵋派在內的好幾個門派中學過劍，這使得大廳內所有的青城門人都覺得臉上無光，心想：「這傢伙原來是被峨嵋派踢了出來，才入我青城。」邱廣平更是惱火，本想立刻處置，但顧慮到待會比劍的勝負，暫且按下怒火，對著古宏劍道：「你得跟那位峨嵋派的小兄弟比劍。記住！不管用什麼方法，只准勝，不准敗！」

古宏劍才剛進入大廳，還搞不清楚怎麼回事就被要求和人比劍，雖滿心迷惑，卻也不敢多問。硬著頭皮走到場中，前面站著一個小孩對他咧齒一笑道：「古錐哥，我們又要玩相殺的遊戲，真好！」

古宏劍笑著點頭，「古錐哥」是胡大朝替他取的綽號，全峨嵋派也只有他才這麼叫。回想起以前在峨嵋學藝時常抱著他四處玩耍，偶爾撿起樹枝玩起「相殺」的遊戲，那時胡大朝還沒開始正式學劍，為了讓他高興，古劍總是假裝打輸。環顧四周，青城派所有的人都注視著自己，這次「相殺」是玩真的，絕不能再讓。

胡大朝率先出劍，被古宏劍架開，你來我往，但見二人劍法均散漫無章，毫無力道。矮小的胡大朝東鑽西竄不時尋找空隙劈刺，而古宏劍則小心擋架，見他跳躍靈活，深怕自己使劍無法收發自如而傷了他，只得全心守禦，如此一來，倒使胡大朝也難以取勝。比試沉悶而不精彩卻是關鍵的一戰，眾人緊張注視場中，眼看雙方都一再錯失得勝的機會，不免感到焦慮與惋惜，恨不得親自下場早點結束比試。

邱廣平實在看不下去，喝道：「使劍用力一點，加把勁！」「刺過去呀！你怕什麼？」「唉！你怎麼這麼笨！」不斷的言語相激要他速戰速決，只聽得古宏劍益加心慌意亂險些中劍，邱廣平更怒，罵道：「這場還輸，不要叫我師父！」古宏劍聽了更是緊張得六神無主。

慌亂中胡大朝卻也露出了一個嚴重的破綻，古宏劍把心一橫，挺劍疾刺，胡大朝劍勢用盡，全無退路，眼看就要傷在劍下，危急中叫了一聲「古錐哥」！古宏劍心中一震，忽然想到當年在峨嵋學藝時也常遭性子暴急的師父責罰，常靠這個小弟弟求情。

想到這裡，硬生生倒轉手腕，這原是「逐鹿劍法」的一招「迴風驚鹿」，本來他怎麼練都不成，這次倒是使得十足像，只是時機大大的不對，如果能正確使出「指鹿點馬」這招，不但不會傷人也足以取勝。不過一個猶豫加錯招，立時感到胸口一涼，已被劃了一道淺淺的傷痕。

眼角一瞟，卻見大廳上一百多名青城門人正盯著自己瞧，個個眼神充滿了鄙夷與憤怒，古宏劍既羞且愧，也不敢直視師父，黯然退場。

胡正風見己方獲勝，得意揚揚，順口嘲諷了幾句，率眾弟子揚長而去，青城眾人個個垂頭喪氣，無心攔阻，任由他們離去。

待這幫人走遠，商廣寒道：「現在該是我匡正門風的時候！廣平師弟，請你四個欺師賣祖的徒弟過來。」

邱廣平一張馬臉漲得通紅，瞪著四人罵道：「真的要我請你們嗎？還不快去跪！」四人聞言，惶恐的走到掌門面前，恭敬跪下。

商廣寒先對林宏道三人說：「你們三人聯手對付峨嵋派兩個弟子之事，為何不敢承認？」

三人面面相覷，你看我，我看你，最後還是林宏道回話：「啟稟掌門師伯，弟子知道以多勝少並不光彩，怕峨嵋派會笑話本派，所以不肯承認。」

商廣寒道：「哼！我看是為了你們自己的面子吧！」

林宏道忙道：「掌門師伯說得極是，弟子一時糊塗，欺瞞師長，罪該萬死，請掌門處置。」潘宏聲和郭宏宇見他認罪，也急忙磕頭認錯。

商廣寒道：「念在你們是為了本派聲譽才跟峨嵋派起了衝突，我從輕發落，只罰你們午掃半年，退下吧！」三人面露喜色，所謂午掃，只不過在午休時間打掃環境，比起面壁、苦役等處罰，算是極輕了。

接著商廣寒對古宏劍道：「你到底在哪幾個門派待過？從頭道來。」

古宏劍垂首道：「弟子從六歲開始就由父親或爺爺帶領著四處拜師，首先是在少林派學藝，後來又到過武當、峨嵋、丐幫、華山及崑崙六派，有的待了一年多才離開，短一點也有幾個月或半年就走的。離開時，都有得到掌門人的允許，可以脫離該派。」

按照江湖規矩，各派中若有成名弟子犯了嚴重過錯而被逐出師門，必然會告知各大門派，但脫派者若為默默無名的弟子，只需掌門人一句話，無須再大費周章通知他派；因此古宏劍雖進出各大門派多次，卻也沒什麼人知曉。

商廣寒道：「想不到你小小年紀，竟已歷經七大門派。說！你到底有什麼陰謀？」

古宏劍低頭搓手，遲疑了一會，低聲說道：「是他們趕我走的……」

「什麼？」

「是他們趕我走的。」

「什麼？你說大聲一點！」

邱廣平突然向他重重踹了一腳，罵道：「掌門叫你大聲一點，聽不懂嗎？講話像蚊子一樣小聲，看了就討厭！」

古宏劍撲倒在地，趕緊爬將起來，喘幾口氣，大聲道：「我說……是他們要我走的，他們……他們嫌我太笨，怎麼教都不會，說我……不適合練武，將我逐出師門！」他豁了出去大聲說出，卻不敢抬頭看掌門人犀利的目光及眾人鄙夷的眼神。

全場靜默了一會，商廣寒才問道：「那你為何不死心？」

古宏劍道：「弟子早就不想練，但……爺爺跟父親不肯放棄，拖著我一家一家拜師入門。」

商廣寒道：「你是何方人氏？」

古宏劍答：「弟子世居四川成都。」

「哼！七大門派中，青城離家最近，卻偏等到其他六派都不要你了，才想要來這裡，你們祖孫三人當真以為我青城派專收垃圾嗎？」說到這裡，商廣寒的語氣已經愈來愈嚴峻。

「我……我……」古宏劍不知該如何回答，父親和祖父確實是按著一般江湖中對各大門派不成文的排行，帶著他跋山涉水不辭勞苦的拜師學藝。他們認為自己的子孫若能進最好的門派，學得最強的武功，跑得再遠也是值得；否則若以地緣來考量，第一個就該到青城。他不敢直認，也不善編謊，吶吶說不出口。

商廣寒不悅道：「既然你們祖孫三代如此評價本派，我也不能再留。馬上傳書給你父親，請他接走另投明師吧！」

這下子古宏劍著實慌了，趕緊磕頭道：「不要！請不要再趕我出去！我爹曾說，若再學不成青城劍法，不要回去見他！弟子習藝無成，也實在沒臉回家。請掌門師伯開恩，再給我一次機會，弟子一定更加努力！」古宏劍不斷哀求，商廣寒始終冷漠的搖頭。

此刻卻聽到左首一位老者道：「掌門人，這少年所犯的過錯應該還不至於被逐吧！」開口之人乃商廣寒的師叔貝遠遙，年近六旬，他說的話商廣寒不能不應，道：「師叔，這小子犯了三大過失，若不將其逐出本派，師姪日後如何還有威信治理青城？」

貝遠遙道：「哪三大過失？」

商廣寒道：「第一，他世居四川成都，離此不過百餘里，卻捨近求遠的至外地拜師，顯然藐視本派；其二，隱瞞他曾在其他門派學藝的事實，欺騙師門；再者，今日比劍，竟輸給了一個黃口小孩，大敗本派聲譽。這種門徒，不要也罷！」

貝遠遙道：「要到哪裡學藝，是他長輩的意思，與他無關；而世人皆有望子成龍之心，武林中人拜師學藝，首先想到少林、武當也是很自然的事，掌門人不必放在心上；若有一天，我青城武學真能超越各大門派，自會有人不遠千里而來求您收錄。第二點，你說他欺騙師門，若真如此，憑這一點就可將他逐去，但你們可有誰問過此事？」商、邱二人都搖頭，因為古宏劍是四川人，到青城學劍是天經地義的事，又見他進步緩慢毫無基礎，是以始終未曾起疑。

貝遠遙續道：「所以，要說有錯，充其量只不過是沒有主動說明罷了。說句老實話，換作是我，也是不敢說的。」

此時大廳內人人也都在想：「被各大門派踢出門牆，這種不光彩的事，誰也不會自己沒事到處說。」

貝遠遙接著又說：「至於第三件錯誤就更難成立，凡是比武，必有輸贏，如果輸了就要被逐出師門，那我青城派還能剩下幾個人？也許他悟性不高，練武進境不如常人，但有教無類，既已入我門派，就當不分賢愚良劣加以教導，不應為了資質不足這等理由將他逐出門牆。」

貝遠遙無論武功、聲望都遠較掌門人為高，當年若非他執意謙讓，把掌門大位讓給了商廣寒的師父，這個掌門寶座根本輪不到商廣寒。別人的話可以不聽，這位師叔的意見卻不能不理，此時只得暫且放過，日後再找機會除此禍害。商廣寒遂對著古宏劍道：「既然師叔替你說情，這次就暫不追究，我不敢奢望日後你能光大青城將功贖罪，只盼不要再丟本派的臉！」

古宏劍重獲生機，向商廣寒及貝遠遙磕了幾個響頭，方才退下。

商廣寒對眾門人道：「今日之事，你們也都看見了！若要振興本派，非得大刀闊斧徹底改變不可。我心中早有腹案，本想待下個月大校之後再行宣布；但看了今天你們的表現，覺得此事不宜再延。」他環顧全場，再緩緩道：「你們聽好，本派年度大校，本人決定提前在明天舉行，到時候每位宏字輩的弟子都要下場比試，我和諸位師弟都將仔細觀察各人的武功進境，以作為重新分配師門的依據。」說完眾徒面面相覷，俱感震驚！

邱廣平問道：「請問掌門，何謂重新分配，又該如何分配？」

商廣寒道：「所謂重新分配，仍為九門，定名為『天龍』、『地虎』、『雄獅』、『巨象』、『飛鷹』、『花豹』、『黑熊』、『白狼』、『彩鹿』。弟子之中，凡武功進步神速，潛力雄厚者，屬『天龍門』，由第一教席負責指導武功，次之者分配到『地虎門』，拜第二教席為師，餘下依此類推。以後每年仍需大校一次，再依此結果重派各門；故即使今年列為前幾個支派的弟子，若學武荒怠而為後面的弟子追上，將往下降級，由表現佳者遞補。」

邱廣平道：「此法甚妙，如此一來，在下段的弟子，為了往上爬自會拼命苦練；而在上段的弟子更不敢有須臾懈怠，大家都努力練劍，不出幾年，本派的武學必能稱雄於江湖。」

商廣寒道：「邱師弟，你教徒一向認真，這『天龍教席』非你莫屬，只是風兒進步太快，已不是你能教的，大校之後，就由我本人來專心栽培吧！至於你教學有功，本想開始傳授你『尋龍劍法』，但因今日你這幾個徒兒表現令人失望，且你初任『天龍教席』宜先瞭解若干新弟子的武功長短，故授劍之事暫且擱下，估計不出半年，風兒就可以開始習練『尋龍劍法』，到時候你們倆再一起練也不遲。」

眾門人均極欽羨，這「尋龍劍法」，目前全青城只有兩套半，一套是掌門商廣寒，一套是貝遠遙，另兩位遠字輩的師叔，其中陳遠才還沒練全，只能算半套，另一位宋遠明天分不足，所以始終都沒讓他學。現在此二人得以在近期內開始涉獵「尋龍劍法」，顯然武功成就已獲掌門人所肯定，尤其魏宏風更是難能可貴，才十六歲就有如此功力，更是創派以來前所未有之事！

兩人趕忙向掌門道謝，邱廣平等了多年，習練「尋龍劍法」的心願即將達成，心中雀喜，但歡喜之中，卻也有些許的遺憾：「要不是這幾個不肖門徒，我又何必再等這半年？」

商廣寒環視大廳，幾個師弟相繼發言，都道是掌門人的高招妙策，這種依本事分門的傳武方式，日後必可大興本派。但此時貝遠遙又有意見道：「有教無類，不該依各人的聰明才智來區分受教等級。這樣一來，在上段的弟子，不免心高氣傲；在下級的弟子更會自卑自怨，心有不平。這種分級受教的方式，看似可行，其實弊多於利。」

陳遠才卻道：「我倒覺得掌門人如此做法並無不妥，也只有將資質相近的弟子集中受教，方能做到因材施教；你想想看，各位師姪門下均有十幾名弟子，個個天賦不同，有的已經快要把『搏熊劍法』學成，卻有人還在摸索『逐鹿劍法』，你倒說說要怎樣教？」

貝遠遙道：「區分等級，徒增競爭壓力，容易使同門者彼此猜忌，不同門者相互排斥，驕者愈驕卑者愈卑，時日良久，個人品德必受影響。我始終認為德重於武，武功再高，如果心術不夠端正、氣度不夠恢宏，那又有何用？二十年前那個人的事，希望掌門人不要忘記。」他一提起往事，廣字輩以上的眾人，俱皆黯然，想起了這位武功極高的當代高手，在青城練得一身武藝，只因個性過於激烈，因故脫離青城派，並不再以青城武功揚世，使青城派未榮反辱；因此前任掌門人下令日後不得再提及此人姓名，所以宏字輩的弟子大多不知，這位鼎鼎大名的人物也曾在青城學藝。

「貝遠遙，我看你是書念得太多，念痴了吧！這種分級教學與品德有何干係？當年就是像現在這種龍蛇混雜的教，還不是教出那個叛徒？」發話的人目光如電，與貝遠遙同輩分，叫宋遠明。

貝遠遙道：「此人之所以叛離本派，並非其本性使然，而是因為他在少年時受到師長的偏心對待及同門的歧視嘲諷，積怨良久，才造成其偏激的個性。如今我們依照才智武功的高低重組，使得各門弟子在大環境下就已飽受不平之待遇，日後傳藝更難公正無私，終究會讓人心生怨懟。」

宋遠明卻道：「貝師兄，掌門人為了昌旺本派也是用心良苦，你又何必為了一個以往的特例而非要反對不可。雖然你輩分高，但畢竟不是掌門人啊！」

貝遠遙心想：「他說得沒錯，自己雖忝為師叔，但掌門人終究才是一門之首，實不宜過分干涉他的決定，且見他似已籌劃良久，再說也是無用。」便道：「如果掌門師姪堅持如此，貝某希望本派弟子能抽空研讀四書五經之類的聖賢之書，以化育其暴戾之氣，明白是非善惡。」

商廣寒又思慮了一會，才道：「師叔所言甚是，今後本派弟子每日清晨均需早讀，背誦一段古文，正確無誤後方可用膳練武。如此一來，不出幾年，本派弟子將個個文武全才，德業兼備。」

這麼一來，商廣寒的幾個師弟都大為緊張，除了其中一、兩位曾經念過短暫私塾者，其餘都是不識字的鄉野武人，而如今年歲已大記性退化，如何能跟年輕人一樣背誦經書。其中一名師弟彭廣清問道：「請教掌門人，我們九個廣字輩的師弟應該不算在內吧！」

商廣寒道：「當然要學，你們若是不懂，要如何督促門下弟子？」

彭廣清道：「可是……現在才開始，好像……太遲了。」

貝遠遙道：「活到老學到老，現在開始學文，一點也不晚。我可利用晚上教各位師姪認字讀文，你們無須熟記課文，但要瞭解每一個字的形、音、義，才能在次日考察弟子的進度。」

難得掌門與貝師叔兩人意見相同，廣字輩的眾人雖萬分不願但也無可奈何，心中無不暗罵貝遠遙多管閒事，因每夜晚飯後正是他們飲酒作樂的大好時光，今後卻得聽這老書蟲講什麼聖人之言、大學之道，真是無妄之災！

商廣寒接著再與眾人商議大校及分級的各種細節，計議妥當後，按例請師叔先行，才散退眾徒。正當大家魚貫走出大廳時，卻聽見一串劈啪聲響，連珠不絕，回頭一看，只見跪在地上的古宏劍，兩邊臉頰已被打得血腫，此時有人喝道：「住手！」

邱廣平見師叔奔來，趕忙再施兩掌才停，貝遠遙出掌逼退了他，罵道：「你想把他打死嗎？」轉身問古宏劍：「有沒有怎樣？」但見古宏劍如泥塑木雕般的跪著，兩行清淚緩緩流過紅腫的臉頰，對師叔公的話沒有反應。

他雙耳嗡嗡作響，什麼聲音都聽不到了！

翌日，青城大校，由眾弟子捉對比試，一連五天，終於分出全部的排名，商廣寒將他們依個人資質及習武進度重分師門。邱廣平最為得意，原來的弟子，除了魏宏風拔得頭籌之外，其餘亦多擠進前三門，因而順理成章派任天龍門，實至名歸的成為青城派第一教席，唯一美中不足的，卻是出了一個不長進的劣徒古宏劍，落到最末的彩鹿門。

彩鹿門的師父叫馮廣詮，平日極為慵懶頹散，酷好杯中物，教徒亦馬虎隨便，他原本只收九個徒弟，倒有六個進了彩鹿門，自然當仁不讓成為彩鹿門教席。以人數而言，彩鹿門無疑是青城派最大的支門，因為前面八個支門在精不在多，各取八到十名弟子，最後挑剩下來的三十幾名弟子便通通集中到這裡來。

這三十幾個彩鹿門弟子見師門已將他們放棄，不免開始自暴自棄，學武也不再勤奮。雖然當中仍有少數還想力爭上游，希望來年大校能有好的表現而調往較前的支門，但無奈於師父教得懶散，加上彩鹿門所負責的勞役特別繁重，因此習武的成效自然大打折扣，久而久之，也逐漸受到他人的影響而隨波逐流。

這些弟子個個同病相憐，開始成黨結派，感情倒也和睦，但對古宏劍卻仍是格外的厭惡，只因大家認為今天會如此重新分派支門全是因他而起；再說大部分的人認為自己今天之所以技不如人，主要的原因還是在於以前的師父教得不好，而他卻是第一教席的弟子，又曾在各大門派學藝，結果仍遠不如自己，鄙夷加上責怨，自然沒有好臉色。

沒有人願意與他為友，古宏劍更顯孤伶。自從上次被邱廣平打過之後，他的耳朵再也聽不到任何聲響，偶爾有人對他指指點點冷嘲熱諷，反正也聽不到人家說什麼，無須理會，久而久之，人家連嘲弄他的興致也都淡了。

過不到一個月，果真開始學文，每到清晨，青城山充滿琅琅書聲，沖淡些許陽剛之氣。

關於念書，古宏劍倒是有點基礎，他幼時也曾念過兩年的私塾，文章雖已忘得差不多，字卻還記得不少；可惜背誦也非其所長，一篇短文唸了數十遍，仍不免東丟一句，西漏一字，眼巴巴看著師兄弟們一個個背完離去。

馮廣詮對這種門生也懶得加以打罵，只是規定，凡半個時辰未能背完一段，早飯禁食；若延至一個時辰未熟，連中餐也不准吃。這可苦了古宏劍，每天總是飢腸轆轆，難得吃到一次午飯，好不容易等到晚餐，囫圇吞棗扒了兩碗，待要再添，卻見眾人的目光都瞪向這裡，便不敢再加。正值荒年，哪來那麼多糧食！

某日午休，古宏劍正餓得慌，肚子空空咕嚕作響，怎麼也無法入睡，只得獨自到林間覓食，採了幾顆不知名的果子，正要開口咬下，肩膀卻被輕拍一下。回身一看，是個矮小的少年，指著野果搖頭，似乎示意這野果不能吃，並將野果搶去丟下山谷，拉著古宏劍的手，帶到一個小山洞前，彎腰從洞裡取出一隻兔腿，遞了過來。

古宏劍握著兔腿，還有點微燙，顯然才剛烤熟，實在餓極，不再客套，道了聲：「謝謝！」便開始猛咬狂啃起來，只覺得天下美味莫過於此。

兩人席地而坐，那少年撿根樹枝在地上寫字：「我叫徐宏珉。」古宏劍點頭，這人亦是彩鹿門的弟子，在彩鹿門這一個多月來的朝夕相處，三十七名弟子也個個眼熟，只是自從失聰之後，聽不見各人的名字，因此眾師兄弟，大多只識其人而不知其名。眼前這個傢伙，容貌平平，平常總是獨來獨往，不太受人注目，又從不跟著別人一道起鬨整自己，因此始終對之印象不深。

古宏劍也將姓名寫在地上，他隨即寫道：「已知。」

古宏劍苦笑道：「我的大名早已傳遍青城，自我介紹，實為多餘。」

徐宏珉又寫道：「以後餓了就來，一起烤肉吃。」

古宏劍問：「這些肉是從哪兒弄來的？」

徐宏珉寫道：「我在後山做了幾個陷阱，兩天收一次，明天帶你去瞧。去年還捕過一隻山豬，費了好大的勁才抬上來，結果吃不到一半就臭掉了。今後可好，有你來幫我捕獸吃肉，不會這麼麻煩。」他字認識得還不夠多，但想不到正字便找個同音字代替，古宏劍倒也猜得出來。

顯然他已把自己當作好朋友，古宏劍頗為感動，遲疑一會，問道：「為什麼要幫我？」

他笑了笑，寫道：「你跟我一樣笨，一樣被人瞧不起，我們是　　相惜。」這「惺惺相惜」的「惺」字他還沒學過，只得以腳板抹去，改成「同病相憐」，才剛寫完，靈光再現，又添了幾個字「猴子惜猴子」，原來他把「惺」字誤認為「猩」字，又一時想不起來該怎麼寫，於是找個相近的字眼替代，對於自己的急智，倒是頗為得意！

古宏劍不禁苦笑，感慨良多，徐宏珉又寫道：「跟你開玩笑，不要介意。」

古宏劍卻道：「我的確很笨。」

徐宏珉寫道：「其實我也好不到哪裡，『逐鹿劍法』練了快一年才會，師父說我是『開天闢地第一人』。」

古宏劍看著地上的字，覺得這少年也真有趣，連這種事也能拿來開玩笑？真希望自己也能如此看得開，遂道：「你還不如我呢！到現在還不會。」

徐宏珉點頭稱是，寫道：「有理，看來我這個第一人碰到了你，又矮了一截。可是我很喜歡這個稱號，不能讓給你，應該幫你另封一個名號。」

把頭晃了幾圈，突然拍手叫好，趕緊將其他字跡抹去，在地上寫了七個大字——空前絕後無敵手。

古宏劍瞧著地上斗大的字，不禁莞爾，似不太服氣的道：「這可未必。俗語說：『強中自有強中手』，你本來自認是第一笨人，遇到了我，還不是得甘拜下風。你說我空前的笨倒是錯不了，可是怎知以後不會出現比我還蠢的人？」

徐宏珉笑著寫道：「世上當然有比你還呆的傢伙，只是青城派收了我這個『第一人』

之後，又不慎收了你這個『無敵手』，所受到的教訓可真不小。想必今後收徒，必定睜大眼睛，嚴格挑選，凡資質如你我者，哪管他是皇親國戚或家財萬貫，也決計不收，免得墮了本派名聲。」寫完，兩人不約而同哈哈大笑，彼此自嘲一番後，反而覺得胸中悶氣消去不少。

徐宏珉忽然握著他的手寫道：「做人再倒楣，也要比做一頭牛或一隻豬好，其實還是有很多快樂的事可做，不必老想一些煩心的事兒。」古宏劍看了一會，總是茫然，從他懂事開始，老覺得苦澀的時候總是遠多於快樂。

徐宏珉又寫道：「你我一見如故，正是猴子惜猴子，狗熊疼狗熊。不如來效法桃園結義，結為異姓兄弟，如何？」古宏劍有點驚訝，本以為自己是一個人人唾棄的無用傢伙，如今竟有人願意結交，大為感動，不加思索便答應了！兩人雖只相處片刻，但正因同病相憐，彼此之間產生親近之感，只覺得在青城百餘名師兄弟中，只有對方才是朋友。

兩人隨即撮土為香，徐宏珉取出洞內兔肉，面對山洞，正當要拜，又停下來在地上寫道：「你幾歲？」

古宏劍答：「十五。」

他又寫道：「幾月？」

古宏劍道：「三月。」

他遂寫著：「大我半年，你當大哥。」

古宏劍卻道：「你是師兄，入門比我早，應該由你來當大哥才對。」

徐宏珉又寫道：「你入少林比我進青城還早。」

古宏劍苦笑道：「可是你的武功比我高！」

徐宏珉卻寫：「我們是比笨比爛的，你的『無敵手』比我的『第一人』還高明。」

兩人初次相識，就為此推讓不休，誰也不肯占對方便宜，最後兩人協議，不分大小，彼此互稱兄弟，仍是有福共享有難同當。二人依此舉行簡單的儀式，徐宏珉倒是頗有急智，不多時便擬了一篇又臭又長的腹稿，他先寫在地上，再與古宏劍一句一句誦讀——「我，徐宏珉（古宏劍），於丙申年二月初七午時，在青城山上與古宏劍（徐宏珉）結拜為異姓兄弟，以天地為證，太上老君、關聖帝君、瑤池金母、濟公師尊等諸神為媒，今後必當相互扶持，彼此幫助，有福共享，有難同當。來日共闖江湖，掃蕩群魔，稱霸武林，永不二心。」

交拜完兩人互道身世，古宏劍原名古劍，父祖本為成都近郊的小地主，薄有祖產，歷代練武，在江湖上雖無大名，卻也勉強在百劍門中占了一席，因後繼子孫始終無法突破其家傳劍法的限制，在競爭日益激烈的百劍大賽中，名次一代不如一代；為了保住席位，祖父與父親把所有的希望都寄託在獨子古劍身上，七歲未滿就帶著他四處拜師，盼他不負所望，練成驚人技藝。

徐宏珉本來叫徐自珉，本家在離青城山不遠的灌縣鄉下，九歲時父母死於一場瘟疫，先在縣城當了兩年的乞丐才被馮廣詮帶入青城。他對習武沒有興趣，但在青城至少天天有飯吃，於是勉為其難待了下來；由於當過兩年的乞丐，終日在市井中廝混，接觸不少市井俚語，說書唱戲，往往出口成章，語多珠璣，與之交談頗能消愁。兩人一個口述一個筆談，聊了良久，直到廟堂鐘聲響起，方才回去。

自此以後，古宏劍過的日子大有改善，至少不再空虛消沉。除了陪他說話解悶外，徐宏珉會的把戲還真不少，什麼雜耍、童玩、馴獸、鬥蟲樣樣精通。除此之外，他對於混水摸魚倒是頗有心得，卻偏偏在師父面前吃得開。

只因徐宏珉是他的親外甥，他很怕外人知道他有一個如此愚劣的親戚，再三交代徐宏珉不得對他人抖露這層關係；所以徐宏珉若未犯下大錯，他也不會隨意責罰，任其胡混，此恩澤及古宏劍。由於混名昭彰，徐宏珉開始被人改稱為「徐混珉」，他欣然接受，並將好友也拖下水，叫他「古混劍」，從此青城派的宏字輩又多了一個旁支——混字輩。久而久之，古混劍學武之心漸去，而混水摸魚之功漸精，不負此名，只是每當午夜夢迴時，想起家人的殷殷期盼，不禁惴惴！

每天的早讀即是一例，徐宏珉教他只需牢記每句的字數即可，在師父面前背誦經文時，若有遺忘，隨意找些怪字搪塞；因為馮廣詮不識字，平時又只顧喝酒閒晃，無心參究學問，往往聽了一夜的古文，隔天卻忘了十之八九。故在考對弟子背誦文章之正誤時，便以算術的方式驗證，學生一句一句的背誦課文，其中若有增減者，一律踢退；但若字數吻合，就是用古文罵其祖宗八代他也未必知曉，還好徐混珉與他血緣相近，尚不致如此。

這段期間，古宏劍也並非一無所成，徐宏珉教了他讀唇術，這是他跟一個聾啞乞丐學來的。剛開始必須一個一個的慢慢咬字，才能懂得幾分，然而循序漸進用心體會後，倒是頗有進展，兩、三個月後，對一般人的談話，已能猜著八、九分。如此好處倒是不少，旁人說話，他想瞭解就認真看著對方，不願知道的話就裝聾作啞。除了徐宏珉，別人並不知道他會讀唇，譏笑嘲諷的話就說不出口。

不過還是有些好事者喜歡惡作劇，譬如在他晾曬的衣服上畫一頭豬；或趁他熟睡時，在下巴寫個「木」字，一張口就成了「呆」字；要不然就在他耳朵上方寫個「龍」字，加上耳朵成了「聾」字。醒來發現時，他既不生氣也不跟徐宏珉講，自己默默到溪邊洗去。

到了冬天，青城弟子已將《詩經》擇要背完，開始研習《論語》，這對古、徐二人倒有些不妙。因為《論語》比較淺白，且馮廣詮數了半年的字，不知不覺中也認識了幾個，倒不太容易矇混過去。徐混珉還好，憑實力仍可背誦出來；古混劍可就慘了，又得恢復吃一頓餓兩頓的日子，可是到了冬天野獸極少，往往整個月也難以捕捉到一隻松鼠。

某日正午，古宏劍仍照例前往山洞，他已六天沒吃早、午餐，飢火燒腸，只盼徐宏珉能夠採到什麼山果來解解腹。還沒走到山洞，卻聞到一陣肉香，喜出望外，立時精神大振，快步奔到洞旁，只見徐宏珉正烤著香噴噴的叫化雞，讚道：「兄弟，你真行，這種天氣還有本事抓到山雞。」

徐宏珉道：「嘿嘿！誰叫牠不長眼睛，自己掉到我的陷阱裡。」

沒多久烤好雞，徐宏珉撕下一隻雞腿遞給古宏劍道：「兄弟，大寒天的，我們不可能每次都這麼走運抓到鳥獸，這次必須省吃儉用。」說著便把雞給包起來，自己卻沒取半塊肉。

古宏劍問道：「你怎麼不吃？」

徐宏珉道：「我剛用過飯，還不餓。」古宏劍知道彩鹿門的糧食一向不太夠，平常不可能吃得飽，硬要他也吃一點，徐宏珉拗不過，只好折了一隻雞爪來啃。

一隻雞，再怎麼省著用也撐不了太久，不到半個月，整隻雞被兩人啃得連骨頭都快沒了，仍不見有任何獵物上鉤。還好古宏劍並未因此而斷糧，徐宏珉總會變出一些東西來填他的肚子，像米糕、饅頭或是一隻雞翅膀等。古宏劍每次問他來源，他總是支支吾吾說是外面朋友送的。古宏劍私下起疑，心想：「他除了我，哪還有什麼朋友？」看著他怪異的臉色，突然想到——莫非是貝師姐託他送來？想到此節，臉上一紅，再也不敢多問。

如此又過了十幾天，某日，兩人吃完年糕，立時腹痛如絞頻頻入廁，這瀉藥下得極重，徐宏珉吃得不多，卻也難逃此劫，二人折騰一晚，仍未見好轉。聽說貝師叔祖略通醫術，房裡藏有許多藥丸，但要親自去讓他把脈才肯給藥止瀉。徐宏珉有些遲疑，無奈惡疾纏身，只得硬著頭皮攙著古宏劍討藥去。見了貝遠遙，徐宏珉立刻跪了下來道：「師叔公，下次不敢了！這是我一個人幹的，不關古宏劍的事。」

貝遠遙笑道：「你這小子倒挺機靈，只可惜專學一些偷雞摸狗的勾當。你說，到底偷了山腳下的張家多少東西？」

古宏劍這才恍然大悟，原來那些東西全是偷來的！

徐宏珉答道：「弟子知道自己犯了錯，但我只偷過一隻雞。」

貝遠遙道：「那隻雞老早祭到你們五臟廟裡，怎麼到現在才拉肚子啊？」

徐宏珉卻沉默不語。

貝遠遙又道：「怎麼不說話？一時想不出該怎麼編謊嗎？」

徐宏珉仰頭道：「師叔公，徒孫知道騙不了您，也不敢欺瞞；但我實在不方便再說下去，您就當作是我偷的吧！但阿劍真不知情，請不要處罰他！」

古宏劍面對著貝遠遙，卻沒法看見徐宏珉說話，看樣子似在求情，也跟著跪下道：「師叔公，他是不讓我挨餓才出此下策，請您原諒他吧！」

貝遠遙奇道：「咦！你不是聾了？」

古宏劍仰首答道：「弟子的確聽不見，是阿珉教我讀唇術。」

貝遠遙點頭稱許，又問：「那你為何天天餓肚子？」

古宏劍道：「弟子記性不好，文章老背不下來，師父罰我禁食兩餐。」

貝遠遙拍桌怒道：「豈有此理，明天我也要他背《論語》，若記不下來就叫他也別吃飯啦！」

徐宏珉拍手附和：「妙極！最好也禁止喝酒，如此一來，他可比死了還難過。」貝遠遙瞪著他道：「你這渾小子，自己的帳還沒清完就急著算計師父！」

徐宏珉伸伸舌頭、吞吞口水，不敢多說。

貝遠遙倒沒有很生氣，說道：「看不出來你倒是有情有義啊！」見他臉紅了一半，又問：「那後來雞翅、年糕、粽子等等，是不是張家那小姑娘拿給你的？」

徐宏珉點頭默認，臉又更紅！

貝遠遙道：「張有德夫婦是對老實人，猜不到小偷的心思，又太相信自己的女兒，老以為所有的東西都是外賊偷的；可是哪有那麼笨的賊，連著七、八天都偷一些只能果腹的小東西。」

徐宏珉道：「師叔公明見萬里，不必看就料得一清二楚。」

貝遠遙道：「不必拍我馬屁，我還沒說要原諒你們，再怎麼說你也偷了人家一隻雞呀！」徐宏珉趕忙認錯道：「徒孫知錯，下次再也不敢！」

貝遠遙又問：「你是什麼時候認識張家姑娘，她又怎麼肯幫你？」

徐宏珉道：「是偷雞那天認識的。」

貝遠遙道：「我不信，你把當天的情形說來看看。」

徐宏珉有點為難，但如今若不和盤托出，師叔公必難相信張家姑娘肯幫一個剛剛結識的人如此大忙。他嚥了嚥口水，有點靦腆的說道：「那天正午未到，徒孫在山上找不到什麼可以吃的，於是想到山下碰碰運氣，無意中看見張家夫婦正在菜園裡幹活，我知道他們有養幾隻雞，但從沒看過他們家的閨女，猜想他家可能沒人，有『雞』可乘，突然心生異念，就大膽的到他家後院抓雞。沒料到這隻雞的脖子被扼住了，還是咯咯叫個不停，這時候廚房裡衝出一位姑娘，看見我嚇得碗盤落地，正要大叫時，我趕忙撲了過去，將她嘴巴摀住，然後撕下袖子，把她的手、嘴巴及手腳都綁縛起來……」

「慢著！」貝遠遙插口道：「你撕誰的衣袖？」

徐宏珉答道：「我的。」說著便抬起左臂，果然這袖子已經補過，顏色與其他部分不太一樣。

貝遠遙道：「那還好，不過我看這工倒挺細的，是你自個縫的嗎？」

徐宏珉臉又紅了，說道：「這是後來喜妹幫我縫的。」

貝遠遙笑道：「原來如此。」

徐宏珉接著道：「當我正要離去時，又聽她嗚嗚叫著，覺得怪可憐的，我想這樣被人綁著，傳了出去可能會很難聽，萬一害她名節受損罪過可就大了。我又走回去說：『實在對不住，我一個朋友餓了好幾天了，這種鬼天氣又找不到什麼可以吃，只好借你們家的雞來給他補補身子。請妳相信我，等到明年春天鳥獸多，一定抓一些野豬、野鹿之類的還給你們。』我瞧她只是一勁的搖頭，眼珠睜得大大瞧著我，好像不太相信，一時也不知該怎麼辦才好，只好拼命的向她解釋，說我沒有歹意。」

貝遠遙笑道：「要偷人家的雞，還說沒有惡意。難道要用搶的才算？」

徐宏珉道：「我是真的有心要還他們野獸，本想無聲無息的借走一隻雞，明年再悄悄丟回半隻野豬，不會讓他們吃虧。」

貝遠遙正色道：「不管你想不想還，都不該用偷！」

徐宏珉也正經點頭應「是」，續道：「後來我看她沒那麼驚慌，便湊到前面跟她說：『這位姑娘，若能答應我不再聲張，我就放了妳，好嗎？』話說完等了半晌也沒見她點半個頭，我認輸了，把她嘴裡塞的布條拿掉，看她也不喊叫，索性把她鬆綁，雞也不敢要了，心想這回可栽大了，真是偷雞不著蝕把米。正要走出去時，卻聽她道：『那隻母雞正在孵小雞，不能帶走。』」講到這裡又頓了一下。

貝遠遙道：「所以她就幫你抓雞？」

徐宏珉尷尬的點頭，續道：「那些雞再看到我，一個個都像驚弓之鳥，嚇得雞飛狗跳。要不是她散了幾粒米，再俐落的一抓，那隻公雞可真不容易到手。她把雞綁好給我，要我發誓，明年一定得賠她一隻野豬加三隻山雞，若是野豬抓不到，至少要拿三隻兔子來補。我哪敢討價還價，趕忙答應。」

貝遠遙笑道：「你這麼乾脆的答應人家，後患可不小哦！」

徐宏珉道：「是啊，一隻野豬加三隻山雞換人家一隻公雞。這筆生意，可真是賠到底啦！」

貝遠遙道：「我不是這個意思，而是說張家小姑娘的心思也真絕，她要你還幾隻野獸，你就得見她幾次面。小子，欠人家的東西，總是要還清呀！」

徐宏珉不住點頭，突然肚子又一陣一陣痛將起來，看看身旁的古宏劍也是極力忍耐，額頭上冒出一顆顆斗大的汗珠，遂道：「師叔公，我快憋不住啦！」

貝遠遙早就心軟，說道：「念你初犯，這場瀉痢就算是一個教訓。」說著便拿出已備好的止瀉藥分遞兩人。二人起身接藥，也不等著和水，直接吞進嘴裡，向貝遠遙行禮後，互相攙扶欲去。

貝遠遙看他們猴急的樣子，叫他們用這裡的茅房，以免在途中出了意外。既然師叔公恩准，兩人也不客氣，夾手夾腳往茅房奔去。上了茅坑，同時脫下褲子，只聽劈里啪啦的聲音此起彼落，兩人相對而視，不禁都笑了起來。遠遠傳來貝遠遙的聲音：「希望你們能牢記今天的教訓，別以為過錯小而不在意，要知道許多姦淫擄掠大奸大惡之徒，都是從一些微不足道的小壞事幹起。」

徐宏珉轉述給古宏劍。這番話有如當頭棒喝，兩人回想這段日子，雖無大過，但欺師胡混的事情，倒也做了不少。

第二章
戰帖

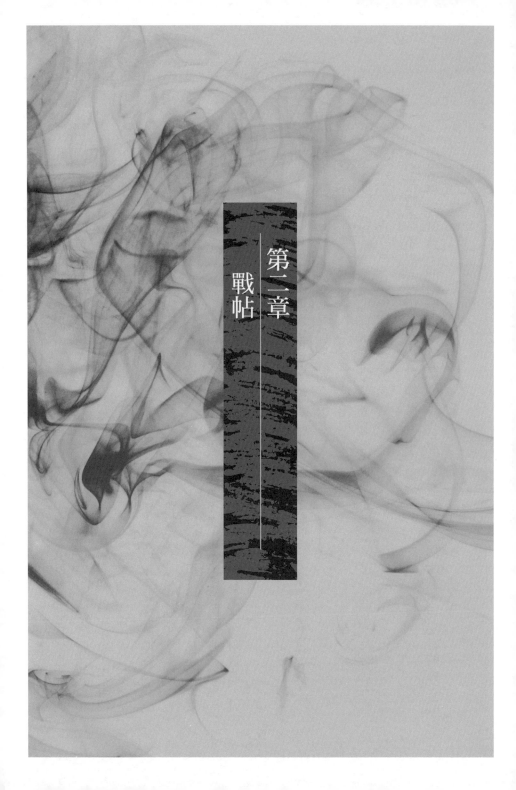

果然自此以後馮廣詮不再以禁食來處罰記不住古文的學生，改以杖罰取代，古宏劍的屁股雖每天都被打得紅腫，但至少不用再餓肚子。如此平靜的日子延續兩個多月，又發生了一件事——張家的雞又少掉一隻，這小賊除了偷雞之外還順道偷看他女兒沐浴，張有德夫婦氣沖沖帶著女兒上山指認惡徒。

此事非同小可，宏字輩的弟子全被叫到大廳供人指認，張有德夫婦滿臉怒容站在廳前，身旁立著一位姑娘，眼睛以下蒙著一塊花布，顯是羞於見人。這小姑娘才十四、五歲，看來卻頗為早熟，身形健美，膚色微黑，粗手大腳，一副鄉下村姑模樣，正是徐宏珉先前所提過的喜妹；只見她一對眼珠子對著每個弟子逐一掃過，人人都被瞧得心底發毛，深怕她胡指亂點把自己賴上。古宏劍知道這次不會是徐宏珉幹的，卻忍不住回頭瞧他，只見他神情凝重，似乎十分氣憤！

她來回看了幾遍，張有德問道：「有沒有發現可疑的？」

張喜妹道：「我就說不要來這裡丟人嘛！昨天傍晚天色昏暗，人家怎麼看得清楚？」

張有德道：「好，那妳聽見他們說些什麼？」

張喜妹忸怩道：「這種話人家怎麼說得出口！」

張妻也對張有德道：「我看你是氣暈了頭！竟然叫你女兒當眾說出這等下流的話，要她以後怎麼做人？」

張有德道：「不然怎麼辦？難道讓這淫賊就這麼逍遙法外！」

張妻道：「當然不能這麼算了。商掌門，我想請貴派弟子一個一個，用平常的聲音唸出『好大的』三個字，讓我女兒聽聽。」

商廣寒道：「好！如果還聽不出來，你可不能再任意誣賴。本派多年的清譽，不能被這種莫須有的小事毀於一旦！」

張有德道：「哼！這一帶除了你們青城派以外，還會有誰？別人怕了你們，我可……」

張妻伸手阻止他講下去，說道：「商掌門大可放心，如果這樣還抓不到這畜生，我們夫婦也只好自認倒楣，誰叫咱們不懂得擇鄰而居！今後沒臉待在這裡，更不會拿這等丟臉的事到處張揚！」

「既然如此，就再幫你查查吧！」商廣寒道：「宏字輩的弟子聽好，你們一個一個輪流講出這三個字，就當作平常說話一樣。若有人故意裝出什麼怪腔怪調，表示作賊心虛，這淫賊就是你！」

弟子們一一走到張喜妹前面說出這句話，有的人問心無愧，鎮定從容唸出來；但也有人怕她認錯，說得不甚自然，嚴重一點的還微微顫抖結巴，這些人都被叫到一旁，準備再作確認。張喜妹側耳傾聽，確定不是後隨即搖頭，就在一個彩鹿門弟子陸宏松說完時，她突然轉頭直瞪著他道：「你再說一遍！」這人嚇得臉色泛白，全身急顫，站在後面的幾名彩鹿門師兄弟也跟著神色大變。只聽他牙關打顫，結結巴巴道：「好……好……」一點也不像他平日高亢尖細的川北口音。

張有德一把抓住他的衣襟，喝道：「你這無賴，為何壞我女兒名節？」

陸宏松嚇得魂不附體，卻仍想脫罪，吶吶道：「我……我沒有……」

張有德漲紅著臉罵道：「事到如今還想推搪不成？現在給你兩條路走：一是馬上娶我女兒，要不就送官法辦。」眾人都暗暗好笑，這張有德抓到淫賊，卻又立刻逼他迎娶自己的女兒；不過話說回來，身子被人瞧過，對於民風保守的川西鄉下而言，也唯有如此才能保住女兒名節。

卻聽張喜妹道：「爹！不是他啦！」

張有德愣了一下，鬆手問道：「那妳怎麼一直瞪著他瞧？」

張喜妹道：「是我弄錯了嘛！根本聽不出來。」那陸宏松如釋重負，但似乎驚嚇過度，雙腿兀自抖個不停。

張有德道：「那妳再聽聽，我叫他們一個個再把『好大的奶』說一遍。」

此話一出，青城派眾人再也忍不住大笑起來，久久不息，卻聽貝遠遙轟雷般的一喝：「不要笑！」才漸漸止住鬨鬧。

只見張喜妹的淚水滾滾流出，哭道：「爹！您不要女兒這張臉，那我又何必再遮醜？」說罷，解下蒙在臉上的花布，竟往身旁的柱子撞去。

正當頭顱快要觸及柱子，忽爾感到有一股極大氣流將身子往後推，她不由自主向後摔倒，前方突然站了一位面貌慈祥的老者，說道：「小姑娘不必如此，這不是妳的錯。」

張母撲過去抱住女兒，喜妹倒在母親懷裡號啕大哭，張母輕拍女兒的背，不斷安慰著她道：「喜妹，妳爹一時心急說錯了話，但這也是沒法子的事。事到如今，非把這個人找出來不可！妳的身子被他瞧見，今後再也不能嫁給別人，不叫他娶妳，又能如何？」她仰頭對著商廣寒道：「商掌門，咱們雖然沒念過書，但也知道名節重於性命，今天若不能找到元凶，一家三口就死在這裡算了！」

張有德又指著陸宏松道：「我看一定是這小子，對吧！喜妹，不管妳中不中意，還是得嫁給他！」

張喜妹拭去眼淚，說道：「不是啦！我再聽下去就是。」

還剩下三成的弟子尚未講過那三個字，這些人一一在她面前說出來。張喜妹沒再蒙上花布，索性讓人瞧個仔細。只見她滿臉雀斑，鬢髮凌亂，兩眼哭得紅腫，實在不算好看。眾人均想，待會若真有人被指認出來而被迫娶妻，那可真倒透了楣！

快要輪到古宏劍，他有點緊張，深怕萬一被張喜妹誤認為淫賊，非被趕走不可！排在他前頭的徐宏珉很自然道出那句話，馬上就要輪到自己。

然而徐宏珉說完之後，卻久久不見張喜妹搖頭，表情有點奇怪的瞧著他，徐宏珉感到不對勁，脫口說道：「喜妹！妳……」

張有德這次不敢魯莽，問道：「小子，真的是你？」

徐宏珉看著喜妹，見她淚猶未乾，不安的低著頭，心道：「我若不承認，她除了一死之外，難不成真要嫁給陸宏松嗎？」想到這裡，咬一咬牙，點頭認了！

張有德見他這麼爽快承認，倒有點意外，中間的過程就不再細究，以免愈說愈難堪。直接問道：「那你可願意和喜妹成親？」

徐宏珉道：「事到如今，不答應成嗎？」

張有德道：「既然願意負責，我不再罰你，但你其他偷雞的幫凶，可不能輕饒！」

徐宏珉變色道：「什麼幫凶？就我一人。」

張有德道：「若沒有他人在場，你那句話是說給誰聽？」

徐宏珉道：「我自言自語，說話給自己聽不成？」

張有德又問：「我家浴房的窗口高近八尺，你這身長，若不是有人給你頂著肩，就算加把凳子也是看不到裡面啊！」

徐宏珉本以為一個人認了頂多是被逐出師門，對他這個無心習武之人來說也不算什麼大不了的事，哪曉得這麼一來會牽累到朋友。他著了慌，一時也不知該怎麼辦。只聽商廣寒不悅道：「你在想什麼？還不快招出來？」

徐宏珉不理，仍一味的說：「就我一個，再沒旁人了。」

馮廣詮突然一腳把古宏劍踢了出來，罵道：「畜生！他都認了，你還想藏到什麼時候？」

徐宏珉一旁叫道：「師父！這是我一個人幹的，跟他無關！」

馮廣詮道：「你不必充好漢，想一個人頂罪。誰不知你倆成天廝混在一塊，你若有過，他豈有無罪之理？」這回古宏劍可真是百口莫辯！

只見商廣寒道：「青城派不能再收留這種敗壞門風之人，你倆盡快離開青城，今後所作所為，再與本派無關。」

徐宏珉心想：「我本來就不想待，被趕出青城倒也沒什麼，可是阿劍卻萬萬不能離開，再怎麼說也不能牽累於他！」於是又喊：「我沒有，我沒有偷看張姑娘，剛剛講的都不算啊！張姑娘，拜託告訴妳爹，是妳認錯了人！一切與我們無關。」

可是這個時候還有誰會相信他？於是兩人在廳上先遭一頓打罵，並勒令其連夜打包，次日一早下山。

二人一挨一蹬走回寢室，都說：「既然要走，何必多住一夜。」決定立即離去。天下之大，何愁無處容身？

徐宏珉匆匆收妥行李，到隔房找古宏劍，才一進門，卻見他正被好幾個人架住，額頭畫上了一把大刀。徐宏珉滿腔悲憤，怒喝：「欺人太甚！」拎著包袱，見人便打。眾人見他來勢洶洶，一時也愣傻膽怯，紛紛放開古宏劍作鳥獸散。

古宏劍一被放開，立即幫著打人。二人積鬱已久，一旦動了真怒，倒也凶猛，本來他倆的功夫最差，盛怒之下竟陡增數倍的氣力，眾弟子在驚慌之下，一時也沒想到要團結起來，成了烏合之眾，運氣不好被追到便挨幾記重拳，有人邊跑邊乞和的說：「跟你們鬧著玩，何必認真呢？」但二人不為所動，仍緊追不放，見人就打。有弟子跑去報告馮廣詮，他匆匆趕來，將二人制住，各打幾個耳光，令其跪下。

眾弟子見師父出馬解圍，紛紛圍靠過來，你一言我一句數落二人的不是，二人跪地不語，突然徐宏珉抬頭向馮廣詮喊道：「舅舅！⋯⋯」

馮廣詮一巴掌拍了過去，罵道：「你得了失心瘋嗎？再敢胡喊亂叫，一定宰了你！」他餘怒未平，正要補上一腿，卻突然感到一股凌厲勁風襲來，轉身一瞧，竟是他最害怕的師叔貝遠遙，急忙收腿道：「師叔，弟子正教訓這兩個不成材的徒弟，不敢勞您費心。」

貝遠遙道：「是啊！你教訓你的徒兒我無權干涉，只是你師父臨終時託我好好看顧你們；但這些年來貝某卻始終未能盡責，才會出一些成天只知喝酒賭錢、偷懶胡混的弟子。」馮廣詮聽了馬上軟化，神情恭敬許多，唯唯稱是。貝遠遙又問：「到底發生什麼事？」

馮廣詮指著古、徐二人道：「這兩個犯錯被逐的傢伙，不但不好好反省思過，竟反過來尋人出氣，和其他徒弟打了起來。」

貝遠遙道：「是嗎？你有沒有問問他倆為何打人？」他手指著古宏劍道：「你看看，他額頭上這個『刀』字是什麼意思？」

馮廣詮搖頭不知，問道：「是誰寫上去的？」

沉默了一會，陸宏松才道：「因……因為他敗壞青城派的門風，我……我們幾個一時看不慣，想給一點教訓……」

貝遠遙道：「所以在他頭上寫個『刀』字，是說他『色字頭上一把刀』？」

陸宏松點頭稱是。

貝遠遙盯著他道：「哼！到底是誰敗壞門風還很難說呢？就算是他們吧！掌門人已經罰過，還輪得到你們來『伸張正義』嗎？」此言一出，陸宏松突然打了一個冷顫，不敢再說下去。

貝遠遙嘆了一口氣又道：「自從重新分派之後，我一直很留意你們彩鹿門，暗中觀察幾次，卻發現你們不但沒有相互關愛、彼此鼓勵，反而欺負比你們更弱小的同門。「你們做了這麼多惡事，竟然沒有人覺得愧疚，只要稍不如意，就一勁的怪罪於他，難道一個人學劍學得慢一點，就這麼罪該萬死嗎？如果今天換作你們給天龍門的弟子侮辱，又作何是想？

「這些事我本不該插手，但你們師父除了喝酒賭錢之外什麼都不管！廣詮，像你這樣放任他們胡作非為，怎麼對得起你死去的師父啊！」

馮廣詮也覺得自己有虧職守，面有愧色，連連點頭稱是。

貝遠遙苦口婆心的又說了許多道理，希望他們不要懷憂喪志，自暴自棄。這番話沒有白講，後來這三十幾名逐鹿門的弟子，雖然少有在武學上有大成就之人，品性卻是改了許多。貝遠遙離開時，向馮廣詮要了古、徐二人帶回到自己的住處。

三人一進書房，貝遠遙劈頭就罵：「都是你們，壞了我的事！」

徐宏珉奇道：「這怎麼說？」

貝遠遙道：「本想叫你今晚把陸宏松約出來，向他質問喜妹之事。他們幾個性情浮誇，做出這種事不但不會感到慚愧，反而揚揚自得，為了氣你們說不定很快便說出實情，那時我再出現便可令他們無可抵賴。沒料到你倆如此魯莽衝動急著報仇，如今人家有了警覺，很難再套出什麼話來。」

曙光乍現，徐宏珉喜道：「原來師叔公早知道我們的冤情，這回有救啦！」

貝遠遙道：「這還不好猜嗎？你叫張姑娘喜妹，又看她瞧你的眼神，顯然你們早已熟識。如果那天發聲的人真是你，她怎會聽不出來？又何必不顧羞上山認人？再說古宏劍聾了，若由他頂著你偷看人，一上一下要如何看你說話，那些不倫不類的話，又要說給誰聽？」

徐宏珉道：「師叔公英明，料事如神，掌門師伯就萬萬想不到。」

「你少拍馬屁！」貝遠遙笑道：「商廣寒是何等人物？我想他多少也看出了一些端倪。」

徐宏珉道：「那他怎麼不吭聲？」

貝遠遙道：「他早瞧你倆不順眼，尤其是古宏劍，但你爺爺曾送二十兩銀子上來，若不犯什麼大錯，也不好趕人；如今有了這等天大的好藉口，他求之不得，怎會破壞？再說偷雞的事除了你們彩鹿門的弟子之外，天龍門的弟子也曾幹過，他不願事情愈扯愈大，正好拿你倆當替死鬼，以平息張有德的怒氣。」

古宏劍問道：「怎麼天龍門的弟子也會偷雞？」

貝遠遙道：「怎麼不會！還是我親手抓到的，交給商廣寒發落。沒想到他把事情壓了下來，只斥責幾句。」

徐宏珉又問道：「那我們的冤情，難道永無昭雪的一日？」

貝遠遙緩緩搖頭道：「我看難囉！再說如果真相大白，張姑娘非得嫁給陸宏松不可，這可是你所希望的嗎？」

徐宏珉沮喪道：「說到最後，還是得離開青城！」

貝遠遙道：「也許還有轉圜的餘地，但要請你未來的老丈人再上山一鬧，說他不要一個青城棄徒當女婿；若是掌門一定要趕人，他只得退了這門親事，並報官處理。商掌門為了面子，絕不敢不答應。」

雖然含冤難雪，日後更將讓人輕侮，但能留下來總比無處可歸強，古、徐二人彼此握緊對方的手，俱想：「今後無論遭遇多大的逆境，都要一起咬牙撐過去。」

果然二人得以繼續留在青城山，而更令人喜出望外的是：貝遠遙把他們要了過去，由他親自管教，有了這個大後臺，再也沒人敢欺侮他們。

不久後的一個黃道吉日，徐宏珉和張喜妹成了親。張有德是外地人，親友都不在四川，方圓十里內又只有他們這一戶人家，因此婚禮十分簡樸，貝遠遙證婚，馮廣詮以師父的身分做男方主婚人，一時找不著媒人婆，本想拉貝甯客串，但聽說未出閣的少女，當過媒人會嫁不出去，於是古宏劍自告奮勇充當「媒婆」，眾人雖覺突兀，但一時間找不到更合適的人，也只好將就。

當晚，張家宰一隻土雞辦了一桌豐盛酒席，古、徐二人終於光明正大的吃到張家的土雞。酒酣耳熱，趁著馮廣詮與張有德雙雙鬥酒醉倒之際，新郎官樂道：「人家說什麼『偷雞不著蝕把米，賠了夫人又折兵』，可是我徐混珉偏偏洪福齊天，不但未花半粒米偷著了雞，還娶了一個美若天仙的夫人。」

古宏劍看著新娘子，容光煥發的張喜妹妝扮之後順眼許多，但「美若天仙」這四字用在她身上實在誇張，瞧著她羞紅的臉亦有幾分動人之處，心想：「徐混珉整天瘋瘋顛顛，或許也只有樸實善良的喜妹才受得了吧！」

由於徐宏珉還未成年，不便長住岳家，稍待幾日又回到山上。這次他與古宏劍跟著貝遠遙學文習武，過了半年快樂的日子。

貝遠遙教武倒是頗有耐心，雖然二人資質愚鈍，卻也不心急，從最基礎教起，由簡而繁循循善誘，二人的武藝也漸漸有了一些起色，半年之後，古宏劍終於把「逐鹿劍法」學成。這時，距離他入門，剛好滿兩年；雖然晚了許多，他仍感滿足，畢竟，這是他這輩子學會的第一套劍法。

貝遠遙的住處除了他們祖孫兩人之外，還有一個叫阿誨的痴漢，約莫四十來歲，這人長得高頭大馬，卻總是兩眼無神，顏面浮腫，容貌獰醜，又終日蓬頭垢面，不修邊幅，一般人不喜歡接近他。

倒是有一些貪玩的弟子喜歡趁貝遠遙不在的時候捉弄他，這些人武功學得不怎麼樣，但作弄人的把戲倒是懂得不少，有時叫他做一些奇奇怪怪的動作，有時又拿一些腐敗的食物給他吃。他從不生氣，當大家因他的醜態而開心時，他也跟著傻笑，笑起來整個臉皺成一團，叫人分不清是笑是哭，瞧他這副德性，眾人又更樂了！

唯有古、徐二人不排斥他，三人常一塊玩耍。阿誨雖然呆呆傻傻，手腳卻不笨，不管是洗衣、燒飯、灑掃都乾淨俐落，全靠一隻左手；而右手整天拿著一根兩尺來長的樹枝，不管吃飯、洗澡還是睡覺，從來沒有放下過，這個習慣令人納悶不已，徐宏珉套問多次，他從來不講，只一勁傻笑，笑容永遠都一個模樣：嘴角咧開，兩眼瞇成細縫，在他下斜的眼角中，似乎藏有無盡的愁哀！

貝遠遙曾中舉人，學問淵博，他教古文倒不強求死背，只講解文中含義，習者只要瞭解就好，能記多少算多少，二人壓力頓輕，覺得念書倒也不是什麼苦差事。

貝遠遙有個書房，裡面的藏書琳琅滿目，不僅四書五經、醫卜星象或唐詩宋詞等都十分完備，就連近代的一些章回小說也蒐羅不少。兩人一有閒暇便去翻閱，古宏劍最愛《水滸傳》，來來回回看了十幾遍；而徐宏珉更將一本《西遊記》翻爛，每次吃完晚飯，總愛來一段說書。

他的說書跟一般的說書先生不太一樣，除了口述與打板之外還加上許多靈現跳躂的動作，一會兒耍起棍棒做孫行者，一會兒又舞弄著掃帚當豬八戒，動作誇大，表情生動，往往看得四人哈哈大笑；而古宏劍就不太在行，只能扮唐僧，手持著念珠說道：「悟空，你又惹禍了！」

平日頗有餘暇，兩人嬉戲之餘亦再加設陷阱。有一次當真捕獲一頭大山豬，兩個少年抬不動，於是跑回去叫阿誨來幫忙，回到貝家，卻看到阿誨正蹲在地上嘔吐，陸宏松等人在一旁大笑，有人叫道：「大白痴，你又被騙啦！」徐宏珉趕忙衝將過去，拿過他手上的豆沙包一看，裡面竟然包的都是沙子！他怒不可抑！將豆沙包往陸宏松頭上扔去。

陸宏松猝不及防，被丟得滿臉細沙火冒三丈！一聲吆喝，五、六個人一擁而上，圍著二人猛打，這幾個人上次被盛怒中的徐宏珉追著打，一直引為奇恥大辱，早恨不得盡快出這口鳥氣，難得今日碰到這個大好機會豈能錯放？無不使出全力痛快的打。古、徐二人雖奮力抵抗，但寡不敵眾又技不如人，沒多久便被打得遍體鱗傷。

突然間阿誨一聲巨吼，手持松枝繞了一圈，陸宏松等人都定住不動。大家忙著打人和被打，沒有人看清楚他是怎麼出手點的穴；然每個人都萬分驚奇，這個平時痴痴呆呆的傻子，竟是如此深藏不露的高手！古、徐二人掙扎爬起，驚訝的瞧著阿誨，他仍是一勁傻笑，似乎也不甚清楚，剛剛究竟是怎麼回事？

徐宏珉拍拍身上塵埃，走到陸宏松跟前，舉起右手作勢要打，卻又輕輕放下道：「我不打你們，我們之間的仇怨也一筆勾銷，但如果你們把今天的事情洩露出去，我定會叫阿誨把你們個個打得吐血。」說罷便叫阿誨幫他們解穴，然後才和古宏劍帶著阿誨去抬山豬。

徐宏珉一路上都沒有開口說話，倒是古宏劍憋不住心裡的好奇，開始盤問阿誨，一會問他打哪來的？一會又問他從哪兒學到這些功夫？是不是貝師叔公教的？但他還是一勁傻笑，什麼都不答。

徐宏珉道：「別問了，他不會說的。」

古宏劍道：「你不覺得奇怪嗎？他武功那麼好，怎麼老是痴痴呆呆？」

徐宏珉道：「我以前在灌縣當小乞丐的時候，常跟一個老丐混在一塊。因為我們不想一輩子當乞丐，所以沒有加入丐幫，卻因此常被當地丐幫的人欺負，他總是叫我要忍耐。不料有一天他被人欺侮得過頭，終於忍不住在街上大發神威，教訓幾個丐幫弟子，那時我才發現他是一個深藏不露的武林高手，從此再也沒有人敢來找麻煩。

「可是過了兩個月，他卻被人砍中數刀，臨死前才告訴我說：他本是江南武林的成名人物，因逃避仇家追殺才躲到四川隱姓埋名當乞丐，本想只要不露功夫，人家永遠也找不到他，但畢竟以前曾經叱吒江湖，要他長期忍受一群癟三的欺凌實在不易。沒想到只出手這麼一次，消息就此傳揚出去，仇家從江南趕來，終究躲不過這場劫難。」

古宏劍道：「你認為阿誨也是被仇家追殺，才躲到這裡？」

徐宏珉道：「我想是吧！剛才我不打陸宏松那幫人，又要他們保密，就是這個道理。」

古宏劍又問：「那你看他的痴傻，會不會也是裝出來的？」

徐宏珉道：「看起來不像，也許他受過什麼刺激，真的發了瘋！」說著，兩人不約而同瞧著阿誨，他仍是一勁的痴笑，似乎不甚明白兩人在說些什麼。

古宏劍嘆口氣道：「可憐的阿誨。不知師叔公清不清楚他的事？」

徐宏珉道：「他當然知道，但若方便告訴我們的話，早就說了！阿劍，師叔公最近都在研究怎麼改進『尋龍劍法』，今天的事，我想暫時還不要讓他操心。」

三人把山豬抬下山交給張有德，他看徐宏珉沒忘記當初的承諾，很是歡喜。他殺豬拔毛，自取半頭，另一半讓他們帶回山上吃。貝遠遙這次到峨眉山還要好幾天才會回來，貝甯先把剩下的半頭豬肉醃起來，等祖父回家再拿出來吃。

雖然發生那天的事，兩人並未對阿蒟存有戒心，還是常和他一塊玩耍，日子久了也漸漸淡忘。又平靜的過了一段日子，每日不外乎練劍、讀書、設陷阱捕野獸，晚上若有餘暇，徐宏珉還會來一段說書。逢年過節，喜妹總會帶些糕餅肉食上山探視，貝家的伙食總是羨煞其他弟子。由於吃得飽、睡得好，古宏劍這一陣子倒是長高不少。

某晚，徐宏珉的《西遊記》正說到第五十九回「唐三藏路阻火焰山，孫行者一調芭蕉扇」。他看貝甯無事，欲拖她下水扮演鐵扇公主。貝甯不願飾反派，說道：「我才不當牛魔王的妻子，凶巴巴的不是好人。」

徐宏珉又道：「那就當玉面公主，書上說她長得既美麗又柔媚，妳最合適了。」

貝甯道：「更不要，她是牛魔王的小妾，孤狸精變的。」

「那怎麼辦？」徐宏珉沉思片刻，又道：「那妳乾脆當唐三藏的老婆好啦。」

貝甯笑道：「亂講，唐三藏哪有妻子？」

徐宏珉道：「怎麼沒有？是他還沒出家前娶的。叫唐朝唐氏貝甜甜，和唐三藏是青梅竹馬，從小在一起研讀經文，後來唐三藏當了和尚，她也只好去做尼姑。」

貝甯奇道：「怎麼有那麼好玩的名字？」

徐宏珉道：「對呀！正巧也姓貝，嘴巴很甜，最愛吃蜜錢……」

古宏劍見他愈說愈不像話，插口道：「悟空，不得胡鬧！」喃喃唸起緊箍咒。他一邊唸咒一邊斜睨貝甯，還好她沒生氣，只是有點難為情，放下手中的蜜錢，不再吃了！

徐宏珉一聞咒語，頓時手搖腳蹦，搔耳抓面跳將起來，對著古宏劍討饒：「師父，弟子再也不敢，請您別再唸啦！」待咒語稍歇，這潑猴竟提著木棍喝道：「玉面公主，妳竟敢變作師母模樣來拐騙我師，吃我大聖一棒！」說著便掄起棍棒，作勢要打貝甯，貝甯笑著躲開。就在此時，凌空飛來一封信函，直挺挺釘在木棒上。三個少年嚇了一跳，都圍過來看，封套上沒有署名，只寫著燙金三個大字：「慕名帖」。三人不約而同望向貝遠遙。

貝遠遙緩步走來，面色凝重取信拆閱。三人站在一旁靜靜等著。

過了良久，貝遠遙緩緩把信紙收起道：「明日我要出一趟遠門，也不知何時才能回來，你們三人要好自為之，這段期間仍應正常作息，自行練武習文，不可荒廢懈怠，若有不順心的事，亦得忍耐克制，才能成大器，要友愛和睦，互相幫忙。」貝遠遙平常不愛說教，三人俱感怪異，貝甯心中忽然浮起一股不安之感。

貝遠遙又道：「你倆若練武不成，也無須灰心喪志，學武這種事是急不來的，一時的頓挫並不表示你日後一定技不如人。本派曾經出了一位武功絕頂的人才，但他剛習武時，情況也跟你們差不多，飽經責罵與羞辱……」

「您說的這個人，可是號稱『天下第一劍』的狐九敗？」徐宏珉插口問道。

貝遠遙點頭道：「正是！此人出身本派，後來卻因一點齟齬棄派而去。他宣告脫離本派已久，許多人已經忘了他和青城派這段淵源，沒想到你這小子竟然曉得。」

徐宏珉笑道：「那是阿劍告訴我的，他見識廣，武林中的事知道得還不少。」

遊歷七大派，見識怎能不廣？古宏劍有些不好意思，道：「其實我懂得也不多，但我們學劍的，不可能沒聽過狐九敗的大名。只是令人好生納悶，他在外頭名氣極大，怎麼在這裡反倒很少聽人提起？」

貝遠遙道：「他脫離本派後，不再使用本派劍法，並曾三番兩次用別的劍法羞辱前任掌門；雖然他出身青城，本該是我派之榮耀，如今卻反令受辱。你們那些知道緣由的師叔、師伯們，自然不愛提。」

徐宏珉問道：「他多久才學會『逐鹿劍法』？」

貝遠遙道：「也將近用了一年的光景。」

徐宏珉樂道：「哇！那不是跟我們差不多嗎？」隨後一想：「竟然還有人將『逐鹿劍法』練得比我還久，那我這『開天闢地第一人』似乎有點名不符實。」不禁又有幾分失意。

貝遠遙續道：「後來幾年，他依舊停滯不前，但始終很認真，從不放棄。皇天不負苦心人，十六歲那年忽然開了竅，功夫突飛猛進，把以前嘲笑他、欺凌他的師兄弟們一個個拋在後面，更在短短十三年內學成『尋龍劍法』。」

古、徐二人聽了萬分景仰，貝遠遙卻搖頭嘆道：「只可惜這人性格偏激，空有一身好武藝，卻不知修身養性。對內桀驁不馴，羞辱同門；出外則到處惹是生非，尋人鬥劍。我今天告訴你們此事，除了要你們不必灰心喪志外，更盼能引以為戒。」他又語重心長說了許多話，才回房休息。

三人也無心再玩，各自回房入睡，古宏劍反覆想著今晚師叔公所講的話，真希望自己也能突然開竅，成就一身好武藝。

古宏劍躺在床上，剛開始輾轉反側，難以成眠，好不容易睡著，卻夢見自己化成了一隻大鵬鳥，逍遙自在的飛舞，地面上各種猛獸都抬頭仰望，連獅、虎這些百獸之王也頻頻點頭示好。正感萬分得意之際，突然颳起一陣狂風，打斷羽翼，從雲端直墜下來，那些原本對牠表示尊敬的猛獸，竟都一齊撲將過來，要搶食牠的肉……

豁然驚醒，月色中發現貝遠遙正幫他蓋被子，叫了一聲師叔公！貝遠遙沒有回答，對他笑了一笑，走回房裡。

次日醒來，已不見貝遠遙，三人雖仍正常作息，但每過一日，心裡的不安就加深一層，貝甯曾追問許多師長什麼是「慕名帖」，卻無人肯說。過了幾天，阿誨突然不見！三人找遍青城山，卻一無所獲，心情更加沉重。

過了半個月，惡耗傳來，有人在青城主峰老霄頂上，發現貝遠遙的頭顱高高吊掛在樹梢，附上一封信寫道：「素聞青城派貝遠遙先生德高望重，生前為眾人所景仰，死後亦應葬於不凡之地；而四川得天獨厚，靈山秀水極多，尤以四奇為著。四奇者，青城天下幽，葬其首；峨嵋天下秀，埋其雙手；劍閣天下雄，覆其兩腿；軀體則沉於天下第一險之三峽波底。如此得在四川之四大靈地而葬，方不辱沒其一身清風傲骨。」寫信之人，竟將貝遠遙分了屍！

青城派上上下下悲憤不已，立誓要找出此人，將他碎屍萬段。商廣寒立即派人分赴峨嵋、劍閣等地找尋其四肢。

古、徐、貝三人聽到消息號啕大哭哀痛欲絕，飛鷹門的教導師伯陳廣衍靜立一旁等著他們宣洩良久，才帶到一旁的涼亭坐下，取出貝遠遙的遺書給三人觀看並道：「貝師叔在赴約前夕，就把這封遺書交給我，他希望在確定死亡之前，暫時不要讓你們知道此事，多過幾天的快活日子。」

三人接過遺書隨即拆閱，上面寫著：

「阿劍、阿珉、甯兒，看到此信之時吾已離去。無須太過傷悲，是人就難免一死。這些年來並未虧負任何人，終能了無遺憾的走，唯一掛念卻是沒能親眼看著你們長大成人，所幸三位本性純良，記住吾平日之叮嚀，應不致誤入歧途。

「日後阿劍與阿珉的處境會比較艱難，已請廣衍盡力照顧，但商掌門未必肯買他的帳。無論發生何事，仍勿絕望喪志，有心向上，未必非留在青城不可，更不一定要練成絕世武功才是英雄。

「還有阿誨，一段辛酸往事造成他今日的模樣，你們行有餘力，務請代吾妥為照料，書房藥櫃裡有兩瓶黑色藥丸，瓶底附有配方，用完以前要去採藥重配，小瓶的藥丸每月服用一顆，是解他的瘋病，但也是一種毒藥，若七天之內不吃大瓶的解藥，便會毒發身亡。

平時多留意，要是他突然面露凶光或是由痴變瘋，千萬不要給他解藥，雖然可能會害死他，但他若發了瘋誰也制不住，將成一大禍害！為了眾人的安危，非如此不可，切記！切記！

「殺人者武功手段均非泛泛，絕非常人可敵，不管吾如何慘死，切莫報仇！貝遠遙留。」

三人噙著淚水，一口氣讀完，徐宏珉突然衝進書房，不一會兒，便聽他叫道：「藥不見了！」古宏劍和貝甯立即進屋幫忙找尋，但翻遍書房始終一無所獲，莫非是阿誨自己拿走的？或許他沒有大家想像的那麼痴傻。徐宏珉若有所思，不知道阿誨的事和師叔公的死有無關聯，他回到涼亭，問陳廣衍阿誨是什麼時候來到青城的。

「約莫十幾年前吧。」陳廣衍道：「他人不在，有沒有找到藥都一樣。你們已經盡力，阿誨的事也只好聽天由命。」說罷又取出一封拆開的信，說道：「這封留書是給掌門人的，掌門師兄叫我一併拿給你們看。」

三人恭敬的接過來看，信上寫著：

「感謝商掌門和眾同門這幾年來的支持。接到『慕名帖』，心裡反而有種如釋重負之感！這樣也罷，做個了斷之後，吾人和本派都不會再被江湖朋友誤會。

「即使到現在，吾仍不認為他會做出這等事，如今終於有機會求證。後山不遠處的三合頂將是決鬥處所，有一塊巨石，吾將做上記號。如果真是此人，就在石上劃個圈，否則打叉。事後你可派人來看，真相即可大白！

「吾早有準備，不必為我感到傷悲，無論能否找到真凶，切不可急著報仇，白白犧牲，如今最重要的，還是要積蓄實力，光大本派才是。您的責任又加重了，請掌門多保重。貝遠遙留。」

三人看得一頭霧水，徐宏珉道：「這裡面每一個字我都認得，但卻沒有一句看得懂。」

陳廣衍道：「此事說來話長，你們靜靜坐好，貝甯先把眼淚擦乾，仔細聽我說。」

三人依言行事，聽他娓娓道來……

「第一次接到慕名帖的是少林派的明性大師，距離現在大約兩年前。剛接到時並不理會。因為少林寺的和尚長年吃齋唸佛，都有一些怪脾氣，不到萬不得已並不輕易與人比武；而且對方署名王之仁，在江湖上根本沒人聽過這號人物，竟然直接挑戰少林四大高僧之一的明性大師，委實太過離譜；所以當時明性大師一笑置之，並未放在心上。

「不料過了約定日期的第二天，有人在藏經閣內發現兩具屍體，兩位死者都是明性大師的愛徒；由於明性大師喜歡閱讀經書，便請求掌門師兄讓他和兩位徒弟看守藏經閣，他負責白天，徒兒則在夜間看守。這兩人武功也不弱，但現場卻未見太多的打鬥痕跡，顯然來人的武功極高，三招兩式間殺了人。屍體旁邊發現一張字條，上頭寫著：『少林禿驢，怕上西天，先請高徒，往生極樂。明日午時，決戰中峰，縮頭斷頭，隨你選擇。王之仁。』」

徐宏珉好奇問道：「這王之仁是誰？怎麼從來沒聽說過。」

陳廣衍沒有回答，仍繼續說下去：「字條上每一個字，都是從經書上一個一個剪下來的。剪了三十五本經書貼出三十五個字。這些經書全是少林至寶，看了這張字條，明性大師修為再好也是怒不可抑，決心一戰！

「次日明性大師獨自赴約，他的般若掌及如來棍法已經練得出神入化，在少林罕有敵手，少林寺常有高手登門挑戰，從未有人能過得了他這一關，因此眾人認為這次他仍能戰勝對手，少林住持明善大師叫他盡可能留下活口，把人帶回來慢慢審問。

「不料一直到傍晚都沒見到人，住持開始緊張，派人前去查看，回來的人說：『沒有看到人，但現場有明顯的打鬥痕跡，並發現一灘血。』於是出動整個寺的人搜尋，數百個人找了三天三夜，翻遍整個少室山，仍一無所獲。

「約莫過了一個月，有人在藏經閣內發現了一罈骨灰，內附一封信寫著：『武林泰斗，浪得虛名，有道高僧，舍利何在？』原來這個王之仁真的打敗了明性大師。由於明性大師常年看守藏經閣，對經文的領悟極深，或有可能已經修得舍利子；因此他殺了明性大師之後，不知用什麼方法讓屍體快速腐爛，再將骨頭搗碎，尋找舍利子。」

聽到這裡，貝甯不禁叫道：「好殘忍啊！」

陳廣衍道：「是啊！一般武林中人較量武功，死傷在所難免，但應對遺體有所尊重，像他這樣泯滅人性的舉動，分明是要死者的魂魄升不了天，而這又是和尚、道士最為忌諱之事。少林寺的和尚個個義憤填膺，發誓要將此人擒獲，替明性大師雪仇。但卻無人知道這個王之仁長得什麼模樣，空忙了一陣，並發函請各大門派幫忙，卻始終找不到真凶。

「過了兩個多月，華山派的于乾坤也接到『慕名帖』。于乾坤十分好勝，據說武功與掌門師兄仲孫天也差不了多少；然而掌門不讓他赴約，理由是能擊敗明性大師的高手不多，對方可能不止一個人，若是如此敗劍被殺，十分不值。于乾坤因師兄的堅持，終究是沒赴那個死亡之約。

「王之仁似乎知道了，並沒有上華山殺人，再送出一封『慕名帖』，將地點改在朝陽峰，日出時決鬥。朝陽峰是華山東峰，雖非華山最高峰，但絕壁孤懸，深淵萬丈，亦奇險之地。峰頂有一巨石，即東峰著名的搏臺，傳說是宋太宗與陳摶對弈之處，其上建有一座鐵鑄的棋亭。兩人在此決鬥，站在蓮花峰上的人可以清楚看到有沒有他人埋伏。如此一來，華山派再也沒有拒絕王之仁的理由。

「那天一大清早，華山派眾師徒齊聚在蓮花峰準備觀看。天剛乍明，王之仁便出現在蒼龍嶺，著一襲黑色勁裝，在滿山的白雪中，快速登上險峻的朝陽峰，光看他登峰的身手，仲孫天的心就涼了半截！

「于乾坤早在搏臺等著，兩人照面，沒說什麼話便開始亮劍出招。在白雪照映中，可以明顯看到一青一黑的兩個人影，在華山絕頂上跳躍盤舞。從西邊的蓮花峰到東邊的朝陽峰少說也有一里之遙，再加上清晨的薄霧，沒有人能看清楚對方的容貌，也辨不出來他使用的招式劍風；但目力好者，在刀光劍影中依稀可以看出情勢對于乾坤不利。過不多久，他們從棋亭下打到簷頂上，在陣陣朔風中施展絕世輕功，做生死搏鬥。

「不過半炷香的時間，平靜的山林中，忽然響起數聲慘叫，迴盪在群山之間，久久不息……」

徐宏珉又插口道：「被人砍一劍有這麼痛嗎？」

「這其中並沒有于乾坤的聲音，他根本來不及開口。」陳廣衍道：「這時正當旭日初升，于乾坤的頭顱突然被一劍削斷，順勢踢向西方……在華山派數百雙眼睛觀注之下，這顆頭顱脫離他的身軀，自血紅的朝陽中心，向著西南直飛數十丈遠，才掉落萬丈深谷中！親眼目睹的人，永遠也忘不了這一幕景象。據說有許多華山派的人，從此再也不看日出。

「王之仁用劍朝西劃了幾個大字，有人猜了出來，報告仲孫天：『華山絕頂，絕頂華山。』意思是說：華山派的絕頂高手，在這華山的絕頂上，被人削去了首級。華山派群情激憤，有人想去攔截，卻為仲孫天所阻。他知以此人的武功，根本無人攔得住，還好早派了幾個弟子埋伏在要道，以記下王之仁的長相，待來人返回，立即請畫工加以描繪，然後通知少林寺，並聯合各大派，一齊追緝這個狂惡殺手。但過了不久有人回報，派出去的弟子，已全數一劍斃命。

「于乾坤的死訊傳出之後，江湖各大門派都派人前來祭拜，少林派由明性大師的師弟明真大師代表，他一進門就責怪仲孫天，不該輕易讓于乾坤接戰，而應盡速通知少林寺，大家協力制服元凶。仲孫天沒說什麼，明真大師可能不太瞭解，華山派好歹也是個大門派，如果只想等待少林寺的奧援，當了一個月的縮頭烏龜，那今後華山門人，還有臉在江湖上立足嗎？

「各派的人在華山研商，細數在江湖上的成名人物中，能在半炷香內殺死于乾坤的只有七個人，分別是少林方丈、武當掌門、胭脂胡同的裴友琴、莫愁莊的朱未央、人稱四海大俠的向四海，以及兩位姓狐的高手，前面五位都是享有盛名的正派高手，自不可能做出這種事，那麼最有嫌疑的只有這兩位狐氏兄弟。」

徐宏珉問道：「其中一個是狐九敗？」

陳廣衍道：「唉！此人雖然出身於本派，但行為乖張，背師叛派，上上代掌門人一怒之下，不但將他逐出師門，還下令本派門人，不得以他為榜樣，不可提及他的名號。所以儘管此人在江湖上聲名赫赫，無人不曉，但本派的年輕弟子卻少有耳聞。你們雖然知道，但只要在青城一天，就不該再提起此人姓名。」古、徐二人點頭稱是。

陳廣衍又繼續說下去：「當時貝師叔獨排眾議，強調此人儘管桀驁不馴，但絕非嗜殺之人！大家完全沒有任何直接證據，就妄加推斷凶手，並不公平。貝師叔早年和此人有很深的交情，自認對他非常瞭解，但兩人已多年未見，江湖上對此人的印象，只有『狂妄善變、孤僻自傲』，貝師叔還說這八個字並不代表『陰險毒辣』，唉！他什麼都好，唯一的毛病就是太容易相信別人！」

徐宏珉插嘴又道：「我知道了！因為師叔公跟他很熟，只要一會面，不管對方蒙臉還是易容都瞞不過他，想必掌門師伯派人去三合頂，只看到地上一個大圈圈。」

「你這小子還真多話，難怪馮師弟說看到你就頭痛！」陳廣衍索性不睬他，繼續說下去：「另一個疑犯叫狐知秋，這個人你們也該聽過吧！」

徐宏珉道：「聽說是錦衣衛的大頭目，是那個叛徒同父異母的胞弟，武功也是很嚇人！」

陳廣衍道：「錦衣衛指揮使，統領數萬廠衛之人，想接近他比登天還難，更別說抓來審問；而那個叛徒是個不折不扣的大劍痴，每隔幾年便會創出一套全新的劍法，劍法練成便四處找高手比武試招，如果輸了又會隱居起來，再苦思一套新劍法。每一次重出江湖，武功又比前一次高出許多，因此名氣雖大，親眼看過他的人卻寥寥無幾，再加上居無定所，行蹤飄忽，尋人不易；即使找得到人，他的劍法天下第一，誰又能奈何得了？眾英雄討論半天，卻始終拿不出什麼好法子。

「然而在接下來的一年內，武當派青松道長、丐幫副幫主陳汶水和嶺南福州董海川大俠都陸續接到這封催命的『慕名帖』，這三人也都是江湖上素有盛名的人物，為了個人的尊嚴及幫派的榮譽，都無意求助於他人，默默寫好遺書，慷慨赴會死亡之約。後來有人想到這幾個死者的共通點，發現他們都曾參加過『仙遊之戰』。」

「仙遊之戰？」徐宏珉道：「是不是誰贏了誰就是劍仙遊俠？」

陳廣衍笑道：「仙遊是地名，這件事要追溯到三十幾年前。當時東南沿海飽受倭寇騷擾，這些倭寇不同於一般海盜，每到一個地方，不但殺人掠貨，還攻占城池。這群人作風殘暴，被他們占領的地方，就好像突然多出了成千上萬個土豪惡霸，百姓民不聊生。

「這幫盜匪人數未必多，但是刀器精良、紀律嚴格且戰術高明，作戰時又能互相呼應合作，幾乎是每戰必勝，不管地方上的軍隊還是朝廷所派的大軍，都被打得落花流水。這種局勢，一直到戚繼光元帥帶著他所訓練出來的戚家軍開赴戰場，才扭轉過來。

「戚元帥不愧是本朝開國以來不世出的將才，他有勇有謀，不管練兵、帶兵或作戰都有一套，屢敗倭寇，當時在倭寇中流傳一句話：『寧戰禁衛軍，不惹戚家軍。』

「嘉靖四十三年，戚家軍在福建的仙遊與勢力最大的一批倭寇決戰，雙方僵持十來天，倭寇的首領們知道，再拖下去必敗無疑，於是就想鋌而走險，刺殺戚元帥……

「當時正好福州八卦門的董占魁做六十大壽，邀請許多江湖上的成名人物。董老英雄年輕時常行俠仗義，結交許多朋友，在江湖上頗有盛名，因此各大門派也都派了輩分不低的代表前去祝壽。

「就在壽宴開席前，董占魁接到一封沒有署名的信，信上說在仙遊的倭寇計畫在近日之內刺殺戚元帥，刺客不止一人，且個個武功極高，希望在座的武林高手，能夠盡速前往仙遊保護元帥。

「董占魁看完信，立刻請幾個武功較高的賀客和他的長子董海川進入內堂商議，這幾個人正是前面所提到的五位死者和貝師叔，他們在祝壽途中看見許多倭寇的惡行，早生義憤之心。大家都說負有清剿倭寇重任的戚元帥，絕不能有任何閃失，無不豪爽答應前去助劍。事不宜遲，這六位英雄，草草扒了幾口飯，便騎著快馬趕去。

「六人見到戚元帥說明來意，元帥大表歡迎；原來昨天夜裡就有刺客來襲，雖然只有兩個人，但武功極高，要不是他們認錯營帳，後果將不堪設想！

「六人被安排睡在元帥的鄰帳，並分成三批輪流守夜，果然當晚又來了兩名刺客。來人一襲黑衣勁裝，蒙臉，全身掛滿奇奇怪怪的暗器，他們一對上即發現今夜討不了便宜，立即撤走。由於這兩人所發的暗器既繁且奇，危急時還會擲出煙霧彈，在重重彩霧中消逸無蹤，所以六個武林高手加上千軍萬馬，竟未能將人攔住，不過，接下來幾天，他們也沒敢來犯。

「最後決戰的時刻到來，戚元帥接到戰書，約他到城外一戰。決戰前日，他帶著幾個部將到城外勘查地形，有六位武林高人在一旁保護，應該不會有什麼意外吧！

「未料一行人來到戰場，刺客再次出現！比原來多了兩人，也是蒙著臉，卻是一身中土武人的裝束。」

徐宏珉奇道：「中原人怎麼也替倭寇賣命？」

陳賡衍道：「雖然名為倭寇，裡面其實參雜許多中原的亡命之徒，數量上往往還多過東洋人，也有的做起首領，這兩個中原人據說就是這批倭寇的五大首領之二。

「雙方馬上刀劍相向，戚元帥的隨從立即朝天射出紅色信號箭，一場大戰，提早開打！後來聽他們回憶，那一戰十分驚險，這邊以六敵四，猶落下風。主要是因為那兩個中原人武功出乎意料的高，分別以一對二仍是攻多守少，另兩位東瀛忍者，雖然武功略遜，但是招法詭異，暗器千奇百怪，與其過招的人也是吃足苦頭。

「其中一位中原高手突發狠勁，先傷一人再逼得另一人著地翻滾，趁此空檔奔向三丈之外的戚元帥，攻出凌厲狠絕的一劍，眼看要將元帥一招斷喉！這時貝師叔突發神勇，使出『尋龍劍法』中最為絕險的『飛燕驚龍』，重創為首的中原人，扭轉整個劣勢。」

「哇！」徐宏珉又道：「師叔公好棒，立下首功。」

陳廣衍道：「是呀！事後大家都推崇貝師叔，要不是他武功卓絕，在最後關頭使出絕招，後果將不堪設想。但貝師叔謙虛的說他這一招贏得僥倖，因為這招『飛燕驚龍』雖然威力驚人，但一旦發動，自己全無退路，若無法殲敵，必死無疑，若非萬不得已，實在不願輕易冒險。」

徐宏珉又道：「後來怎樣？有沒有全部殺掉？」

「這位武功最強中原首領受傷之後，換成他們陷入險境，這時雙方大軍也已交鋒，隨著主帥失利之消息傳出，對方士氣渙散，一路往東敗逃至海邊，跳上小舟划向百丈之外的戰船。

「以往倭寇只要打不贏就會逃回船上，這回戚元帥鐵了心要將他們殲滅，暗地訓練數百餘名水軍，搶了部分小舟追了上去，再將點火的油箭射向大船，多數倭寇知道大勢已去，紛紛棄刀投降，唯獨那四位首領寧死不降！兩個東洋人切腹自盡，一名中原人被燒成焦屍，最強的那位首領卻將一堆銀子塞進衣袋，跳入深海！」

徐宏珉道：「這人真是死要錢。」

卻見陳廣衍搖頭道：「塞銀落海，屍首永沉海底，無從打撈，便無法得知其真實身分。」

徐宏珉忽道：「貝師叔公他們死得那麼慘，會不會是刺客的後人前來復仇？」

陳廣衍點頭道：「事後貝師叔將那三具屍骨安葬，發現另一個中原人是個太監。」

貝甯問道：「是不是太監，要怎麼看？」

陳廣衍被問倒了，一時不知該如何解釋，徐宏珉搶著答道：「笨蛋！太監沒有小雞雞嘛。」貝甯應了一聲，小臉羞得通紅，心底十分懊惱剛剛提了一個蠢問題。

古宏劍問道：「太監是皇上的人，怎會幫倭寇造反？」

陳廣衍道：「可能牽涉到宮廷內的鬥爭吧！我們也不甚清楚。後來有人注意到一位頗負盛名的東廠秉筆太監狐龍藏，此人號稱廠衛第一高手，自仙遊之戰後便消失在世間，懷疑那死去的太監便是狐龍藏。而這人亦是那叛派惡人的叔叔，那惡人自小父母雙亡，和弟弟狐知秋兩人均由狐龍藏所扶養；雖名為叔姪，其實情同父子，為他報仇天經地義。」

徐宏珉奇道：「怎麼太監也會武功？」

陳廣衍道：「本朝自成祖以來，宦官往往飽受皇帝的重用，除了可以念書認字外，有的還能習武；據說這些人去勢之後，許多需要禁慾的武功，往往能練得比常人更加精猛，倒出了不少高手。有這些本事後，自然會對權力有所覬覦，彼此之間爭權奪利亦是常有的事。據說戚元帥功高震主，近年來也與當朝權貴有所扞格，殺死貝師叔等與他交好的武林人士，或許也是整肅的手段之一。」

「而狐知秋一手『織花劍法』來無影去無蹤，深不可測，錦衣衛與江湖人物明爭暗鬥多年，想殺幾個人並不稀奇，然而就在半年前，董海川接到『慕名帖』，並死於元宵節的子夜決鬥中；就在同一天，有好幾個武林朋友都說當晚曾見到狐知秋出現在京城的燈會中，兩地相隔數千里，說什麼也不可能在短短幾個時辰內趕到福州殺人！既然不是狐知秋，嫌疑人只有一個。」陳廣衍忿然道：「總之，不論是殺人之動機、能力還是三合頂石頭上的那個圈圈，都直指此人為罪魁。」

徐宏珉握拳道：「師伯？這個仇咱們一定要報。」

陳廣衍道：「我講了那麼多，只因你們是貝師叔生前最親近的人，理當明白詳情，並非要你們去報仇。」他說完便起身離去。走出涼亭，嘆道：「以你我的武功，再練一百年也傷不了他一根寒毛。」

古、徐二人對望一眼，心想：「師叔公死得那麼慘。無論如何，也要設法報仇！」

又過了一個多月，派出去搜尋屍體的人陸續回來，都說一無所獲，只好找個日子出殯。各門派都得到消息，紛紛派人前來祭拜。貝遠遙只剩下貝甯一個親人，全靠她守靈，古、徐二人每日輪流陪伴，只希望她不要過於傷懷。

貝遠遙生前交遊廣闊，望重武林，出殯當天，青城山上擠滿了前來拜祭的各路英雄，全是江湖上有頭有臉的人物，不是各派掌門，便是武林名宿。古、徐二人幫著陳廣衍收受奠儀，聽他說道：「今天這等場面，比起六年前上任掌門人黃遠凡去世時還大。」

徐宏珉卻道：「師叔公喜歡安靜，也許並不希望弄得如此鋪張！」

陳廣衍道：「是啊！但是掌門人喜歡排場，還說：『這件喪事辦得愈熱鬧，咱們青城派就愈有面子。』」

貝遠遙的喪事的確很成功，眾人剛上完香，就來了一位別人請不到的貴客。大老遠就有人瞧見他，於是開始交頭接耳，議論紛紛，有的說：「官位這麼大，還大老遠從廣東趕來，可見他們的交情還真不小！」有的道：「貝遠遙死得真光彩，竟能請到這等人物前來祭拜。」「人死了，什麼也不曉得，面子倒做給了商廣寒。」

商廣寒喜出望外，親自跑出來迎接，直道：「戚大元帥，大老遠趕到這窮鄉僻野，辛苦您了！」

戚繼光道：「哪兒的話！貝老與我算是生死之交，老夫早就該來，只是這輩子沒來過四川，不免多走一些冤枉路，耽誤些許行程，實在對不住！」商廣寒照例客套幾句，等人遞香過來，戚繼光先上完香，才一一與眾人打招呼。

他本就慷慨好義，自從仙遊之戰後，對武林中人大有好感，結交無數的江湖人士，在鎮守薊州時，只要有江湖人士來訪，無不設宴款待，因此在場的兩百多位客人中，倒有一半以上是舊識，花了不少時間和大家一一寒暄問好。論武功，雖然在場的都是武林高手，一半以上的人要強過他，但他在沙場征戰之勇，守土之功，加上其蓋世的英雄氣概，令人油然升起一股傾仰之心，能和他握個手或講幾句話都感到無上光彩。

古、徐二人沒有資格接近戚繼光，只能遠遠瞧著這位傳說中的沙場英雄，見他身材中等，體魄強健，也許是常年戍守邊塞的關係，兩鬢斑白，臉上的滄桑頗深；然雙目炯然有神，英姿颯爽，氣度更是豪邁。

貝遠遙的遺體，和青城派的一些先賢一樣葬在後山。為了以後若再發現其餘肢體可以很容易的再放進去，他們把棺木埋得極淺。順利完成入土儀式後，眾人回到上清宮，喪席已經備妥。

戚繼光和各大門派的代表坐在首席，被商廣寒安排坐在主客的位子，他卻不肯就坐，隨手拿起桌上的一壺「全興大麴」，朗聲說道：「各位朋友，非常抱歉，今天不能和諸位共享此餐。因為，敬完這瓶酒之後，我戚南塘和所有江湖好漢的情分，就到此為止。」

此話一出，眾人皆驚！全場頓時鴉雀無聲，有人懷疑是自己聽錯，經過了一陣短暫的沉默，有人起身說道：「戚元帥，您是不是醉了？」

戚繼光搖頭道：「我還沒喝呢，怎麼會醉？現在我所講的每一句話都經過深思熟慮，大家不要懷疑，且聽老夫說完，今天說要和各位斷絕交情，自有苦衷。」

他先拔去瓶塞，呑入一大口酒才繼續說道：「大夥今天來參加貝大俠的喪禮，看到他死得如此淒慘，想必十分悲憤，對這個喪心病狂的凶手必是恨之入骨；然而，對我而言，這個凶手——就是我！

「如果沒有『仙遊之戰』，如果沒有與我戚南塘成為莫逆，貝大俠和先前幾位英雄怎麼會死？唉！我不殺伯仁，伯仁卻因我而死，戚某情何以堪！你們要替死者報仇，殺我也是一樣！在下絕無半句怨言。」

商廣寒隨即道：「戚元帥，您言重了，我們怎麼可能殺您？」

戚繼光道：「如果真下不了手，那就跟我乾了這杯。從此以後，大家互不相干。來吧！誰不喝光它，就是瞧不起我戚某人。」他說罷環視全場，炯炯的目光中自有一股威嚴，眾人都不由自主拾起酒杯。

戚繼光將整壺的全興大麴把在胸前，朗聲說道：「殺人者你聽好，我戚繼光在此對天發誓：喝完了這杯絕情酒，戚某便和所有的江湖朋友，不！是江湖人士恩斷義絕，彼此再也沒有任何牽連！若再要殺人，戚某等著你！別再找一些不相干的人。」話說完便把整壺酒一飲而盡，喝道：「過癮！」

他環視四周，卻發現沒有半個人喝下杯中之酒，不悅道：「怎麼都不喝呢？難道你們和朝中的文武百官一樣，不喜歡我戚南塘嗎？」

只見一位青壯武人走了過來，把酒潑在戚繼光面前道：「戚元帥，我們不喝這杯絕交酒；這個昏君如此待您，只要您一句話，我想所有的武林中人，都願意為您賣命，咱們從廣州打到京城，要皇帝跪下來向您磕頭認錯！將那些誣陷您的奸臣凌遲處決，還您清白！」此話一出，立刻有許多人附和：「對！我們聽您的，從廣州打到京城，叫萬曆皇帝下臺。」「我們攻到京城，剷平東廠，把錦衣衛都殺光！看他們還敢不敢再暗算咱們江湖中人。」「大夥把錦衣衛指揮使狐知秋抓來，逼他交出凶手，再把他綁到貝大俠墳前，碎屍萬段！」……

「哈哈！」戚繼光突然大笑起來，說道：「你們很有膽識，敢說這種大逆不道的話！但殺到京城，有這麼容易嗎？聽你們說來，造反好像跟小孩子玩騎馬打仗一樣輕鬆。或許我餘威尚在，興許有些成功機會，可是你們有沒有想過，打一場戰爭要死多少人？會有多少百姓因此而流離失所無家可歸？就算打贏了，你們至少要死去一半。而這一切犧牲，只是為了替我戚南塘爭一口氣！值嗎？」

席間又有人不平道：「他們不該如此冤你！」

「哪有人冤枉我？全天下的人都知道我戚南塘沒有犯錯！如果真的造反，反而中了他們的計。」他晃了一下，忽然一股酒意沖上腦門，又道：「這一年來我勤讀史書，才發現……哪有皇帝不殺功臣？又有幾個名將能有善終？夫差殺武子胥，漢高祖殺韓信，宋高宗殺岳飛，就連本朝太祖皇帝，更把所有功臣殺得一乾二淨……哇！好烈的全興大麴！」只覺得臉頰滾燙，昏痛欲裂，眼皮子愈來愈重，卻還有許多話不吐不快，猛地掌了自己一巴掌，卻又搖搖欲墜。

商廣寒扶住他道：「戚元帥，您醉了！」

戚繼光猛搖頭，對周圍的人咧嘴一笑，卻發現怎麼滿朝的文武都在瞪著自己！他撲地跪倒，雙手緊抱著商廣寒的大腿哭道：「皇上！您不殺我，是不是嫌我戚南塘的功勞不夠大？」

商廣寒被抱得緊緊，怎麼掙也掙不開來，不知如何是好，急道：「元帥，您不要這樣……」

戚繼光卻道：「若不是這樣，那聖上實在太寬厚了！他們說我沒有造反的證據，卻有造反的能力，聽到這種話，您不但不抄我九族，還肯讓我回老家探親，微臣真不知該如何感謝才好！」說罷竟撲咚撲咚磕起響頭，還直嚷著：「皇上英明……」

商廣寒等人趕緊把他扶起，硬拖著他到室內休息，他掙扎了一會兒才乖乖的順從，突然又吟起詩來：「葡萄美酒月光杯，欲飲琵琶馬上催……古來征戰幾人回……將軍百戰征沙場，一將功成萬骨枯……」

「阿劍，我們可能很快就會被調回彩鹿門。好日子就要結束，你可要有心理準備。」

徐宏珉和古宏劍在回貝宅的路上邊走邊聊，此時已是明月高懸，夜闌人靜。

古宏劍道：「是啊，要不是陳師伯叫我們陪貝師姐看守這些禮金，可能今天就要我們整理包袱。」

徐宏珉道：「說起這些禮金還真不少，算一算竟有二、三百兩的銀子，扣掉喪葬費用，少說還有一百多兩。要是一般人，早就發了。」

古宏劍道：「這是因為師叔公人望太好，什麼三教九流的朋友都有。江湖上的朋友若有事不能趕來，也都託人送禮；還有一些當官的朋友，出手更是大方，動不動就三兩五兩的包。不過我看貝師姐大概會全數交給掌門師伯處理。」

徐宏珉道：「那可不一定，貝甯對你那麼好，看你現在用的這把劍又鈍又爛，說不定會拿一些出來，買把好劍送你。」

「不要亂講話！」古宏劍急道：「她跟我又沒什麼關係，幹嘛送劍給我？」

徐宏珉揶揄道：「是嗎？我看她似乎對你特別照顧，說不定哪天真會送你一把好劍。」

古宏劍靦腆起來，搖頭道：「沒有啦！貝師姐對誰都這麼好。」

徐宏珉道：「那她怎麼只教你練劍，從來不理我？」

古宏劍道：「嘿！你自己整天吊兒郎當，愛學不學的，這副德行，誰還肯教？她跟我說過，你不是學不會，而是壓根不想學劍，要不然怎麼會叫『徐混珉』？」

徐宏珉不服，噘起嘴道：「那她為什麼要叫你『阿劍』，不叫我『阿珉』呢？」

「那……那是我一來到青城，她就這樣叫的啊！這有什麼奇怪？」古宏劍道。

徐宏珉卻道：「這表示她一開始就對你好。」

古宏劍突然停下腳步，抓著徐宏珉的肩膀道：「阿珉，這些玩笑話講過就算了，可千萬別讓貝師姐聽到。要知道，像我這種大家都瞧不起的人，她沒鄙視，已經是萬分感激。再說貝師姐這天仙般的姑娘，與大師兄才是天造地設的一對，凡夫俗子，連想都不該想！」

卻見徐宏珉滿臉狐疑，道：「白天不敢想，那夜裡作夢呢？」

古宏劍道：「也不敢啊！」

徐宏珉笑道：「那一個多月前，你睡到半夜把我踢開，搶了我的被子，又親又抱，還一柱擎天，又是怎麼回事？」

古宏劍道：「什麼『一柱擎天』？」

徐宏珉道：「你可不是普通的土呆呀！會一柱擎天，表示你長大了！成為真正可以娶妻生子的漢子啦！」說著伸出食指放在胯下比個手勢。

古宏劍這回懂了！整張臉漲得通紅，吶吶道：「要不是你那天睡前跟我說什麼『新婚之夜行敦倫之禮，妙不可言，其樂無窮』之類的鬼話，我又怎會作出那種羞死人的怪夢？」

徐宏珉差點沒笑到岔氣，說道：「若不是擔心你這個劍呆子，日後成了親什麼都不懂，我才不想教這些呢？話說回來，這個春夢有趣吧！咱們的貝師姐，有沒有在夢裡賞你個兩巴掌？」

古宏劍突然無話，過了半晌才道：「夢裡的姑娘，另有其人。」

徐宏珉睜大著眼，道：「是誰？是誰？好傢伙，我什麼都說了，你卻瞞著我好久！這算什麼拜把兄弟？」

兩人邊說邊走已看到貝遠遙的屋舍就在不遠處，古宏劍在一顆大石頭上坐了下來，道：「那是幾年前在丐幫學藝的事，那時我受教於丐幫首席長老衛飛鷹，他教學十分嚴格，如果沒能把劍學好，一整天只能吃幾口飯。偏巧我又是個笨徒弟，經常得餓肚子，有時實在難受，便趁夜到街上撿拾一些連乞丐都不吃的餿飯碎骨，幾次以後，發現在福王府的外牆最多骨頭，每到晚飯過後總會有人丟出一根啃剩的骨頭或雞爪出來，從草地上撿起來稍稍擦拭，其實還有一點肉，挺香的。

「某個夜晚我提早到，撿起來的雞爪還有些溫熱，立刻咬了兩口，忽然發現不遠處有一對大大的眼珠！那天雲厚霧重，昏暗中只能依稀看得出對方大概是個小姑娘，以為是福王府的小郡主發現了我，我感到一陣羞赧，丟下雞爪掉頭就跑！

「我忍了幾天才敢重回舊地，一到那兒卻發現樹杈上有個陶碗，盛了半碗白飯，心想這多半是小郡主大發善心留給我的，便不客氣吃個精光。從那天起，每天都會有白飯，時多時少，偶爾還有一些剩菜留下，我每次吃完，都將碗筷洗淨放回原處，再對著福王府深深一鞠躬，希望這位善良的郡主，能永遠喜樂無憂。

「就這樣過了兩個月，師父有事出遠門，我自個練劍到傍晚，忽然好奇心起，很想瞧瞧那位好心的小郡主究竟是何模樣，便偷偷提前收劍，藏身在福王府外的一株槐樹上。

「天黑後果真有位小姑娘走來，放妥飯碗後便靠牆而坐，這時我才瞧清楚，這位每天送飯給我充飢的小姑娘不是什麼郡主，而是一個身著鶉衣的小乞丐！這個小女孩我見過幾次，常在天橋一帶沿街乞討，瞧她身子如此單薄清瘦，想必也難得吃飽，卻願意分我一半，如此善良的小姑娘，怎會淪落至此？

「這時福王府傳來一陣陣悅耳動聽的琵琶樂聲，但見她側耳聆聽，腳拍指動，十分陶醉，原來她喜歡彈琵琶！我暗自下定決心，日後長大掙了錢，定要娶她做妻子，讓她每天都可以穿得乾淨漂亮，餐餐都有新鮮的白飯，再給她買一把上好的琵琶，讓她彈個夠！

「可是幾天之後，我爹卻從四川趕來！原來我的劍法一直沒有太大的進展，師父終於失去耐性，修書請我爹前來，他把我痛打一頓之後，本來也不打算讓我吃晚飯；但也許是看我骨瘦如柴，到了傍晚突然心軟，買了兩顆包子給我。

「看著香噴噴、熱騰騰的肉包，我突然想起那位小姑娘，便跟我爹說了兩句，一連跑了幾條街分給她一顆肉包，再說一些道別的話。現在回想起來還真該死！那天說了一堆，卻偏偏忘了問她姓名！」說到這裡，甚是懊惱。

徐宏珉道：「別難過！只要還記得長相，日後長大了自然可以回京城找人。」

古宏劍道：「那麼多年，恐怕不在那兒吧！再說要飯的你也知道，頭髮少有不亂，臉上更難白白淨淨。」

徐宏珉嘆道：「即使是長相端正的小姑娘，也得把自己弄得醜醜，否則難保不會被人抓去賣到妓院。」

古宏劍道：「我唯一有把握的，只有聲音，可是……唉！」

徐宏珉輕拍其肩道：「別多想，有緣自會再相見。」

第三章
悟劍

過了幾天，兩人果然被叫回彩鹿門。舊怨難了，每天看著古、徐兩人在貝家逍遙自在，又聽說貝甯對他們很好，陸宏松等人早就把他倆忌恨得牙癢癢，往後的日子，遭受到的騷擾和淩辱更勝從前。

兩人每天傍晚都被叫出去對劍，所謂「對劍」，即師兄為了考查師弟的武功進展，而以木劍與之比試，從比試之中可以看出師弟劍法中的缺點並加以指導糾正。依青城派的傳統，做師弟的絕不能以任何理由來拒絕師兄這番「美意」。

「關心」他們的師兄還真不少，每天排隊等著給兩人「對劍」，這些師兄武功也不怎麼樣，只會入門的「逐鹿劍法」和半生不熟的「驅狼劍法」，但教訓古、徐二人已是綽綽有餘，儘管只用木劍比試，仍把他們打得傷痕累累。為了待在青城，兩人也只有咬牙強忍。

他們被欺負了一個多月，有一天突然大發神威，用一些沒有人看過的招式，打敗所有彩鹿門的師兄。

第二天一早，馮廣詮就把二人叫去，問明原委。原來他們的「逐鹿劍法」始終沒有辦法打贏眾師兄。有一次古宏劍被逼急了，突然使出一些奇奇怪怪的招式，亂砍一通，反倒把對手弄得手忙腳亂，雖然最後還是輸了，卻給了徐宏珉一些靈感。

兩人回去花了三個晚上，竟讓他們想出兩套劍法，一套專門對付「逐鹿劍法」，另一套專門克制「驅狼劍法」，二人抱著姑且一試的想法偷偷練了幾天，昨天一用，效果卻出乎意料的好。

聽完徐宏珉得意揚揚的一番解釋，馮廣詮卻一臉的不快，破口罵道：「混帳！所謂『對劍』，不是仇殺，定要使用本派的劍法才有意義。師兄們天天找你們對劍，正是學習本派劍法的大好良機，怎可胡亂編纂一套劍法來應付？你們以為想出克制逐鹿和驅狼劍法的招式就很了不起嗎？其實這兩套劍法本來就漏洞百出，連八歲童孩都知道該如何破解，青城派如果只靠這兩套劍法闖蕩江湖，早就完啦！但它是本派的入門劍法，這兩套劍法學不會，別想再練更高深的劍法！你們如果還想待在青城好好練劍，就給我忘了那些亂七八糟的怪招，要不然還是回去做乞丐、少爺來得自在。」

就這樣，勝利的喜悅只短暫維持一天，又回到了天天挨打的日子。兩人決定好好練劍，只要有一天能打贏，就沒人敢再欺負他們。古宏劍每天半夜都把徐宏珉從床上挖起來練劍，這個懶蟲剛開始很不習慣，死賴活拖就是不肯起床，直到古宏劍端出一盆冷水過來，才不甘不願的跳下床。

這樣苦練了一個多月，古宏劍還是沒有起色，似乎他愈是著急，愈難進步，但徐宏珉卻是頗有進展，愈來愈多師兄不敢再給他「對劍」。他看古宏劍始終沒有突破，只有更加勤練；只有靠自己打敗所有的人，成為彩鹿門的大師兄，兩人才會有好日子過。

貝遠遙不在，他們並不方便常找貝甯；而徐宏珉怕喜妹看到他滿身的傷，也不敢回張家。這段日子，兩人可是真正的相依為命。

然而這種日子並沒有過上多久，某日午後，彩鹿門的弟子正各自練劍，一名天龍門的弟子跑來叫古宏劍立即到上清宮，說是掌門人修書，已請他的祖父和父親前來，準備接他回去。

聽到這個消息，古宏劍放下手中長劍，絕望的呆立著，長久以來心中最憂懼的惡夢，終究還是來了！

一些平日看他不順眼的師兄紛紛幸災樂禍起來，七嘴八舌冷語嘲弄：「活該！這廝丟盡了本派的臉，早該滾啦！」「靠山沒啦，還想繼續賴在青城嗎！」「沒關係，反正他家有的是錢，這裡待不下去，還有別的門派可以混嘛！」「又不是第一次被逐出門牆，何必那麼難過？」「是呀！一個人歷練過那麼多大門派，也算是了不起的成就啊！哈哈……」眾人你一言我一語的，愈說愈是尖酸刻薄。

徐宏珉再也忍受不住，大聲斥道：「你們也好不到哪裡去，何必五十步笑百步！今天是古宏劍被逐，明天也許就換我們其中一個，要不了多久，大家都會跟他一樣，到時可別哭了出來！」

聽了這番話，眾人都相對無言、面色凝重。自從貝遠遙死去之後，就曾經傳出商廣寒想解散彩鹿門，以免他們日後出去只會使幾招不成材的劍法，不免有損青城派的威名；如今看看古宏劍的下場，這傳言恐非空穴來風。

忽然，古宏劍踢開地上長劍，發足朝林中狂奔而去！徐宏珉急急追趕，但青城山上密林深幽，不慎絆了一跤後，再也難覓其蹤影，心急之下，竟也忘了他是聾子，慌的猛喊：「阿劍！……阿劍……」

古宏劍死命奔跑，腦袋空空，一心只想逃出青城山，不想再見祖父與父親絕望的臉，奔行數里後，不知不覺出了鬱林，陽光普照，卻見前無去路，只有一個斷崖。

他獨立崖邊，望著峰巒疊翠的青城諸山靜靜幽幽躺在眼前，午後的日照下散放著隱隱的光輝。剎那間，學藝期間的種種往事又一幕幕湧上心頭。無數次的嘲諷辱罵，一再被各大派逐出門牆，一次又一次面對家人失望的眼神……腦海裡反覆衝激著這些不快的記憶，心中充塞慚愧悲悽的心情，思道：「像我這等無用之人，為何還要留在這世上？」數度想要跳下斷崖，一了百了，卻又覺得有些不甘心，有些割捨不下！他內心交戰，始終下不了決心。

突然古宏劍看到右下方有一條小徑，認出來那正是兩年前父親帶著自己上山拜師時所走過的路，當時他曾說：「這次你再學不會青城劍法，可別回來見我，死掉算啦！」想到此處，把心一橫，飛身跳下懸崖！

甫一離地即後悔起來，此時卻無暇多想，只覺得背部壓斷一連串的松枝，隨即屁股著地感到多處刺痛，竟然未死！心想：「莫非這是天意？老天爺認為我還有指望，不想讓我如此便死？」他掙扎欲起，卻覺手酸足軟，動彈不得。

他四腳朝天，向上仰臥。崖頂距此約莫七、八丈高，而不是方才跳崖前所見十來丈的深谷，尋思：「莫非這只是斷崖中間的平臺，剛剛自頂上匆匆往下探時，這平臺被松樹所掩沒能看見。」

崖邊兩、三株老松，已被他下墜的力量所折，心想：「我尋死不成，卻害了這些樹，要是剛剛跳得遠一點，老天爺也救不了我！」古宏劍經此一跳，若有所悟。求生意志增強，求死之心稍去，又慶幸自己仍然活著。忽然想到，也許會有人找到這附近，欲喊叫求救，但轉念又想：「今天落得如此地步，怎還有臉見爹及爺爺！」

他及時住口，內心盤算著：「這兒隱密，他們未必找得著我，且先休息一下，再設法離去，日後隱姓埋名，再不見面。唉！就請他們當作從來沒生過我這個沒用的子孫吧！」

待漸漸冷靜下來後，雖然覺得全身上下處處傷痕，但似乎只是皮肉之痛，而無折骨斷肢之傷，掙扎著翻轉身子，觀看四方景象。

這個平臺，大小約莫丈許方圓，底下是一片密林，正下方卻有一道小溪流過，離此尚有五、六丈高，陡峭筆直，一片光禿，再無松枝緩衝，若再跳下去，非死即傷。

正感徬徨無助之際，卻發現林中立著一人，年約五旬，一身黑衫勁裝，腰繫長劍，正似笑非笑瞧著自己。兩人對望數眼，古宏劍一臉的納悶，猜不透對方的來歷及想法。

他想求救，卻又思道：「地形太險，此人武功又不知如何，即使有法子攀上來，也很難帶我下去。為今之計，只有叫他上觀，請徐宏珉避人耳目，偷偷垂吊繩索下來，便可自在離去。」遂喊道：「老伯！能否請您幫個忙！」那人未答，古宏劍續道：「請您上青城派找一個叫徐宏珉的少年來救我？」見那人仍未理會，又道：「但請拜託不要讓其他的人知道我的處境。」但那人兀自微笑不語，也不瞧他，低頭自顧看著溪裡的游魚。古宏劍感到失望，輕聲自語道：「原來也是個聾子，真倒楣！」

不料竟被那人聽見，仰頭怒道：「誰說我是聾子？」

瞧著他的神情，古宏劍心頭也有氣，道：「那為何見死不救？」

「你的死活，關我鳥事！非親非故，幹嘛救你？再說是你自個兒不想活，可不是我推你下來。」他見死不救，卻仍說得理直氣壯。

古宏劍看他既無相救之意，亦不甘示弱道：「算了！不用你救，反正你也沒本事上來。」

話方說完，卻見他縱身一躍，輕輕鬆鬆越過小溪，搭住山壁，接著以掌劈岩，借力上縱，剎那間便躍上平臺，笑道：「還敢說我沒本事嗎？」

古宏劍見他展現如此輕功，張目結舌，一時說不出話來。隔了一會，才嘴硬道：「這種飛崖走壁也不怎麼稀奇？我就看過華山派的飛燕子童百靈，揹負一袋米直攀雲臺峰。他在華山派，也不算是什麼頂尖高手。」這童百靈也是古宏劍在華山派的授業師父，輕功在華山派算是數一數二的高手。但若論劍，只能算二流。

那人問道：「那袋米多重？」

古宏劍道：「約莫二、三十斤。」

「好！我讓你心服口服。」話一說完便縱身躍下，在溪裡搬一塊將近百來斤的大石，一手抱石，一手攀爬，雖不若原先輕鬆，但也毫無滯礙，上到平臺，將大石重重往古宏劍身旁一丟，湊臉過去惡狠狠道：「想激我抱你下去，門都沒有！」說罷又抱著石頭，一步一步穩穩的爬將下去。

黑衣人回到原地不再理他，自顧在溪邊以劍刺魚，他劍法快準，不管大魚小魚，一劍就是一條，從未漏失，不消多久，長劍已串滿鮮魚。接著熟練的殺魚、生火、烤魚，旁若無人吃將起來。這人自備一罐鹽巴，撒在烤魚上，散出陣陣肉香。

此時古宏劍正感飢餓，但心知對方決不會丟給自己半條，忍住不看，逕自閉目養神，打起坐來，複習從徐宏珉那兒學來的罵人俗語，默默將他祖宗八代罵個狗血淋頭。

吃罷，黑衣人把剩下的魚一股腦甩回溪中，和衣躺在岩石上小憩。忽然間，他嘴角閃現一絲笑意，喜孜孜躍上溪邊的一顆巨石，挺劍一縱，宛如一條橫練飛出，疾飆似電，聲勢驚人，刺中一棵大樹，樹幹晃得劇烈，震下不少落葉。他很不滿意，因為若方位、力道都拿捏得精確，這棵樹應該紋風不動。

黑衣人搖頭，又跳上石頭練了幾次，把一株數丈高的樟樹刺得滿目瘡痍，樹幹的晃動卻愈來愈不明顯。古宏劍目瞪口呆的瞧著，突然靈光一閃，拾起一根樹枝，以「鐵板橋」式向後仰倒，舉枝向上，心道：「看你怕不怕！」

那人有留意，面露凶光，竟然也會在意！細想一會，又比劃了一招道：「你再解解看？」

這舉動激起古宏劍的牛脾氣，心道：「解就解，激怒你大不了一死！」將剛剛那招在腦海裡盤旋一陣，隨即也比出一招。

黑衣人搖頭，露出訕笑的嘴臉，古宏劍再想一會，又換了一個劍勢，但那人依舊搖頭，他不氣餒，再試一招，這次卻使對了，黑衣人隨即變色，仔細打量這少年，又再出招。

就這樣，兩人遙遙相對，一個出招，一個破招，這位絕世高手新創的六招妙劍，竟然不到一個時辰，就被一個少年完全破解！

黑衣劍客不敢置信，忍不住躍上平臺問道：「你真是青城弟子？」

古宏劍答道：「不知現在還算不算？」

黑衣人問道：「什麼意思？」

古宏劍黯然道：「他們才正要把我逐出門牆，我一時想不開，就先跳了下來。」

黑衣人滿臉疑惑，又問：「為什麼？」

古宏劍對他仍有憎惡，不願多說，遂道：「我為何要告訴你？」

黑衣人佯怒，劍尖抵著他胸口道：「你可知我是誰？打從我成名之後，還沒有人敢這樣對我說話。」

古宏劍道：「我管你是誰？你武功高，乾脆一劍把我殺了，何必唬人？」雖心下恐懼，卻也不願示弱。

兩人僵持了一會，黑衣人心想：「我不信你當真不畏死，待我來狠狠的嚇嚇看。」輕步繞到他身後，突然揮劍劃出數道凌厲的破空之聲。

哪知古宏劍卻渾然未覺，晃也不晃，令他十分佩服，思道：「這人年紀輕輕，竟有如此定力，實在可怕！」他還劍入鞘，說道：「你的定力不錯，但不知勇氣如何？若真有種，不妨自己跳下去，下面有一池水，未必會死。」

古宏劍往下一探，下面果然有一灘渾水，心想，反正已經無路可走，不妨試試運氣！若池水夠深，跳下去或許還有一線生機；若真的摔死，那也是老天爺怪我沒用，認了！想到這裡，二話不說，縱身一躍，撲通入池！

所幸池深約莫丈許，他以手撐地，卻毫髮無傷。浮出水面後，總覺得剛剛在水底掙扎時似曾摸到一個非石非土的怪東西？好奇心起，又潛了下去，把那東西抱上來一看，這回當真被嚇慘！竟是一件灰色棉襖包著一排無頭無肢的肋骨，慌急之下，吞進了幾口汙水，手一鬆，又讓它沉了下去！

黑衣人站在遠處，倒沒特別留意，不禁笑道：「沒用的東西，看你嚇成什麼樣子？」這時候的古宏劍驚魂未定，哪有精神瞧他說話，往岸上游了兩步，突然想到那衣物似曾相識，突然間全身發顫，又沉了下去，一把抱住無頭屍骨，蹭蹭挨挨爬上岩石，放聲號叫：「師叔公！」

貝遠遙死時身首異處之事無人不知，殺死他的人雖寫道要將他屍身分葬於四川四大靈地，但既是仇家，豈有大費周章之理？多半是將屍體肢解後在附近隨意找幾個隱密地點丟棄。丟在深潭裡的身子，經過一段時日被魚蝦分食，只剩骨頭和衣服還沒爛。

古宏劍自顧著號啕大哭，渾沒注意那黑衣人坐在一旁怔怔瞧著屍骨，時而悲戚，時而咬牙，過了良久，見古宏劍仍哭泣不止，終於不耐道：「小鬼，不要哭了。」但古宏劍聽不見，依舊忙著低頭痛哭。

黑衣客又喊了幾聲，見他始終不應，無名火起，一把抓住他的胸口提將起來，怒道：「你耳聾了嗎？」

古宏劍道：「我是聾了，你怎知道？」

黑衣人更怒，作勢欲打，突然想到方才在他背後舞劍嚇他的情景，在這種劍勢下，要不是聾，怎麼可能無動於衷？想起來不禁好笑，原來被他騙了。問道：「既然聾了，你為何懂我說話？」

古宏劍道：「那是讀唇術，必須瞧著嘴形猜辨語意。」

「原來如此。」黑衣人這才放了他，又問道：「你為何哭得如此傷心？」

古宏劍止住哭聲，擦去眼淚道：「貝師叔公教我讀書練劍，處事為人，待我恩重如山，就像親爺爺，若不是他，我早被掌門人逐出青城。」

黑衣人道：「像你這種武學奇才，一般人應加倍留寵才是，怎麼商廣寒反倒要趕走？」

馮廣詮便常以曠古絕今的「武學奇才」來嘲諷自己，然而看這黑衣人的態度又似頗為認真，古宏劍微一愣然，說道：「這也怨不得人，只怪自己太過愚劣，掌門人為了青城派的聲譽，只好叫我回家。」

黑衣人卻道：「豈有此理？一個時辰之內，連破我狐九敗六招劍法。這等能耐，別說青城的年輕弟子，就算是六大門派加起來，也很難找到第二個，怎能說是愚劣？」

聽到他自報姓名，古宏劍大驚！眼前這個人，竟是殺死師叔公，號稱劍法天下第一的狐九敗！

這個名字他不知聽過多少次，很早就深埋在少年古宏劍的心底。一般習劍之人，只要聽到這三個字就會莫名其妙湧起一股興奮、仰慕之心緒，成千上萬的習劍者孜孜不倦、日夜苦練，就是想有朝一日能成為另一個狐九敗。

他沒有稱號，狐九敗就是狐九敗，這三個字本身就是個稱號，江湖中人一聽到這三個字就已感到極大的壓力，無須再用什麼「劍魔」、「劍狂」之類的稱號來粉飾加強；但也不能在後面加上「大俠」兩字，因為他自己不喜歡，也實在不合適。關於他的傳奇，古宏劍可以背得滾瓜爛熟。

狐九敗原本不叫狐九敗，他八歲開始進青城派學藝，十六歲才開悟，之後武功日進千里，三十不到已學會「尋龍劍法」，開始行走江湖，漸漸闖出名號。過了幾年，不知是何緣故，突然脫離青城派，且不再使用「尋龍劍法」，改用自己所創的一套武功。當時更名為狐未敗，四處挑戰武林高手。頭幾年也不是場場都贏，每輸一次，他便自行改名，由未敗變成一敗、兩敗、三敗……

每次比劍輸了，就回去加緊苦練，改進劍招，到自認能擊敗原先的對手後再挑戰同一人，直到戰勝為止。贏了之後，立刻再尋找更強的劍客。

他每隔幾年便自創一套全新的劍法，比原先的更妙更絕；而隨著不斷的比劍、練劍、創劍，他的劍術也有驚人的進益，對手也愈發難尋。幾年前他打敗了當時號稱天下第一劍的苦海頭陀之後，再也找不著對手，便從此隱匿起來。直到兩年前華山派于乾坤的慘死，才引起人們的猜測。猜測歸猜測，卻沒有人正式看見他出現在江湖上。

現在這個傳奇人物，就這樣活生生出現在自己眼前，古宏劍思潮澎湃，只覺得能親眼看見此人和他說這麼幾句話，實不枉此生，這一跳可真值得！但轉頭看到貝遠遙的屍身，頭和四肢都被剁去，只剩下孤伶伶的身子。而眼前這個人正是殺害師叔公的凶手，遂對他崇敬之心盡去，報仇之意暗起。雖然知道成功的機會是小之又小，但想到貝遠遙對自己的深恩厚德，可不能就此退縮。古宏劍抖動著雙手，默默盤算著要怎麼殺人！

黑衣人狐疑的瞧著他，說道：「怎麼？聽見我的大名，嚇得連話都不會講？還是你不敢相信我就是狐九敗？」

這句話點醒了古宏劍，不禁懷疑起來：「此人真是狐九敗嗎？人們總愛把他的劍法形容得如鬼魅仙魔般的神妙，然而方才所使的那幾招，似乎也不怎麼樣？天下武功最強之人所創出的劍招，怎麼可能被一個天下最笨的人輕易破解？狐九敗名氣如此，喜歡冒他之名招搖撞騙的人想必不少，可千萬別殺錯了人！」雖然黑衣人方才已顯露出一身驚世駭俗的輕功，但這還不夠說服古宏劍，興許只不過是個輕功不錯，劍法普通，卻喜歡吹牛的失意劍客。

古宏劍道：「我的確不太相信。你輕功不錯，刺魚也準，但劍法好像不怎麼樣。」

黑衣人懍然道：「你這個狂妄小鬼，以為解開老夫幾招，就可以把人看扁？要知道若真槍實劍的打，你連一招都過不了！」

古宏劍卻道：「那又如何？在青城派，隨便找個人都可以在數招之內打贏我。」

黑衣人氣得臉色發青，一時不知該怎麼說！他這個人最不喜歡沽名釣譽，一般人若發現他就是狐九敗，不是對他阿諛諂媚，就是死纏著要拜他為師。所以他平時只用假名，喬裝改扮行走江湖，非必要時絕不透露真實身分，就是不想徒添困擾，沒想到今天碰到這個少年，竟然不肯相信，真是豈有此理！非證明給他瞧瞧不可！」狐九敗靈機一動，突然欺身過來隨意點了古宏劍幾個穴道，將其抬到樹叢後面藏了起來，說道：「你等著，這次非讓你相信不可！」說畢一溜煙向崖上奔去。

古宏劍動也不動的坐著，心中更納悶：「他為什麼非要我相信不可？要用什麼方法來證明他就是狐九敗？如果真是的話，難道不怕我報仇嗎？我和他武功天差地遠，又要如何替師叔公報這個仇？……」他想得愈久，心中疑團卻愈滾愈多。

約莫過了一炷香的時間，黑衣人再度出現，這回揹了一個大布袋，在離古宏劍不遠處解開，裡面竟蹦出一個人來！古宏劍大吃一驚，要不是啞穴也被點住，可真會大叫出聲，從布袋裡蹦出來的人，竟是青城掌門——商廣寒！

但見商廣寒先喘幾口氣才狼狽的道：「狐師叔，您……」

「住口！我早已脫離青城派，不要再攀關係。」黑衣人不客氣打斷他的話。

商廣寒在他面前竟不敢有絲毫不敬，謙遜的道：「是……是，狐前輩，您把晚輩帶到此處，不知有何用意？」

黑衣人冷哼一聲，不假辭色道：「我高興抓誰就抓誰，還要什麼理由？」商廣寒忙著應是，只怕激怒他於事無補。

黑衣人看他謙卑的姿態，這才得意的笑道：「你平日的霸氣到哪兒去？好吧，看你這麼乖巧，我就告訴你吧！今天帶你來這，只是想試試你的『尋龍劍法』練得如何？」說著便把手中長劍丟給商廣寒，自己留一把劍鞘。

商廣寒接劍，無奈的道：「前輩愛說笑，在下怎是您的對手？」

黑衣人道：「當然沒有機會，但是身為大門派的掌門人應該對自己的武功有基本的信心。我知道這些年來你廣招門徒，處心積慮想振興青城，聽說運氣也算不差，撿到一個資質不錯的小子。」

商廣寒道：「風兒的確是塊練武的材料，青城派的未來全看他了！」

黑衣人道：「那也得瞧做師父的行不行，如果接不下我二十招，我勸你還是把他送到少林、武當，免得糟蹋一塊璞玉。」

商廣寒正色道：「在下的劍法和前輩相比確有差距，但還不至於撐不到二十招吧！」

黑衣人冷笑道：「那就來試試，如果真接不下來，留你這個掌門又有何用？我會代黃遠凡把你給廢了！」

商廣寒看他態度如此輕鬆，不禁有點心虛，雙手微顫，尋思：「當年師父在世時已不是他的對手，如今此人叱吒江湖，劍術又不知精進到什麼程度？今日能否過得了這一關，實在也沒把握。事到如今，只有盡力而為，使出『尋龍劍法』中威力最強的二十招，全力搶攻為上策。」說道：「既然如此，晚生就得罪了！」

黑衣人不耐道：「進招吧！別說那麼多廢話，你想得罪我還不太容易呢！」

不待他講完，商廣寒劍招已到，一開始就咄咄逼人，有如狂風掃葉，一劍接著一劍攻向黑衣人周身要害，古宏劍透過樹叢的縫隙，第一次見識到「尋龍劍法」的威力，驚得喘不過氣來，心想：「劍法練到這種地步，還有誰能敵？」

然再看黑衣人，只拿著一柄不太稱手的劍鞘，卻氣度悠閒輕鬆接劍，連腳步都未曾移動，無視於四周有如狂風暴雨般襲來的劍招，從容不迫數著一招、兩招、三招……數到第九招時，逮著一個小空檔立即轉守為攻，劍招百變，玄妙詭奇，商廣寒被逼得急急回劍防禦，別說完全無法再攻出半招，就連守禦也極為勉強，使出渾身解數依然無法擺脫對方連綿追擊。

這柄劍鞘在黑衣人手上，好像長了翅膀的鬼魅，死纏不放，步步進逼。商廣寒愈來愈顯狼狽，到後來竟連滾帶爬避開劍鋒，盡失大家風範，到第十九招時，已是整個人平躺在地，無處可躲。

畢竟是一派掌門，就在此際，他臨危不亂以頭為軸將身子往後翻，又挺了起來，隨即雙足順勢一蹬，整個身子在半空中倒轉數圈，再挺劍往黑衣人背後斜撲而至，正是「尋龍劍法」中最具威力的一招——「飛燕驚龍」。

這次的「飛燕驚龍」又與原先的招法略有不同，原來的招式是在對手的前方上空逆轉三圈後再挺身直刺敵人胸部。商廣寒卻在對手的頭頂上方正轉數圈，再伸腿挺腰，頭下腳上成弓形，身子在空中沿著圓弧軌跡襲擊對手後方，除了保有原來的威勢之外，更增添幾分詭奇變幻。他偷偷苦練這招已一年有餘，是他賴以稱雄的祕密武器，若非今日情勢危急，實不願輕易使出。

然而黑衣人似乎是背後長了眼睛，頭也不回的將劍鞘往肩上一擺，正好把商廣寒的長劍收入鞘內，再轉身隨手在他喉間輕拂了一下，說道：「糟了！剛好是二十招結束，這樣子算不算過關？」

商廣寒低首垂眉，忐忑不安，他知此人向來說到做到，走不到二十招，真會被他給廢了！這次卻在第二十招剛了，第二十一招尚未使出之前被制伏，要怎麼認定，全在對方一念之間。

黑衣人微笑道：「你這招『飛燕驚龍』倒使得頗有新意，我想憑你的本事，不可能想得出來，是不是貝師兄教你的？」

面對武學大行家，商廣寒不敢有所隱瞞，如實答道：「這招確實是貝師叔幾年前修改之後，傳授給在下的。」

「可惜你天資不足，至今只學到皮毛。」黑衣人道：「不過這招確實難練，我想就連貝師兄本人也還沒有練全，要不然可沒人殺得了他。」

商廣寒道：「是的。『飛燕驚龍』發動之後，最多能在空中旋轉七圈，而他只練到五圈就接到『慕名帖』。」

黑衣人道：「因為人在空中定點轉動，本來就很難，除了不斷摧力之外，還須將四肢及身骨不斷往內縮曲，把身子變成一個在空中滾動的球，但隨著身子愈縮愈小，滾動逐漸加快，卻也愈難控制。這招可怕之處就在這裡，你可以在第一圈就發動攻擊，也可以等到第七圈才開始襲敵，愈早出劍，因為速度較慢，武者較能控制出劍的方位，出招時的變化就多；但如果轉到最後才出劍，只有直刺一路，然速度及威力都極為驚人。」

商廣寒道：「前輩不愧是天下第一，從一點微小變化就能看出整個劍法的精髓。」

黑衣人冷笑道：「我看這招的奧妙還不只如此，如果我沒猜錯的話，貝師兄的『飛燕驚龍』應該不止像你這種單純的車輪式旋轉，而是四面八方的球形轉動。車輪式的旋轉，只能攻擊對手前後；而球形翻轉，可以在任何方位出劍。以最粗略的分法，前、後、左、右，頭、胸、腰、腿，再加上對頭頂百會穴的直刺，可有十七種刺點，再乘以七種不同速度、劍勢，這招『飛燕驚龍』應該有一百一十九種變化。貝師兄真是厲害，竟然讓他悟了這一劍。」

商廣寒大為吃驚，沒想到他隨意解說，竟然跟貝師叔教的一模一樣。嘆道：「再高明的劍法您也能一眼看穿，想瞞住您真難。」

黑衣人道：「你放心，我已經發誓不再練青城派的武功，不會偷練這招的。但是商大掌門，你練了這麼久，只能做三圈車輪式旋轉，出劍時還拖泥帶水不甚流暢。照這樣看來，就算給你活到一百歲，也很難練得全。我好心勸你，練到哪裡算哪裡，如果苦練三年還沒長進可別再逞強，以免弄得走火入魔，後悔莫及！」

商廣寒有點疑惑，道：「貝師叔為何要教我，難道他想害死我？」

黑衣人笑道：「沒想到你和你師祖、師父一樣的小器多疑。貝師兄如有害你之心，大可一劍把你宰了！他全然無私的傳授給你，是要你日後把要訣傳授給你的徒兒，你雖然練不成，但魏宏風卻頗有希望。」他說著說著，神情轉為嚴肅，續道：「你要感謝上天送給你一個好徒兒，我今天肯留你一條命，就是想看看你怎麼琢磨他，是否真能練成『飛燕驚龍』在試劍大會中揚名立威，成為武林中頂尖高手。」

商廣寒略為心驚，原來他想讓魏宏風參加「試劍大會」的心意已被人看穿，回去可得對他加緊磨練，只許成功不許失敗。但一提到風兒他又恢復了信心，朗聲答道：「請放心，我們不會讓您失望。」

黑衣人卻冷笑道：「他的成敗關我什麼事？你也別得意得太早，我打算指導一個少年練劍，要他在七年後的『試劍大會』中和魏宏風拚一拚。讓你們知道，雖然掌門人之位都是你們霸著不放，但是我們這一宗，代代強過你們。」

商廣寒豪氣干雲的道：「我等著這一天！」他本是好勝之人，但也知終其一生不可能贏得了貝遠遙或狐九敗，始終抑鬱。若是自己的徒兒有機會勝得了他們的弟子，那將是極大的快慰；雖然狐九敗武功高不可測，但要找到一個和魏宏風資質相當的徒弟談何容易？時間上又慢了幾年，他覺得勝算極高，回應得極有自信。

黑衣人道：「這才像是一派掌門。」把地上的布袋踢給商廣寒，道：「你可以走了，順便把放在岩石後面貝師兄的遺體帶回去安葬。」

商廣寒大驚，順著黑衣人所指的方向奔去。看到屍身，驚惶中帶點不安，慌亂的把它塞入袋中，負在背上，急急離去。

古宏劍在樹縫中看完全程，不得不相信前面這個黑衣人就是狐九敗；也對商廣寒起了鄙夷之心，殺死貝師叔公的凶手就站在面前，他卻連半句復仇的話也不敢提！

狐九敗過來將他的穴道解開，說道：「現在你相信了吧！」

然而古宏劍卻沒有露出驚訝或崇拜的神情，只是淡然的說：「我想看看你的劍，行不行？」

狐九敗笑著把劍遞了過去。古宏劍信步走到他背後，把劍高舉過頭對著日光觀看，道：「聽說一把好劍，在陽光照射之下會閃閃發光。」

狐九敗忘了他的耳疾，頭也不回就答道：「我的劍十分普通，隨便找個打鐵舖……」他話還沒說完，古宏劍竟挺劍對準他背後要害狠狠的刺將過去！

他冒險一搏，眼看就要刺中，卻不知哪裡突然冒出兩根手指，輕輕鬆鬆夾住劍尖。狐九敗緩緩轉過身來，臉上依然透著那副詭異的笑容，古宏劍禁不住頭皮發麻，不知他要如何對付自己？

狐九敗收起笑容，面露凶光道：「連商廣寒都不敢在我面前提起『復仇』兩個字，你竟敢行刺！」

古宏劍深深喘了一口氣，挺身道：「要殺要剮隨便你，反正我也不想活啦！」

「貝師兄沒有白疼你。」他臉色又緩和起來，道：「我帶你看一個東西。」說著便把古宏劍提起來，仍箭步如飛，不多時便攀上一個斷崖頂端。

狐九敗把他放下，說道：「這裡就是三合頂，也就是貝師兄和發出『慕名帖』之人決鬥之地。」古宏劍瀏覽一會，這裡地形險惡，靠近懸崖處是三塊相連的巨石，合成一片略有起伏的平臺。他曾和徐宏珉來這裡玩過，只是當時並不知道地名。

狐九敗指著他底下的一塊岩石道：「這個圓圈顯然是內功深厚之人，用腳劃出來的。」

古宏劍看著圈印，想起了那份遺書中所提到的暗記，憤憤道：「這就是證明你是凶手的鐵證，師叔公那麼相信你，當天下的人都說你是慕名帖惡人時，只有他說不可能，沒想到你還是不肯放過他！」

狐九敗微笑道：「不提這個圈圈，我先問你，如果天下人都說我是凶手，唯獨貝師兄說我不是，你會相信誰？」

古宏劍道：「當然相信師叔公。可是現在連他都說你是凶手，親自做了這個暗記，你還有什麼話可說？」

「很好，既然你知道整件事端的來龍去脈，我可以少費一點唇舌。」狐九敗仍心平氣和道：「我們就從這個圈印談起，你仔細瞧，這個石上的圓圈劃得夠深，卻不圓順，似乎有點上圓下方的感覺，且寬度不均，下方還有兩條不太明顯的交叉，像是魚的尾巴。」

古宏劍端詳半晌，點點頭。

「現在我們模擬當時的情景。」狐九敗走到圓印的旁邊，叫古宏劍站在他前方十尺處，道：「假定我是貝師兄，你是『慕名帖』的主人，我們見了面，會先講幾句場面話。這時候我確定你不是狐九敗，便趁對話時悄悄做個記號。」他一面說一面用腳底在地上打叉，動作很小且緩慢，古宏劍留神看他說話，卻沒有注意到他腿步的動作，直到他手指往下比，才看到地上又多了一個淺淺的交叉足印，約莫只有一個腳掌的長度，這個叉叉倒像一把剪刀，兩道直線的交會處明顯偏向一邊，前長後短。

「這個交叉我做得既淺又小，不是因為我內力不足，而是怕被對方發現。反正三合頂就這麼三塊石頭，記號做小一點還是找得到。你又是個頂尖高手，眼光銳利，因此我的一舉一動必須謹慎自然，不能太過明顯。所以這個叉叉便不可能打得工整，變成了上長下短。」他仍是一邊示範一邊講解，這次古宏劍有特別留意，發現他的腳跟幾乎沒有什麼移動，與一般人的習慣動作並無兩樣。

狐九敗續道：「可是你實在太厲害，我再怎麼小心翼翼，還是被發現了。聰明絕頂的你也猜到一些蛛絲馬跡，於是在殺死我之後，又將計就計，把這個叉改成一個圓。這麼一來，狐九敗就是跳到黃河也洗不清了。」

「剛開始我用腳劃一道圓弧，連接交叉的兩端。劃完之後，愈看愈奇怪，倒像是個上圓下尖的扇子，於是我把直線的部分加以修飾，讓它也有點圓弧，弄完之後，是比較像圓圈了，不過圈帶的寬度卻不可避免變得有大有小，還好並不明顯。他再審視一遍，發覺另一半交叉雖然很短，卻變得很刺眼，只好暗加內力，把圓的部分再劃深，這樣一來，那一小段淺淺交叉便不明顯了。」他話講完，也剛好把交叉改成一個圓圈，與原來那個圓圈比對，竟然像極了。

古宏劍靜靜盯著兩個圈圈，過了半晌才道：「既然你是冤枉，為何不去跟大家解釋清楚？」

狐九敗卻以一副滿不在乎的神情道：「幹嘛要解釋？就算讓全天下的人都誤會，狐某也不會少掉一塊肉，有本事的，來找我報仇也無妨；若急於向人澄清此案，豈不顯得我狐九敗膽小怕事！」

古宏劍道：「那你為何要告訴我這些？」

狐九敗微笑道：「傻孩子，若不講個明白，你鐵定把我當成仇人，怎還肯心甘情願跟我學劍？」

古宏劍大驚，懷疑自己沒瞧清楚對方說話！問道：「你說什麼？」

「怎麼？你是受寵若驚，不敢相信會有這麼好的事嗎？」狐九敗道：「瞧好，我再告訴你一遍：我希望在七年之內，把你訓練成一流高手，去『試劍大會』搶金劍。」

古宏劍仍驚怔不已，半信半疑的問道：「為什麼挑上我？」

狐九敗道：「狐某恨透了青城派，可以從創派祖師一直罵到商廣寒；但對於貝師兄我只有尊敬和感激。你對他有情有義，就憑這一點就該好好照顧，再說也只有像你這等習武奇才能值得我傾囊相授，假以時日，必有大放光彩的一天！」

古宏劍突然猛笑起來道：「前輩，您口口聲聲說我是『習武奇才』，卻令我不知如何是好？您可知以前這樣形容我的人很多，他們的意思卻是『奇怪的蠢才』！您的好意在下心領，但古宏劍不想害您把心血浪費在我這等無用蠢人的身上。」

狐九敗狐疑道：「怎麼可能？你知不知道，方才我耍的那幾招並不簡單，竟然被你這個小孩在短短時間內想出破解之法，如此慧根，世間少有！」

「那是碰巧吧！」古宏劍依然苦笑道：「想必您不清楚為何我要從上面跳下來？老實跟您說吧……」他從七歲開始學藝講起，將這幾年來因為自己的笨拙而在各大門派所遭遇的種種挫折失敗，一五一十告訴狐九敗，要他徹底死了這條心。

狐九敗聽完這一段往事卻沒有顯出訝異或失望的表情，反而泛著微笑道：「那你有沒有聽過我的故事，知不知道我是十六歲才開了竅。」

古宏劍點頭道：「只知道一點。」

狐九敗望著遠方的上清宮在夕照下閃著粼粼金光，娓娓說道：「我在青城派的時候，取名狐遠春，但是他們都叫我『狐遠蠢』。因為我劍學得既慢又差，不管多麼努力，還是跟不上人；因此常受到同門的嘲弄侮辱，後來連師父都對我死了心。就在一個大雪紛飛的冬夜，我終於承受不了身心挫折，在一棵大樹下綁了一根繩子，套緊了脖子……

「貝師兄在最後關頭把我救醒，臭罵一頓，後來一有空就盯著我練劍，從『逐鹿劍法』開始，一遍又一遍的為我講解演練。起先我還不領情，心想：『連師父都搖頭了，你教有個鳥用』？但說也奇怪，這個人極有耐心，在他循循善誘之下，我漸漸領悟劍法要義，不過半年光景，竟有了脫胎換骨的轉變！」他拍拍古宏劍的肩膀，續道：「你現在的年紀，比我當年還小了些，怎可就此絕望？」

這番話又再度激起古宏劍奄奄一息的鬥志，心想：「這是千載難逢的機會，何不再試一次，若真如他所言，或許我仍有一線希望；如果連狐九敗都無法把我教會，這回真可以完完全全的死了這條心！」於是跪地拜道：「師父，請受徒兒三拜。」這拜師學藝，他可是熟練得不得了，準備要連磕三個響頭。

狐九敗卻伸手按住古宏劍道：「你這小子未免太過急躁，武功可以傳授，但我習慣獨來獨往，可不願多個弟子，徒增牽絆，這拜師禮就免了罷！你要叫我前輩或是狐九敗都沒關係。」他不願收古宏劍為徒，其實另有深意：雖然覺得他天賦極佳，但畢竟前面已經失敗了七次，萬一這次也沒能教好，日後若有師徒之名豈不有損自己威名？如果沒看走眼，這少年日後成就非同小可，甚至有機會可以和自己比試一場，今日若定下這師徒名分，來日豈肯與我較量？狐九敗已有多年找不到對手比劍，頗有無聊孤寂之苦，實不願為個虛名，放棄一個好對手。

古宏劍也覺得方才太過魯莽，以前的師父們，不但武功地位差他太多，就連輩分也小了一級，如果真收我為徒，豈不太過委屈！說道：「前輩肯指點武功已是天大的恩賜，方才是小輩失態。」

狐九敗道：「還有個條件：先給你半年的時間，這半年之內你要好好努力，屆時如果毫無進展，我會殺了你！如果怕死的話，現在要走還來得及，免得到時候你死得不甘不願，到陰間向貝師兄告狀。」

「我願意！」古宏劍想也不想就答應，反正若再學不成劍，活著也沒什麼意思。

一切說定，倆人便開始起程找個合適的地方專心練武。從此以後，古宏劍回復他原本的姓名「古劍」，這也符合一般江湖上的慣例，不管是自己脫離還是被人趕走，一個人一旦離開某個門派，都應把原來該門派所給的輩分字改掉。

狐九敗把他帶到四川西北的九寨溝，此處人煙罕至，只有少數藏人在此活動，風景絕秀，離塵脫俗，非常適合修道習劍；而此處溪清湖多，各類鳥獸蝦魚、山果野菜，捕不盡採不絕，無須耕種畜養也餓不死。二人搭好一個簡易茅屋，便開始練劍。

兩人整日授劍習武，古劍日以繼夜苦練強修，即使手腳長繭起泡也毫不懈怠。狐九敗很欣賞他的毅力和耐心，但對其進展卻大失所望！四個月過去，他用盡心思，試遍各種教法，卻始終無法讓這少年完全領悟一套簡單的劍法。心中納悶不已：「他明明連破我數招高明劍法，對劍招的理解非常人所及，為何學起劍來卻如此愚鈍？」這種疑惑，在他內心反覆出現，卻始終想不通其中道理。

某夜，被狼嗥蛙鳴吵得不能成眠的狐九敗起身到林間漫步，他邊走邊想著，還有什麼辦法可以把古劍的潛力給激發出來？忽然間他看到遠處有堆光影在月色下浮動，施展輕功悄然奔去瞧瞧，竟然是一群猴子的聚會！

數十隻猴子在空地圍成一個圓圈，安安靜靜看著林中兩隻格鬥中的猴子，原來有隻年輕的猴子正向猴王挑戰。他不禁佩服起那隻年輕猴子的勇氣，這猴王看起來孔武有力，體形比牠大了許多，而牠如果挑戰失敗，很可能會在猴王的一聲令下，被群猴圍攻咬死。

經過短暫試探之後，年輕的猴子開始展開攻擊，然而牠一次又一次撲抓過去，都被猴王給避開，順勢抓傷牠的背部，這猴王似乎不把挑戰者放在眼裡，顧盼雄姿睥睨群猴，只在對手撲過來時才動了一下，並不主動追擊，勝負似乎很明顯。這時候已經有部分猴子開始鼓譟起來，狐九敗聽不懂猴語，但猜想牠們大概是在幫猴王助威。

年輕猴子連續失敗幾次之後，突然拾起地上一根樹枝向猴王的胸口打去，這麼一來情勢立變，猴王竟然連連中招，毫無反擊之力。令人驚奇的是，這樹枝在牠手上，並不是胡亂舞動，而是有一定的規則和招式。原來這隻猴子常來看古劍練劍，不知不覺中，竟偷學了幾招！狐九敗不禁莞爾，這套劍法給這猴子學起來竟有七、八分神似，有些地方耍得甚至比古劍還好！他感到十分失望，心道：「人不如猴，早知道這四個月拿來教這隻猴子，可能成效會更好。」

這套劍法只有簡單的六招，主攻對手胸背，持棒的猴子從第一招使到第六招，使完再重來，如此反覆施為，每次使出來的招式都一模一樣，不像古劍使得時好時壞，每次都不相同，叫人不知從何教起。

這猴王不復方才的瀟灑模樣，被刺得哇哇大叫，漸漸有愈來愈多的猴子看好年輕的猴子，反過來為牠助威；然而狐九敗卻看出小猴子的隱憂，這猴王胸部皮厚肉粗，儘管連連挨打，雖痛無傷，這小猴子若不能變通，改為攻擊頭部，等到猴王看穿招式，找到破解竅門，小猴子麻煩大了！

果然不出所料，只見猴王突然大吼一聲，手臂一揮，竟把樹枝打斷！接著向前一撲，狠狠抱住小猴子，在牠的脖子上又抓又咬，很快就把牠弄得奄奄一息。牠緩緩把失敗者放在地上，又恢復牠王者之姿，大搖大擺爬到樹上，其他的猴子也跟著爬樹，沒有一隻敢爬得比牠高。

狐九敗為小猴子感到惋惜，心想：「猴子就是猴子，只會死記招式，不知變通……」想到這裡，突然若有所悟，立即飛奔回去，把古劍搖醒。

在月光下，狐九敗一一演練他近來所創的一套劍法，稱之為「魔劍七十二變」，比一招就令其解一招。古劍不知所解的是一套極為高明的劍法，以平常心試解，一個晚上便解開十來招，愈解愈有自信，更愈解愈快，不到三天，便將這一代劍聖苦思三年，自認將天下無敵的絕妙劍法盡數破解，還蹦出許多別開天地，令人匪夷所思的怪招出來。

狐九敗不露聲色，把古劍趕回房裡睡覺。

整整三天沒被罵笨，古劍頗感不慣，然而解劍甚耗心力，儘管惶惑不安，還是迷迷糊糊進入夢鄉！

次日醒來已是近午，又聞陣陣肉香，古劍心下惴然，趕忙穿妥衣衫衝出室外，但見狐九敗正在烤肉串，跑過去連連賠個不是，狐九敗卻沒生氣，面露微笑道：「不要緊，這些日子都是你在張羅三餐，最後一頓換我來做又有何妨？」

古劍聽了臉色大變，但因早有心理準備，很快恢復寧定，道：「您要走了？」

狐九敗遞過去一串肉，說道：「你的武功不是我能教的，再留十年也沒用。」

就像死囚在殺頭之前，總會有一餐豐盛的飯菜，古劍知道吃完這一餐，就要去見閻王，毫不客氣接下肉串道：「其實晚輩心裡有數，以您的身分，實在不值得為了我這等愚劣庸材虛耗時光。」

狐九敗搖頭道：「不是這個原因，而是我發現以你的情況，無人能教得好。」

古劍有點激動，嘆道：「以我這種資質，學武確實是痴心妄想。待會跟您再借一會兒劍，讓我自行了斷，別沾汙您的手！」

「你聽完好嗎？」狐九敗道：「你這種人並不適合學別人的劍法，要練劍，只能靠自己創造一套全新的劍法來練。」古劍一臉茫然，以為自己又看錯唇語；但見狐九敗又道：「初學劍招時，師父總會先行演練幾遍，再叫徒兒照著比劃一番，那時候你在想些什麼？」

古劍道：「我一定要早日學會，要像師父一樣厲害！」

狐九敗道：「是這樣嗎？難道從沒有想過別的？比如說：這個時候一定要直刺嗎？倘若改成斜劈會如何？那一劍攻出去，會不會空門大開……」

古劍心中一震，道：「您怎麼曉得？晚輩確實會毫不自覺的興起這些念頭，剛開始學劍時經常問了一堆問題，卻往往被師父臭罵一頓，總說祖師爺的劍法還會有錯嗎？你會不會太多疑？後來被罵多了，不敢再問，偶爾心裡冒出這種想法，也會設法壓下去！」

狐九敗笑道：「它躲在你的內心裡，壓不下去。各大門派的入門劍法只是基礎，與你心中的高明劍招相去甚遠，自是免不了心中疑惑。你的腦子告訴自己要像師父這樣使劍，內心深處卻在想有沒有另一種更為流暢有效的出劍方式，使出來當然次次都不同，被師父責罵，心中一慌，又更不像樣！」

古劍定神細想，愈發覺得被他說到了心坎裡，不禁寒毛直豎，半晌說不出話來！

狐九敗又道：「總之你這個人與眾不同，非常特別。在你心底早有一套更為絕妙的劍法，等著你將之喚醒，在它出現之前，別人的劍法，都會排斥！」

古劍道：「我連最基本的劍法都練不好，哪有可能創出什麼絕妙的劍招出來？」

「這樣講確實有點匪夷所思，你且聽我慢慢說個明白。」狐九敗道：「舉凡人的聰明才智，可分為悟性、記性及創性。悟性高者，東西學得快；記性強者，學過的東西不易忘；創性佳者，則能見人之所未見，想出一些別人未曾想過的東西。這三者之中，悟性與記性可說是相輔相成，學得快、領悟得深，自然記得清楚；東西記得多、記得牢，自然容易觸類旁通，學起來也快得多。

「因此，通常悟性高者，記性亦佳；但創性卻與前二者無關，有時甚至背道而馳，因為悟性及記性好的人，學習舊有的武功太過容易，何必再自創武功？再說他腦海裡早已塞滿了各種武學招式，思路不免受到層層干擾與拘束。苦海頭陀就是一個活生生的例子……」

「苦海頭陀？就是幾年前被你打敗的那個人？」古劍插口道。

「他沒有敗給我，是敗給了自己。」狐九敗道：「苦海頭陀的記性和悟性可說是天下無雙，只要和你交過手，就能把你的武功招式學得一分不差，久久不忘。」狐九敗嘆口氣，話鋒一轉，回憶起往事來：「差不多八、九年前吧！那時候我還是狐八敗，剛贏了少林和武當掌門，意氣風發，正想去挑戰當時武林中公認武功最強最高的苦海頭陀，沒想到他倒先找上了我。

「原來他也是個武痴，年紀與我相近，但出道比我早了數年，一樣有四處找人比劍試招的嗜好。他成名早，名氣也高於我，不到四十歲就大敗天下高手，成為武林至尊；所以當他聽到也有人比劍勝了少林掌門時，大感興趣，立刻向我下了戰帖。

「我與他在泰山的玉皇頂上激戰數個時辰，用來用去就是我那三套自創的劍法。而他呢？竟一連用了七、八十套極為高明的武功，鮮有重複。到後來他學會我的劍法，竟用我自己想出來的劍招擊敗我，唉！我整天都在想如何對付別人的武功，卻從沒想過要怎麼破解自己的劍法！

「當時我輸得心服口服，正待要走，卻被他攔住說：『等一會兒！等一會兒！八敗，何必急著走呢？』我糾正道：『叫我狐九敗。』他說：『是，是！九敗，再陪頭陀玩兩天好嗎？很久很久沒有玩得那麼盡興呢！』我罵他無聊，他也不氣，在我面前打開一只長箱，裡面裝了棍、棒、刀、槍、鉤、鞭、斧等等十八般武器和一些稀奇古怪的暗器，又說：『你瞧瞧！隨便你要玩什麼，這裡都有，咱們來切磋切磋。』

「我不理他，逕自往山下走去，沒想到他卻一棍打來，我回頭反瞪，卻見他咧嘴笑道：『你要玩什麼？八卦棍法？達摩棍法？遊龍棍法？趙太祖騰蛇棍？還是最新的俞大猷棍法？』我很不高興的說：『我已認輸，你還要怎樣？』他道：『不要生氣嘛！你那三套劍法，一套比一套厲害，頭陀從來沒有打得如此暢快！還有沒有第四套？不管有沒有練熟都可以使出來！咱們一塊研究。』

「我當時十分不快，認為他在譏笑我會的武功太少，破口罵道：『你以為會的武功多就了不起嗎？請問你腦子裡那幾百套劍法，有哪一招是你自己想出來的？』他聽我這麼一說突然有些沮喪，搖頭無語。我又說道：『所以說，你這是拾人牙慧，學得再多也沒什麼了不起！狐某的劍法雖然只有三套，但每一招都是從我自己腦袋瓜子裡想出來的，你行嗎？』

「聽我這麼一說，他精神為之一振，笑道：『對呀！我怎麼沒想過要自創劍招呢？』

說到這裡，他竟樂得翻起觔斗，以棍敲頭對我說道：『不算！不算！這次的比試不能算，不如咱們回去各自再創一套劍法，兩年後的今天，回到這個地方重新比試，你看如何？』沒想到我強詞奪理的一番話，他竟然當真！反正遲早要找他比過，能有雪恥的機會，何嘗不可？

「於是我找個安靜處所苦思兩年，創出一套『百變千幻劍法』，雖然強過先前的三套劍法，但想起對手實在太過厲害，以他學自天下的高深武學為根基，必能輕易創想出一堆絕世妙招，這次再戰，實無取勝之把握！

「那天依約回到玉皇頂，他已早早等在那裡，卻是形容枯槁，似乎老了二十年，一見我來便道：『咱們廢話少說，開始較量吧！』這正合我胃口，立即拔劍出招，卻見他把長劍高高拋起，我有點愣住，不知道他要使出什麼怪招，只見長劍筆直向下掉落，他竟突然撲倒在地，背心對準了長劍落下的地方！就這樣，那柄劍從他背後穿透到前胸。

「我趕忙把他扶起，責問他在搞什麼鬼？他淒然一笑，緩緩說道：『剛剛那招「天打雷劈」，是我這兩年來唯一想出來的一招，還不錯吧。除了比較不痛且可以撐得久一點外，最重要的是這種刺法必死無疑，非常適合我。』

「我生氣罵道：『胡說！你這兩年來都在幹嘛？怎麼可能一招都……』他打斷我的話，說道：『你不要插嘴，先聽我講……我這一生共學會五百五十六套武功，其中光劍法就有二百三十二套。每當我要創新招時，它們就輪流跑出來搗亂，不管怎麼起頭，都可以在腦海裡找到一些劍招來配合，而且只要冒出來一招，後續的舊招就會源源不絕的跑出來，任憑我想破腦袋，都無法突破這一招半式。你知不知道？這種滋味好苦好悶啊！』

「這時我才恍然大悟：在創造新劍法時，腦海裡塞滿太多的招式，對他來說反而造成重重拘束與滯礙，他沒有辦法把這些舊招拋棄或趕跑，因此始終想不出新招。就這樣憋屈兩年，沒瘋已是萬幸！

「他接著又道：『不過我這兩年來還是有做一些正事：把我記得的高明武功全部寫成冊子，放在鐵壁銀山的一個洞穴裡，你若有興趣，不妨去翻翻看。』我問道：『你為何要告訴我這些？』他說：『因為我希望你現在能夠在我面前演練一次你的第四套劍法，這樣交換不吃虧吧！』我笑道：『我用兩年的心血，和你交換那些老掉牙的武功，當然吃了大虧！但話說回來，這套劍法是被你逼出來的，也只有閣下才能懂得其中精髓，不在你眼前耍練一遍，豈不可惜！』於是我原原本本的演練一遍，他撐著看完說道：『玄奇奧妙，百變千幻，也只有你才想得出來，頭陀我輸得心服口服！』說完便斷了氣。」

古劍納悶道：「輸了一場比試，也不一定要死啊！為何他這麼想不開？」

狐九敗道：「你我從小就嘗盡挫折失敗，很能理解勝敗乃兵家常事，因此再怎麼輸也還能承受得起；但對於他這種一生順遂，少年得志，獨霸天下多年的人而言，突遇失敗之心情，實非你我所能體會！」

狐九敗續道：「像苦海頭陀這種人，生前儘管叱吒風雲，但死後卻沒能留下任何東西。所以，千百年來，中原武林悟性好記性佳的人比比皆是，但真正流傳下來的高明武功卻屈指可數。所幸還是有三者兼具之人，如少林的達摩、武當的張三丰或各大門派的開山祖師，也唯有這種人才，方能名垂千古，開創不朽功業。」

古劍仍感疑惑，道：「可是晚輩以前所學的劍法都記不牢且不全，腦裡空空，還能拿什麼來創造新的劍法？」

「你不是空，而是淺。」狐九敗在地上挖一個淺洞，以此為中心劃了十幾條很深的放射劍痕，在洞上倒半瓢水，這水很自然的沿著劍痕而走，全無溢出。他指著地上說：「這就像苦海頭陀的腦袋，有著無數的深溝，水自然沿著深溝走，難以溢出。」

他又挖了一個大小相近的洞，倒下同樣分量的水，這半瓢水沒有任何溝的導引，便順著地勢而流，所浸溼的範圍亦小，他說：「從來沒學過任何武功的人，就會像這塊地一樣沒有任何凹痕引導，只能隨勢而行，專挑輕鬆處走，再聰明也創不出高明的劍法。」

接著他挖出第三個淺洞，同樣劃出十幾條劍痕，但淺得多，依然倒下半瓢水，這水很快的跟著淺溝走，但因溝淺水急，多餘的水溢出淺溝，將整塊地均勻浸溼，又說：「這塊地就像你的腦袋。你所學雜而不精，照說犯了習武大忌。但若要另創武功，卻占盡便宜。就是因為以前所學的武功記不牢靠，沒在你心裡生了根，才更能無所滯礙、天馬行空的領悟新劍法。以前你在各大門派所學所見的武功看似忘得一乾二淨，其實仍潛藏在你心底，只是你不知道要怎麼弄出來用，當你在創新劍法時，偶然靈光一閃自然冒了出來，此時不必排斥，可以拿來修改成有用的招式。」

經過這麼多年的挫折失敗，古劍的信心早已喪失殆盡，這時突然有人說他可以創出一套厲害的劍法，一時之間，實在難以置信！他凝望遠方，靜默不語，但眉宇間仍露出迷惘與疑惑。

狐九敗勃然大怒，啪啪兩聲打了古劍巴掌，重得嘴角都流出血來，罵道：「可惡！你這小鬼什麼時候變得那麼沒有志氣。這幾年來的忍辱負重，就這樣白費了嗎？現在就拋棄雄心壯志，平平凡凡度過一生，你真能甘心嗎？如果不是，就不該輕易放棄，哪怕只剩一線希望！」

這番話一字一句重重敲擊在古劍心上，但要一個武功低微的人自創劍法畢竟太匪夷所思，忍不住又問道：「狐前輩，您當真認為這種做法行得通？」

狐九敗道：「這些道理都是我自己想的，誰知有幾分把握？但這是你唯一的機會，何不試試？」講這些話時，語氣又和緩許多。

古劍突然跪下道：「前輩，就依您的，再試一次！」

狐九敗道：「很好。不過你要記住，慢慢來，不要太過於心急。我給你六年的時間，當我回來時，你若仍沒有長進，休怪狐某無情！原本欠我的一條命，必將取回！」

古劍道：「如果過了六年還是一無所成，古劍豈敢苟活在這世間？」

狐九敗欣賞他這種破釜沉舟的氣魄，點頭稱善道：「現在傳你一套劍理，蓋凡天下之劍法，無論多麼的奇玄高妙，都脫離不了這『劍理』所述之要訣。你所領悟出來的劍法，千奇百怪，未必每一招都是高明實用，這時就要靠劍理來篩選驗證。合乎劍理要則者，才是好的劍招，否則即棄之不用。」

說罷便提劍在大石刻起字來：「劍本無常，變化萬千。進退攻防，長短快慢，陽剛陰柔，垂直迂迴，先發後動，虛虛實實，各有巧妙。攻擊防禦，本為一體，攻敵之際，必須預留退路；防禦之中，要能見隙反擊。劍招有如棋局，算得遠算得密者勝，淺疏者敗；又如水中之舟，順勢者強且快，逆勢者弱且緩；然逆者奇，劍招不忌奇變，但變有變理。世間無不敗之劍法，劍網再密，仍存縫隙，總有妙招可破之。所謂妙招：選最適當之時機，以最合宜之速度，取最精準之方位，攻敵最弱之要害。」

寫罷，將長劍遞給古劍，說道：「這柄劍雖非神兵利器，倒也擊敗過無數高手。你拿去，練起劍來總比樹枝來得順手，另一方面也可抵擋野獸侵擾。希望你看到這把劍時能想起狐某今日之話，持恆練習不可懈怠。保重！」說完便飄然而去，再不回頭。

古劍來不及道別，望著狐九敗遠去的背影，不知不覺的把劍拔出鞘外，劍身在日光下閃耀著金光，百感交集，心中暗暗立誓：「我一定要練出一套像樣的劍法來！」

此後古劍仍留在山裡，以前和徐宏珉廝混時學到一些設陷捕獸的方法、食用山果的識別和簡單藥草的用法，讓他不必煩憂三餐，過著自力更生的山野生活。有空便開始冥想劍招。

由於幼時曾經歷各大門派，見識過不少各派的劍法，以此為根基，假想如果有人這招刺來，該如何化解？有幾種破解的招術，何招最佳？他原本記性不佳，記住的劍法只有一鱗半爪。而今鑽研新招，卻漸有所悟，只覺得這招如此使出，下招自然而然會那樣接承，因此原本殘缺不全的劍招，被他補綴十之八九。這些憶起的劍招，並未在他腦裡生根，不會死抱著不放，造成創立新招的拘束，而是作為參考，或以舊招為基礎，加以變化重組而衍生出新的劍招。

此處山青水碧，景色幻麗，奇峰異水，蟲魚鳥獸多不勝數。舉凡鳥飛魚游，蟲鬥獸爭，晨光夕照，電閃雷鳴，俱成靈感的泉源。幾年下來，所創劍法不下千招，這些招式，有的極剛，有的絕柔，有的大開大闔，有的小移微動，有巧有拙，忽正忽奇，千變萬化。

他知未必每一招都是精妙實用，便在最後兩年加以整合，以劍理驗對，去蕪存菁，挑出九十七招加以苦練。說也奇怪，以前學人家的劍法，怎樣也無法領悟要點，但自己所創的劍招卻不學自通，只需再加以熟練使之更加流暢自然即可。

不知不覺中，少年古劍已長成。就在一個初春的清晨，旭日東升，他獨立溪畔，凝望這嵐影湖光，茂林修竹，心中卻是思緒紛亂，重重往事歷歷在目；又想這六年多來的日夜苦練，也不知是否真的有用。再過幾個月，就是仲夏七月，是否真能靠這套自創的劍法揚名立萬，殊無把握。但不管怎樣，得先回成都見家人一面。想到這裡，看看水中倒影，不禁啞然失笑，他身披獸衣，且數年來未曾整理儀容，倒像個山中野人。

正在此時，突見白光一閃，吃驚之餘，忙向右躍開，翻身欲看來者何人？突擊之人卻蒙著臉，正要發話詢問，對方卻不容他開口，又是一劍刺來，只好急急拔劍招架，交換數招，只覺對方劍招源源不絕，招招凌厲劍劍迫人，古劍不容多想，立刻將這幾年來所練的劍法一一使出，但仍有左襟右迫，招架吃力之感。

所幸對方似無傷人之意，好幾次眼看著就要傷在對手劍下，卻見他及時迴劍，只在衣服上劃了一道。過了百餘招，來人突然收劍，哈哈大笑，古劍收劍拜道：「狐前輩，您終於來了！」

這蒙面人撕掉黑布，果是狐九敗，他露出滿意的笑容道：「小子，我沒看錯，你果真是個不世出的奇才，真給你創出一套震耀武林的驚世劍法。」古劍聽此一讚，既驚又喜。他潛心創招，雖然招招都是苦心鑽研而來，但從未對敵，實不知威力如何？如今得到當世第一高手之褒揚，多年的心血沒有白費，怎能不心花怒放，但總還有一些信心不足，問道：「前輩，您是在安慰我吧！您以平常劍法相試，而我衣褲至少被劃了四條劍痕，兩個劍孔，背後似乎還有兩、三道。」

狐九敗道：「我與人過招從不保留，你這小子真不識貨。剛才使的每一招都是我的一身絕學，後面那幾十招，還是我新創的『萬化劍法』。」接著又嘆道：「論劍招之精妙，你這套劍法恐怕還略勝一籌，只可惜以我的身分也不能跟你學。」

評價如此高，令古劍十分訝異，道：「可是晚輩總覺這套劍法仍有缺陷，只是自己無力改進。」

狐九敗道：「新創劍招必然會有缺陷，這必須經過無數次的對敵試鍊，才能不斷修正到近乎完美；不過我看你出招並不拘泥，同樣的一招能在不同的情況下有所變化，更是難能可貴。」

古劍經此連番讚賞，不禁有點飄飄然，笑容漸顯，似乎已經看到名揚天下的美好未來。

狐九敗卻道：「你也先別太得意，瞧瞧你身上那九道劍痕，若是當真臨敵對陣，任何一道都可能要命。」這九道劍痕，有三道在背，六道在前。他一道一道講解，其中有五道是因為經驗不足或出招不夠快準而失誤；另四道卻是招式沒錯，但內力不足，以致影響劍勢的威力及速度，自然無法接下狐九敗的劍招。兩人繼續參研，這四招中有兩招可用其他劍招勉強替代，但另兩招卻暫時無解，所幸要能使出那兩招的人，至少也要有三十年以上的功力修為，非一般年輕劍客所及。

狐九敗告訴古劍：「經驗不夠和內力不足是你的主要缺點。行走江湖時，要找機會與人交手，從實戰中多方汲取經驗以改正缺失。至於內力，只有靠勤修及耐性慢慢修練，不要巴望一蹴可幾。這種東西與劍招不同，在你修為未達一定火候之際，不可輕易嘗試自創新的練氣功法，否則一個不慎便容易走火入魔，如果你在練氣時感到心煩意亂，必須立即停止，切記！切記！」

兩人繼續拆招練劍，狐九敗將古劍所創這九十七招劍法一一指點，修改其中缺失。

二人在炎日之下廢寢忘食的拆解，直到午後，突然下了一場大雨，才奔到茅屋休息，狐九敗問道：「你這套劍法日後必能名震江湖，可有給它取個名字？」

古劍道：「晚輩無聊時，也曾想過好幾個名字，總覺得不太貼切，所以一直沒有真正的定名，不如前輩幫忙想一個！」

這場雨來得突然，去得也快，一會兒又出現太陽，狐九敗看著遠方的瀑布上端正掛著一道彩虹，配合這峰巒疊翠的山勢，在夕照之下，益發顯得奇幻瑰麗。望著這多變的景色，不禁嘆道：「天地無常，人事無常，劍亦無常；你這劍法，有剛有柔，忽陽又陰，變幻無常，就叫它『無常劍法』吧！」

古劍怔怔的想著：「這幾年獨居的日子，日出而起日落而息，平靜而規律。日後闖蕩這無常的江湖，不知卻要經歷多少風浪，是福是禍，誰也難以預料。」他年紀雖輕，卻經歷許多人間冷暖，不免多愁而善感，對這「無常」二字，亦有一番感觸。

說著兩人都感到飢腸轆轆，古劍取出一塊醃兔肉，將兔腿撕給狐九敗，兩人一口一口吃起來。狐九敗邊吃邊道：「你太老實，在江湖上很容易吃虧上當。以前你武功不好，人家只會瞧不起你，欺負你，卻不會想害你。當你成名之後，情況自然不同，或許會有不少人想要利用你，甚至加害於你，這點不可不防。你得學精一點，很多時候，武功高強的人也會敗在別人的計謀之中。」古劍點頭稱是，牢記在心。

兔肉吃完，狐九敗起身要走，古劍留他不住，心想：「一日為師，終身為父。」感謝他授劍傳道之恩，跪拜磕頭，卻被狐九敗攔住，說道：「我不是你師父，何必下跪？指點你劍法，是看你或有潛力超過我，想培育一個未來的對手；不然老是苦無敵手，練起劍來也沒什麼意思。日後你有更大的進步時，我會再找你比劍，到時可不會再手下留情！你在『試劍大會』若有什麼成就，不要因此而自滿，要知道，至少得擊敗我，才有可能天下無敵。」說罷便去。古劍望著他孤傲的身軀，在斜陽下拉出一條長長的暗影，默默拜了幾拜。

古劍依照狐九敗的指點，又練了一個多月的劍，覺得已能大致掌握劍法要義，便帶著醃製的獸肉及一袋水啟程返鄉。打算先回家探望親人，再作打算。

第四章 驚蟄

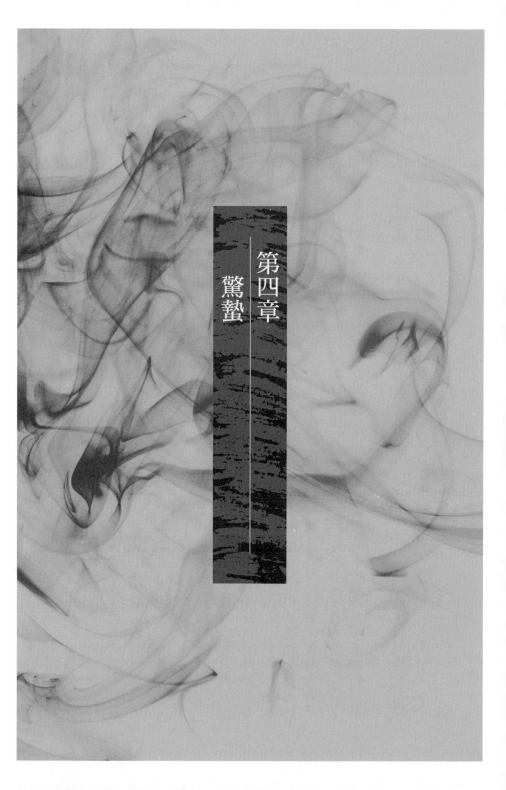

芳春三月，草木初綠，川北廣元鎮的三閭客棧也像往常一樣的送往迎來，招呼著過往旅人。今天的生意有些冷清，日正當中，卻只有三、五個零星客人，店小二阿富從廚房裡端出一盤雞爪、雞脖子和雞屁股，獨自坐在角落裡慢慢啃食，兩眼不時瞟著門外一個衣衫襤褸的漢子，這漢子身披獸皮滿臉鬍子，褲上一道道的破痕未補，背後卻揹著一把劍，說丐不丐，說俠不俠。乞丐極少佩劍，劍俠卻少見如此落魄，然而這人徘徊良久，卻始終不敢進門要飯。店小二心中直呼倒楣，心想：「難怪昨夜會輸掉半個月的薪餉，原來是這個瘟神作怪！」

他幹了幾十年的店小二，什麼樣的人物沒見過？料定這漢子是個冒牌劍客。真正的江湖高人，若是口袋裡的銀兩用完，想吃頓飯也不須如此畏畏縮縮。這種人一定先飽食一頓，然後在付帳時小露一手，或是無緣無故把桌椅劈碎，或是丟出一把飛刀，正中櫃檯後方「恕不賒欠」的木牌，便瀟灑逸去。

對於這種有真才實學的無賴，掌櫃的也只能自認倒楣，笑臉恭送。但若是功夫不到家也想來白吃白喝，就得倒大楣啦！客棧馬上請出保鏢，將這種人渣毒打一頓，再取走他身上所有值錢的傢伙。在這種弱肉強食的江湖中，這些規矩早已行之有年，誰也怨不了誰！

阿富想要快點打發這個流浪漢，草草吃了一半，進去廚房添上一碗冷飯，拿到門口遞給他道：「這碗拿去街角吃，不要賴在門口妨礙人！」

這人就是古劍，他身無分文，從山裡帶出來的醃肉又不慎淋雨發臭，正餓得發慌，想向人要點食物又開不了口。當年在丐幫習武時曾吃過不少冷飯剩菜，這種乞食的日子並不陌生，哪曉得現在卻變得如此難以啟齒。他愕然接下破碗，感到羞憤難當，本想扔下盤子就走，卻突然想起本朝開國皇帝朱元璋據傳也曾當過乞丐，最後還不是成為一國之君，忍得了一時，才能成為一世英雄，猶豫一會，還是蹲了下來準備用飯。

突然間「咚」的一聲，一顆飛石打碎他手中破碗，濺得他滿身飯菜。順著飛石來向看去，只見左後方有三個乞丐正似笑非笑的瞧著自己，桌上卻擺滿大魚大肉，較年輕的兩個年約三旬，腰上卻已繫上六個布袋，另一個老者則有七袋，說來身分不算低，畢竟每一省分舵的舵主也不過八袋而已。

其中一個六袋弟子開口說道：「你不是咱們丐幫的人，不可在此討食！」

古劍看到這三個乞丐反而釋懷，他年幼時也曾在丐幫首席長老衛飛鷹的門下學劍，在總舵當了半年的一袋弟子自然明白這些規矩，雖然丐幫並未要求所有乞食者都要加入丐幫，但各地分舵為了顯示其獨一無二占有地盤的權力，往往會干涉外人的乞食行為。

心念至此，心中怒火消去不少，不想跟他們計較，轉身欲走。

此時有人拉住他的衣襟，回頭看卻是一個面貌清秀的少年，對古劍說道：「喂！你是聾子嗎？怎麼我叫了幾聲都不理？」

古劍歉然道：「在下的確聽不到，全靠讀唇解語。剛剛真對不住，沒瞧見您說話。」

那少年笑道：「原來如此。您若真腸空腹虛，倒不如過來與我們共飲一番。」也不等人家答話，逕拉著古劍到內側的桌位，已然擺上三、四道小菜和白飯清酒，當中坐著一位五十來歲的老者。少年道：「張伯，我帶了一位朋友陪您共飲。這位是……」

古劍接話：「在下古劍。」

少年道：「是了，古少俠，我叫喬小七，眼前這位乃是陝西著名趟子手張武青。張伯以一手通臂神拳威震秦嶺時，我還沒出生呢！」

其實這張武青只是一個極普通的趟子手，陝西民風強悍，每個人多少都會打一、兩套拳術。此人通臂拳還算有模有樣，但說成威震秦嶺，未免太過離譜。但千穿萬穿馬屁不穿，老成持重的張武青，本來對喬小七自作主張帶來一個落魄浪人的舉動頗為不滿，卻因此發不出脾氣，堆笑與古劍互道久仰。

古劍坐下，喬小七把自己桌前的碗筷推過去，請古劍先用，吆喝小二再拿一份。古劍挨餓良久，也不客氣，拿起碗筷大口大口扒將起來，很快便把一碗白飯吃光。喬小七看得有趣，把新送來那碗白飯又推了過去，古劍這回倒不好意思，推託幾次才拿起碗來，這次倒吃得斯文些。喬小七問道：「不知少俠何方人氏？此行要往何處？」

古劍聽人叫他少俠感覺十分怪異，趕緊把飯菜吞入腹內，答道：「在下世居成都，在外習武多年，如今只想返鄉省親。您叫我古劍好了，在下初涉江湖，還未做過什麼行俠仗義的事，實不敢妄稱『少俠』。」

「好極了！」喬小七放輕聲道：「我們也正往成都走鏢，見你身強力壯，仗劍而行，武功必定不凡，如果一時阮囊羞澀，倒不如大夥兒一道走。咱們安西鏢局正欠人手，而你缺盤纏，正好互相照應。」

缺錢對古劍而言倒不是什麼了不得的事，要不到飯，大不了上山再抓幾隻野兔充飢；

但他初履江湖，正愁不知該如何找人試劍，心想客串幾天趟子手也好，說不定有機會試試這套「無常劍法」，便爽快應承。

張武青白了喬小七一眼，心想：「你這傢伙未免也太雞婆大膽，進鏢局不到兩天，仗著一張甜嘴哄得總鏢頭喜愛，便自作主意胡亂收人。看此人身披獸皮，不修邊幅，一副人憎鬼嫌的村野匹夫德性，少鏢頭會收留才怪？」他為人老成持重，儘管心裡嘀咕不停，倒未說出來。張武青拿起酒杯，向古劍敬道：「歡迎之至，小兄弟看來威武豪邁，若真能加入本鏢局，自能幫上大忙。」

古劍謙遜回敬，三人邊吃邊聊，原來這兩人是陝西安西鏢局的趟子手，正護送一批十分貴重的鏢貨至成都。他們走川陝之間的棧道，一到四川境內便碰上了豪匪強梁，一場激戰損失了不少人手。這川北一帶是有名的土匪窩，幾批凶悍的土匪各據山頭，因大隊人馬暴露於城鎮酒肆之中，易被土匪眼線盯梢，決定專走林路，另派張、喬二人負責採辦食物。

三人不久便把桌上的酒菜吃光，客店也打包好乾糧餚菜，張武青催促著上路。

古劍是最嫩的趟子手，這六十來斤的包袱毫無疑問該由他一肩扛下。三人往西走上三、四里山路才見到鏢局的人，這趟鏢本來出動三十九人，因前幾天與川匪的一場激戰折損五人，後來又補上喬小七，也不過三十五名。

喬小七一到就帶著古劍，對著一位五十來歲的老者說道：「啟稟總鏢頭，小七幫您找到一位新趟子手。瞧他筋強骨壯，勤懇實在，一人可抵三人用。」

這老者髮鬚皆白滿臉風霜，正是安西鏢局總鏢頭羅萬鈞。他睨著古劍一會，說道：「你怎麼沒問我就收人？叫少鏢頭決定吧！跑完這趟鏢，我就不管事了。」

少鏢頭羅支平不過二十郎當歲，已是一副精幹模樣。他打量古劍一番，要他耍一套劍術瞧瞧。

古劍立刻舞起「無常劍法」，眾鏢子拿出口糧水酒，吃喝之餘順道觀看古劍賣力舞劍，這票人大多不會使劍，但個個老於江湖，見識過不少場面，見他劍招稍嫌散亂，正中帶邪，邪中含怪，與一般正宗劍招大異奇趣，不禁紛紛搖頭，有人私下議論：「我本以為配劍的都是高手，原來也有招搖撞騙之徒。」其實古劍當初構創這套劍法時，想的全是要如何克敵致勝，從未考量瀟灑優美。所以「無常劍法」從來就不是一套好看的劍法。

九十七招使完已是汗流浹背，只見羅支平淡然道：「馬馬虎虎，你跟喬小七一起，多做點雜事好啦。」

對於眾人的冷淡反應，古劍略感失望，但至少要到了工。心想：「下次再遇劫鏢，我當勇猛衝鋒，讓他們刮目相看。希望這套自創劍招，真能力抗豪強。」

只有喬小七熱絡的把他拉到一旁，一一介紹鏢局裡的人物。自總鏢頭、少鏢頭之下，有五位鏢師，其中何六發、趙敬兩位資格最老，功夫最俊，地位自比另三位高了半籌。鏢師之下又有副鏢師，只補了三位，不是幹得夠久，就得要有點功勞才升得上，其餘都是趟子手，但也有資深資淺之分，權利義務自有不同。咱們倆是最嫩的趟子手，錢少事多自是不免。接著又介紹一些行規，羅萬鈞靜坐在三丈之外，側耳傾聽他和古劍講人論事，心中不禁嘖嘖稱奇，思道：「這人才來不到兩天，倒像來了兩年似的，規矩全都記得不說，全局上上下下三十幾個人，竟也給他全摸熟了！」

時近初夜，眾人走上一天也累了，吃飽喝足便就地搭營打尖，照例由兩名最嫩的趟子手負責守夜。古、喬二人說好，由古劍警戒上半夜，下半夜再換喬小七。

古劍守夜不能靠耳朵，只好不斷來回梭巡，東張西望，戰戰兢兢不敢多眨眼，確定月過中天才敢去搖喬小七，他輕推兩下，喬小七翻了個身，根本沒醒。古劍見他睡得挺熟，心想：「看他一身細皮嫩肉，長得秀秀氣氣，不過十七、八歲就得走鏢，也真難為，不如我吃虧一些，多看一個時辰。」

約莫又過了一個時辰，古劍再去叫人，喬小七撐起身子，惺忪著眼，打了一個冷顫道：「好冷！」又躺回被窩裡去。古劍心想：「今天要不是他，我恐怕還得餓肚子。就讓他睡個飽，算是小小的回報！」替他拉好被子，又出去守夜。

直守至天亮，喬小七一起床便找古劍責道：「你怎麼不叫人？」

「我……我叫不醒你。」反倒像古劍理虧。

喬小七瞅了他一眼道：「今夜換我先站哨。」

一早吃完飯，大夥便收拾包袱，向南進發。這趟鏢走的不是棧道便是密林，並未用上馬車，所有鏢貨、帳篷及個人隨身細軟都需人力扛負。貴重的鏢貨當然不敢交給二位新人，便讓他們分別揹負一份帳篷毛毯。喬小七走沒幾步就唉苦嘆重的叫苦，古劍只好把他那份也給馱上。這日倒一路平安，趕了六、七十里山路，來到劍閣便不再前行。

蜀道難行，且川北一帶盜匪橫行，山寨林立，一有閃失，全盤皆輸。「千手刀」羅萬鈞走鏢三十餘年，多以京鏢、豫鏢、鄂鏢為主，要不是這趟川鏢利潤極豐，他可不願冒險接下。前頭正是川北有名的賊子窩，短短三十里不到，有十來個大小山寨。羅萬鈞要大夥早早歇息，養精蓄銳。

古劍日夜折騰，一吃飽就呼呼大睡。不知過了多久，只覺得地動山搖，睜眼一看，依稀有黑影晃動，原來是喬小七搖他起身換班。古劍總覺得還沒睡飽，但他二話不說，起身取劍，馬上把位子讓給了他。

此時月光被烏雲遮蔽，林中一片漆黑，古劍不敢懈怠，更加打起十二分精神來回搜巡。他發現林中似有微量火光透出，輕輕繞了過去，侯近一看，原來是總鏢頭和少鏢頭父子兩人正在閒聊，空地上燒了幾根薪柴，正想悄悄離去，卻見總鏢頭喊道：「什麼人？」

古劍只好現身拜道：「是我，剛接班站哨，看見這裡有火光，前來查看。」

羅萬鈞道：「怎麼那麼早？這裡接近賊窩，今天可得特別留意！」揮揮手叫古劍離開。

古劍走後，羅萬鈞對兒子道：「你得特別留意這個人，看似老實，卻未必簡單。」

羅支平道：「怎會？我看他倒挺賣力的？」

羅萬鈞搖頭道：「就是太賣力了，才讓人害怕。若不是有問題，幹嘛這麼賣命？萬一他是山寨派來的臥底，咱們可就麻煩大了。」

羅支平道：「可他是喬小七帶來的，當時張伯也在場。」

羅萬鈞道：「無論如何，咱們還是小心一點好。昨天他舞的那套劍法，當時看起來頗為散亂，但事後細想，倒發現有幾招不俗，或許此人身懷絕技，只是不願盡露。」

羅支平點頭道：「那喬小七有無問題？她倒是不怎麼賣力。」

羅萬鈞笑道：「不是不賣力，而是根本就在打混。她介紹古劍進來，還不是要為自己討個輕鬆。你可曾注意？她其實是個姑娘。」

羅支平道：「孩兒也發現了。她聲音清脆，身形婀娜，皮膚白嫩，顏面清秀，怎麼瞧也不像個男人。孩兒就算是瞎了眼，也該聽得出來。」

大家都瞧出來了，只有多年未見過姑娘的聾子古劍渾然未覺。

羅萬鈞道：「一個女孩家幹嘛沒事混在男人堆裡？她當然也有問題，但鐵定不是山寨派來的人。平兒，你想不想納個小妾？」

羅支平突然臉紅起來：「爹！你怎麼突然問起這個。麗娘好好的，我……」說著自己也猶豫起來，突然不知怎麼接下去。

羅萬鈞道：「我知道你的難處，但麗娘體虛，連生兩胎都是女娃，就算生下男的，也未必是練武的料。你看人家喬小七，乳豐臀厚，人又活蹦機靈。如能納為妻妾，日後生下的孩兒必定聰敏健壯，到時候改練劍法，或能在下次『試劍大會』中搶下一席。」

羅支平略顯羞澀，問道：「兒子不懂，咱們家傳『六合刀法』在陝西也算一絕，您怎麼老說要改成劍法？」

羅萬鈞嘆口氣道：「兒子，依你看為父的『六合刀法』和鎮西鏢局張百橋的『八卦劍法』孰強孰弱？」

羅支平道：「我看是半斤八兩，差距有限。」

羅萬鈞點頭道：「沒錯！可是自從十年前鎮西鏢局開在對街後，咱們的生意就一落千丈。你可知道原因？」

「當然是因為他們家名列『百劍門』，這一百個門派結盟起來，大家同聲同氣，一家被欺，全盟尋仇。劫他們鎮西鏢局的鏢，就等於是和『百劍門』宣戰，誰有那麼大膽？」羅支平心有不平，似乎說鎮西鏢局有如此場面，全靠「百劍門」庇蔭。

羅萬鈞道：「沒錯，他們只不過第七十八劍而已。但咱們走鏢的，本來就是要廣結善緣，如果我們也能擠進『百劍門』，等於多了九十九家勢大力強的朋友，哪需像現在這樣避東閃西提心吊膽。」說著解開背後一只長布袋，這只布袋從出發起就沒離開過他的身上。

他打開布袋取出一把長劍，劍鞘鑲金帶玉，做工極為精美雅緻。「哐……」的一聲，他起身拔出長劍，閃閃生光，輕劃一筆，手臂粗細的樹幹竟應聲而斷，斷口切齊。羅支平撟舌不下，世上竟有如此鋒銳的劍！

羅萬鈞輕聲道：「這是川西首富洪承泰委託咱們陝西鑄劍名家軒轅十七，花了五年寒暑，燒壞七座冶劍爐，才煉製而成的『龍吟劍』。咱們這趟鏢，最重要的貨就是它，其餘的金銀珠寶，只是個幌子，丟了也不打緊。」說著又小心翼翼收起長劍。

羅支平也輕聲問道：「這麼貴重的東西，怎麼不叫張百橋送？他們鎮西鏢局和成都百花莊同屬『百劍門』，豈不更便利？」

羅萬鈞搖頭道：「正因如此他才不放心。洪承泰高價訂下這把『龍吟劍』，目的就是要給他孫子在七月的『試劍大會』中恃劍揚威，多搶個五名十名。可是鎮西鏢局也參加『試劍大會』，若交給他們護送，萬一張百橋見獵心喜受不了誘惑，大起膽來拿個稍差一點的次品調包，那這一番心血，豈不白費！」

父子倆又聊了一會，直至柴火全滅才走回帳篷。二人說好，分兩側悄然接近，以測古劍是否真能察覺。古劍手持火把，不斷來回梭巡，遠遠就發現二人，喝道：「什麼人？」二人隨即現身，羅萬鈞微笑走來，把一兩銀子放入古劍手心道：「很好！」和兒子入帳睡覺。

看這二人父子情深，不禁令古劍想起家人，思道：「家裡賣光了田地，不知如今在做什麼？『試劍大會』後，若能和爹一起開家『川西鏢局』，父子比肩浪蕩江湖，即使奔波辛勞，也是快意！」

凝思之間，烏雲漸散，古劍仰頭觀星，圓月高懸東空，瞧這方位，恐怕二更才剛開始。掀開帳篷瞧瞧喬小七正睡得香甜。心想：「看他眉清目秀，細皮嫩肉，多半出身富貴人家？不知家裡遭到什麼變故，才想投靠鏢局，跟著一群江湖粗漢走了一天的路，也真難為他，我就多站一、兩個時辰吧！」

才放下帳篷，忽見西側似有人影晃動，急忙喊道：「不好了！有賊啊！……」緊接著一陣騷亂，五頂帳篷裡的人都跳了出來，直問道：「在哪？在哪？……」古劍直指西側樹叢。羅支平親率十餘名趟子手，點了火把，向著古劍手指處包抄過去。

過了半炷香，眾人垂頭喪氣回來，都說人是沒有，猴子倒發現幾隻。眾鏢師白了古劍一眼，似乎怨他太過大驚小怪，擾人清夢。大家一哄而散，各自回帳睡覺。

古劍十分歉然，心想：「或許是我看錯了。」打疊精神，更加努力張望，過了一個時辰，又在北側樹叢發現怪影。

這回他不敢莽撞，多瞧幾眼，確定是人，才大喊：「不好了！有賊啊！……」只見帳篷一陣晃盪，眾人又奔了出來。古劍指著北側道：「就在那邊，這次是人錯不了，至少有三、四個。」羅支平又派了一票人前去搜尋，隔了半炷香，仍是一無所獲的回來。有人罵道：「先你老娘！耳朵聾，難道眼睛也瞎了？」有人罵道：「狗日的！你當更夫嗎？每個時辰鬧一次！」那些罵人的陝甘俚語，古劍多半看不懂，但也知絕非好話。他不住道歉，心想：「莫非太緊張，又看錯了？」

羅萬鈞道：「喬小七呢？」一名趟子手掀開帳篷，他竟然還不知醒？好不容易搖了起來，要他陪古劍守夜。喬小七噘著嘴，不甘不願的接下火把，瞅睨著古劍，本想責怪幾句，見他一臉歉然，只得作罷。羅萬鈞笑道：「你委屈一下，明天換人替你。」鏢局規矩，第一次走鏢的新趟子手，得夜夜守更，如此待他，已十分優渥。

待眾人熟睡，喬小七又把毛毯拿出來，在身上裹了一圈，交代古劍說：「有事先叫我。」說完打個呵欠，靠在一顆大石旁睡了。

古劍跟著打起呵欠，他也睏乏極了，卻不敢懈怠，繞著帳篷一圈一圈走著。不知過了多久，又發現東側人影晃動，接著北側又似有人接近。這次不敢再魯莽，奔過去把喬小七喚醒。

喬小七掙扎著起身，也聽到窸窸窣窣的聲音，定睛一看，四面八方鬼影幢幢，扯嗓叫道：「強盜來了！強盜來了！……」

只聽南側有人喊道：「弟兄們！併肩子上呀……」緊跟著一陣「殺」聲，數十人從四方殺來！

鏢局的人很快在帳篷外圍成一圈，總鏢頭羅萬鈞、少鏢頭羅支平與何六發、趙敬各據四方。這是安西鏢局演練多時的陣勢，可護住鏢貨，也不怕盜匪以多欺少。來襲的盜匪，怕有七、八十名，這方雖才三十餘人，但無論鏢師還是趟子手多少練過一些功夫，一人可抵三、五個嘍囉。

三個頭目中，大頭目舞著長鞭與羅支平戰得難分難解，另兩個手持鬼頭刀對上了羅萬鈞。雙刀鬥單刀，卻完全討不了好，不出數招便落了下風。二人一般心思，今日貨硬，討不了便宜，想叫大哥退走。但此時已騎虎難下，只要一方逃閃，另一人必死於刀下。

大頭目練山雄瞥眼見兄弟受難，也是著急，一轉身卻見對方一名趟子手落了單，被四、五個嘍囉纏住。

這個人便是古劍，他哪知道這個圍圈禦敵的陣勢，一見山賊便往前衝殺，隨即被五個嘍囉圍住。這時才發現只有他一人身陷敵陣，不禁慌了起來。這是他的生平第一次的生死搏鬥，此時又累又慌又沒信心，竟把「無常劍法」忘得乾乾淨淨，使得全不對路！若非這些嘍囉也是膿包，見到劍就先怕了三分，早該挨刀。

練山雄後退數步，忽然一個轉身，長鞭倒捲，逕往古劍身上掃去。這長鞭以牛皮捲製而成，在昏沉夜色中不易看清。古劍以一戰五，早已弄得手忙腳亂，在昏暗中忽見一繩狀物打來，閃躲不及，「啪」的一聲暴響，手腕中鞭長劍落地，各嘍囉的兵器全架在身上。

沒想到習劍的人也有那麼不濟事的，練山雄一招得手，隨即喊道：「大夥後退，不要打了！」眾山賊立刻退後數步，這時才發現有六名山賊被鏢局的人制住，其中包括三頭目饒火雄。

練山雄朗聲對羅萬鈞道：「『安西鏢局』名不虛傳，咱們『三星嶺』今天認了栽。羅總鏢頭，您把咱兄弟放了，咱發誓今後永不劫貴局的鏢。」

卻聽何六發道：「你該曉得鏢行規矩，不可能讓你們全身而退。」這是鏢局不成文的行規，若有盜匪敢來劫鏢，一定要讓他們付出代價，否則若每次都輕易放人，傳揚出去，還有誰會怕？

羅萬鈞道：「何師傅說得有理，你把我們的人給放了，這六個俘虜任你挑，另五個留下當作教訓。我們以一換一，誰也不吃虧。」

練山雄卻道：「咱不管你什麼行規，咱弟兄跟著咱出來，咱就得保他們周全，你們不把咱六個人全放，咱就殺他抵命。」說著左手掐住古劍兩邊太陽穴，一用勁便可送他見閻王。

何六發手指著饒火雄道：「豈有此理！拿我們一個蠢鎚子手來換你們一個頭目已占了天大便宜，可別得寸進尺。」

練山雄道：「就算是個小趟子手，也是跟著你們出生入死的兄弟，能不管他死活嗎？」

何六發笑道：「他是臨時趟子手，還來不到兩天，護完鏢就走人。裝聾作傻來路不明，功夫那麼蹩腳還敢衝第一個，說實在，我倒懷疑他是你們派來臥底的呢？要殺要剮請自便。」

練山雄突然發狠，雙手在古劍肚臍上方的中焦穴和右手拇指上的魚際穴分別用勁，古劍立時全身抽搐冷汗直流，看來十分痛苦。這古劍若跟山賊有關，練山雄不應如此對待。羅萬鈞見狀，施展快手，也一一點了六個俘虜身上的中焦、魚際兩穴，這種點法照說要比練山雄的持續加力還輕得多，卻見這六人個個痛苦不堪，滾在地上哇哇大叫。練山雄見兄弟受苦，心中不忍，長鞭在古劍脖子繞上一圈。悍然道：「既然如此！咱們就各自處決吧！」說著雙手分持兩端，準備用勁將古劍勒斃。

卻聽喬小七道：「總鏢頭，您就救他一次吧？」

羅萬鈞聽他這麼軟語相求，忽然心軟起來，說道：「好罷！看在你機警發現山賊的分上，今天就依你。」轉頭向練山雄道：「停手！」練山雄鬆手，古劍全身疲軟，任由兩名嘍囉架著，羅萬鈞解了六個俘虜穴道，雙方交換手上的人。

羅萬鈞問道：「除了你們還有哪些山寨發現我們？」

練山雄道：「你們目標明顯，我看該知道的都知道啦！」

羅萬鈞點頭，又問：「這道上還有什麼厲害的山寨？」

練山雄道：「勢力最大的有兩股，一個是清風崗，五個頭目叫『清風五虎』，每個人手上功夫都不在我之下；更可怕的是明月寨，『明月雙龍』武藝精湛，方圓百里之內，無人不懼三分。你們如果不趕路，還是繞道而行的好！」

羅萬鈞啐道：「這我早打聽過了，可不信他們是什麼狠角色！『千手刀』走鏢三十餘年，還沒怕過誰呢！」環視眾鏢子除了古、喬二人外，個個勇猛精悍，精神飽滿。突然信心大增，豪氣干雲的喊道：「管他什麼龍潭虎穴，咱們都要闖一闖！」

練山雄道：「隨便你！反正咱該說的都說了。」說畢，帶著三星寨的人離去。

羅萬鈞指著喬小七道：「要不是喬小七機警，後果可不堪設想。我決定升他為副鏢師，加銀五成。」喬小七喜出望外，忙著稱謝。他倒不在乎薪餉職位，但一升副鏢師，勞役輕了許多，更無須再守夜。歡喜之餘，斜睨一眼古劍，只見他四肢癱軟，靠坐在樹幹旁，一臉沮喪，一個人低頭怔想：「我這是什麼劍法？為什麼擋不住幾個小嘍囉？躲不過一個普通山賊的一招半式？……」

喬小七過來扶著古劍，柔聲道：「你還受得了嗎？要不我幫你奢幾兩銀子，自己走回家吧！」

古劍顫聲道：「你們不要我？」忽然想起以前習劍時老是被人趕走的狼狽樣，十分難過！

羅萬鈞道：「你這番受苦，說來也是一心求好，我不怪；只是你現在這個樣子，還能趕路嗎？」掏出三兩銀子遞給古劍道：「這就當作酬勞吧！如果不是吃這行飯的料，還是別勉強。」

「莫非我又要重蹈覆轍，一輩子都半途而廢？」想到這裡，他沒接銀子，掙扎著起身，正色道：「總鏢頭，請您再給我一次機會！我保證不再拖累你們。」

羅萬鈞見他神情堅毅，也不便再多說什麼，點頭答應，把銀子放回口袋。這時天色微明，他轉頭向眾人道：「大夥收拾一下，準備上路。」

眾鏢子紛紛打包妥當，古劍拖著疲憊的身子，依然扛起一頂帳篷三張毛毯，跟在後頭走。

鏢隊浩浩蕩蕩，行不多時，開始進入劍門山。但見四周奇峰插天，群山陡立森然如刃，羅萬鈞要大夥提高警覺，此時若有強人阻道，絕無退路。

果然行不到數百步，赫見一票山賊擋道，占滿狹路。立在最前頭的五個人都生得高大精壯。眾人心知不妙，紛紛卸下鏢貨，取出傢伙全神戒備。羅萬鈞問道：「你們要幹什麼？」

那五人互瞧一眼，放聲大笑，一個牙齒既暴又黃的賊頭笑道：「要幹嘛？我們素不相識，總不會沒事跑來和你接風洗塵吧！羅總鏢頭，你要走這趟鏢之前，難道不先打聽一下咱們清風五虎嗎？」

羅支平越前一步，指著一個顏面黝黑的人道：「你是黑面虎吉星金。」指一個雙眉雪白者道：「你是白眉虎張采連。」指一個眼珠泛青者道：「你是青眼虎蔡生令。」指一個髮毛殷紅者道：「你是赤毛虎熊大勇。」指一個牙齒暴黃者道：「你是黃牙虎談十利。」這五人容貌有幾分神似，卻各有異相，十分容易辨識。

原來這五個賊頭雖不同姓，卻是半個親兄弟。他們的母親嫁了五次，分別剋死了五任丈夫，各留下一子。這五個人互不服氣，都說自己的爹才是母親最崇敬的漢子，為此從小爭辯到大，也打鬥到大。為了要打贏別人，各自學了一手功夫，開山立寨之後，歷經多次生死患難，感情倒好了起來，只是不分長幼的習性還在，只好輪流做大寨主。

白眉虎張采連笑道：「你打聽過咱們還敢硬闖？勇氣可嘉。」

羅支平啐道：「幾隻病貓就唬得住人？那我們安西鏢局還走什麼鏢？」

青眼虎蔡生令笑道：「少鏢頭真愛說笑，把我們五人說成病貓。就算是病貓吧！也能抓到笨老鼠。」說完眾盜都笑了。

羅萬鈞冷哼道：「是虎也好，貓也罷，我『千手刀』走鏢數十年，從來也沒被這些畜生嚇破膽，你們想硬奪鏢貨，得先問問我手上這把大刀。」他一面細察情勢，此處兩面陡山，道路狹窄寬不過數丈，且這五個賊頭一副精強力壯的模樣，這一關就算能過，也會是場硬仗，嘴巴死硬，其實心下惴惴。

赤毛虎熊大勇道：「鏢局硬手，本來咱們做這種買賣的，對鏢局的貨興趣缺缺；但如今時局艱困，往往等了一整年也沒見幾頭肥羊上門，為了弟兄們的生計，也只好冒險一試。」

黃牙虎談十利道：「但咱們清風寨向來有個規矩，過往路人，若肯交出一半家當，本寨必定待之以禮，決不傷人。」他滿口漬黃暴牙說起話來十分難看，但輪到該他開口時，絕不少說兩句。

羅萬鈞還沒罵出話來，卻聽喬小七噗哧一笑，談十利怒喝：「你笑什麼？」

喬小七笑道：「給了你們一半，那往後再遇強人，是否又再給一半？」

白眉虎張采連道：「這樣最好，你們永遠都還剩一半。」說得眾盜大笑不止。

「你們總算有點良心。」喬小七笑著對羅萬鈞道：「總鏢頭，待會咱們也別趕盡殺絕，殺一半的人就好，這樣他們多搶幾個鏢局，也總會留下一半的活口。」這會兒換成鏢局的人笑了。

黑面虎吉星金把手上鐵棍重重往地上一插，入地數寸，這棍頭平圓，地又早被人踩實，他還能一口氣將之插入，顯然神力驚人，眾賊盜無不拍手叫好！喬小七吐吐舌頭，似乎十分驚駭，說道：「大老虎果然名不虛傳，不知另外四位是否也有如此功夫？」

聽他這麼一提，張采連大喝一聲，雙手各握一只八稜銅鍾，猛擊鐵棍兩旁硬地，竟將鐵棍彈起數尺之高！這鐵棍筆直彈起，將落未落之際，驀地裡蔡生令一只流星鍾飛來，「噹」一聲正中棍心，五尺長棍晃也不晃，依然與地面保持垂直，朝著三丈外的熊大勇疾速飛去。他早有準備，手中狼牙棒揮出，這次倒是故意打偏，只見鐵棍像車輻一般在高空急旋，劃出一個又高又大的圓弧，對著談十利身上墜下。談十利急舞雙斧，在棍心兩邊不斷來回拍擊，使之保持旋轉而不落地，鐵棍愈轉愈緩，待差不多時，稍施巧勁，碰回吉星金手上。吉星金手握鐵棍之際，立刻揚起震天價響的喝彩聲，每個嘍囉都大聲叫好！

羅萬鈞心中一寒，思道：「看他們耍這幾手，有的力猛，有的勁巧，確有一番功夫，看來今天不免一場惡仗。」他有些後悔沒有事先打點好，但如今事到臨頭也不能退縮，否則這張老臉要往哪兒擺？

眾鏢子沉默不語，只有喬小七賣力鼓掌，分別將五枚銅錢丟給五虎，笑道：「表演得真好，這一套若拿到京城賣藝，必可以賺到很多賞銀。」

這套技法，五兄弟的確練了無數次，每當攔路打劫時，見者無不大駭，乖乖把銀兩奉上，不料今日卻有人將他們引以為傲的神技，奚落成江湖賣藝的把戲。五虎個個怒形於色，張采連把銅錢重重扔掉，擎起八稜錘，斥喝道：「氣死人了！大夥上吧！可別放過半個……」

「慢著！」赤毛虎熊大勇急道：「老二，這個月輪到我當頭，你又忘了！」

張采連拍著腦門道：「啊！已經是三月了，我倒沒留意！」後退一步，收起八稜錘。熊大勇舉起狼牙棒，喊道：「氣死人了！大夥上吧！可別放過半個人……」喊的倒也沒什麼不同。

緊接著一陣殺聲，眾盜紛紛亮出傢伙，朝鏢隊衝殺過來。眾鏢子仍是圍成一圈，羅萬鈞單刀獨鬥張采連和談十利，一人雙手急揮八稜錘，一人兩臂狂舞劈山斧。羅萬鈞不愧是著名鏢頭，竟把沉雄穩厚的大刀使得活龍活現，兵器上以一敵四，仍是絲毫不讓。吉星金挑上了羅支平，長棍對上彎刀，一個勢強一個器利，堪堪打成平手。蔡生令流星錘穿梭來去，與趙敬、何六發纏鬥在一塊。

剩下熊大勇，他是本月當值寨主，可不願挑軟柿子，日後被兄弟嘲笑膽小。睜大眼搜尋一會，找到一個帶劍的傢伙，心想當今高手多半使劍，這人看來雖平平無奇，但既然敢用劍，武藝多半不會差到哪兒，遂揮舞狼牙棒往古劍身上斜砸過去。

這狼牙棒來勢猛惡，古劍心中一驚，不敢以薄劍碰之，後退半步躲了開去。其實熊大勇的狼牙棒講究勢猛力剛，招式倒不稀奇，「無常劍法」中有好幾招可以輕易化解；但他昨日一敗，信心早已喪失殆盡，又見對方寨主親臨，未戰先怯，早忘了該如何冷靜，只一味閃躲，竟不知如何還招？

古劍一路敗退，熊大勇步步進逼，眼看著就要露出一個大縫，如今他也知道鏢局這圍圈禦敵的陣勢，絕不能讓任何人闖進圈內，今天不能再當累贅，無論如何也要守住這個缺口，挺劍往前直劈，長劍碰上了六、七十斤重的狼牙巨棒，只覺手臂一震，長劍差點脫手而出，但他悍然不讓，改用雙手握劍，和熊大勇噹噹噹硬拚起來。他劍輕力弱，對手卻器沉力猛，正是以己之弱，攻敵之強，犯了大忌。

只因當初古劍創思「無常劍法」時，想的都是如何破解各式劍招，如果對手使的是劍，或許可以很快找到相應之劍招，但如今面對這種怪異兵器，心一慌意一亂，「無常劍法」十不剩一，竟變成了「失常劍法」！

然而古劍勇悍異常，連封了數十劍，震得長劍缺口處處扭曲變形，雙手虎口都裂出鮮血仍打死不退。熊大勇也被他弄得焦躁起來，他這狼牙棒講究的是大開大闔，但這眾人圍成一圈攻戰，每人相距不過數尺，彼此互相拘束，無法盡情施展他的絕招妙著。

眼前這人武功稀鬆平常，竟然那麼久仍拾奪不下，可真丟透了他這個大寨主的顏面！想到此處，熊大勇後退一步，一聲長嘯，埋伏在兩側山頂的嘍囉將巨石推下。緊接著轟轟巨響，兩邊山壁各有十來塊大石滾滾而下。

這些石頭少說也有兩、三百斤重，轟轟隆隆朝著鏢局的防線急滾而下，眾鏢子紛紛避讓。古劍沒聽到滾石聲，當他發現時，有三顆巨石，正朝著自己滾來，前面兩顆在他兩側貼地滾過，後面那顆被凹凸的地表彈起兩尺高，朝著他肚子撞來。古劍左閃右避都不成，眼看要被撞成肉餅，此時也不知哪來的急智，拋下長劍，一個鐵板橋疾倒，順手在巨石左下方一托，將石頭向右微偏，往熊大勇胸口飛去。這石來得突然，熊大勇避無可避，奮起全身氣力，雙手舉棒往巨石擊去。

只聽到一聲巨響，這顆山豬般大的巨石竟被熊大勇劈成兩半，石屑四濺，彈在他臉上身上，手上則因巨大的撞擊而虎口傷裂，這顆石頭是有些軟脆，但也得有驚人的神力才能一棒打碎。

方才為了躲避巨石，鏢隊一陣混亂，有幾名趟子手一個分神，立被砍傷。待巨石滾過，羅萬鈞叫道：「大夥別慌，把圈子縮小，別讓土匪給鑽進來。」眾鏢子訓練有素，很快把缺口補上，齊力向外抗敵。但熊大勇已跳進圈內，如果古劍絆不住他，每個人都會腹背受敵。

熊大勇全身多處被碎裂的石屑刮傷，紅一塊腫一塊，鐵鑄的狼牙棒竟也出現裂縫，倒刺震落大半，他拍去身上石粉，狠狠盯著古劍，慢慢走近。古劍撿起長劍，緩緩起身，與熊大勇相對而立，他的左臂也被巨石擦傷，鮮血直流，目不轉睛瞧著對手，心中惶慄，不斷告訴自己要冷靜，別被他嚇了！

熊大勇猛喝一聲，一棒接著一棒往古劍身上招呼，他學這狼牙棒除了練出一身蠻力外，也有一套招式變幻，現在正要好好揮灑，古劍雙手酸麻，這回長劍不敢再與之硬碰，一面閃躲一面伺機還劍，但總是閃躲的時候多，出劍的時候少，驚險萬分！

羅萬鈞餘光一瞥，見古劍躲得狼狽，不知還能撐多久？猛吸一氣，忽將大刀交至左手，往談十利右臂砍去，談十利沒料到這招，急縮右臂，仍被劃了一刀。此時張采連看到空檔，欺前一步，揚錘朝羅萬鈞右手砸去！只聽「噹」的一聲，卻打到了刀背。原來羅萬鈞早將大刀交回右手，反手持刀，擋住了這一錘。

他外號叫「千手刀」，可不是說有一千隻手，而是指他換手使刀的絕技出神入化，時而左手，時而右手；時而正握，時而反持，耍得既快又險，讓人措手不及。這套「千手刀法」講究出奇致勝，卻不夠穩健，易傷敵，也易最曝險，要不是看古劍撐不下去，可不願輕易冒險。他雖用刀背擋住張采連那一錘，但那一錘力貫千斤，藉著刀背傳到手臂，震得他又痛又麻。

他豁了出去，「千手刀法」連綿而出招招奇險，只想快點解決張、談兩人。但這兩兄弟平常就特別和睦，經常一起練武，培養極佳的默契。他們知道再拖久一點，待熊大勇解決那個使劍的傢伙，便可內外夾擊，將鏢局打得潰不成軍。兩人並不貪功，相互照料，羅萬鈞愈急愈難如願，數十招一過，竟是莫可奈何。

古劍驚惶未定，邊打邊讓，左騰右閃，不過十來招便被一顆石頭絆倒，熊大勇大喜，高舉狼牙棒，正要將他一棒打爛。就在這危急時分，古劍忽見他下盤有極大空檔，想也不想一劍橫削，在對手雙腿各劃一道深痕，要不是劍鈍手軟，這一劍已將其雙腳切下。

熊大勇著地而滾，一摸雙腿，還好筋骨未損，只是血流不止。他撕下衣袖，綁腿止血，古劍沒有趁這時候再攻，默默回想方才的一招一式：「這人出招看似猛惡，其實破綻不少，隨手一招『無常劍法』都可破解，怎麼我就是忘了？」有了這個體悟，心情寧定許多，開始有一些把握。

熊大勇一時輕敵為人所趁，急著討回顏面，一綁好雙腿便跳將起來，二話不說，又朝古劍掄棒打去。古劍側身避過，同時還了一劍，熊大勇見來劍巧妙，向著自己手腕刺來，急忙收手，一個迴旋，身子半曲，巨棒貼地，向古劍下盤掃去，古劍一躍而起，長劍改刺頭部，熊大勇只見劍尖朝臉而來，嚇得往後急滾才驚險避過。

熊大勇上一次吃虧，流了幾滴鮮血，認為是自己疏忽，並不在意，這次倒驚出一身冷汗，心想：「這個貌不驚人的傢伙，看來還是有幾分功夫，可得小心應付。」他收起輕視之心，起身再戰，這次不求狂攻，一招一式，中規中矩將習練多年的「伏虎棒法」使將出來。

這麼一來，破綻倒不明顯！古劍畢竟生嫩，疏懼疑慌未能盡除，劍法施展未達應有的一成，一晃眼又落居下風，閃躲多於還劍，屢遇險招。

然每到千鈞一髮之際，一種求生意念又激起潛能，讓古劍在最後一剎那間使對劍招；

一旦危機暫解，又恢復原先的荒腔走板。就這樣起起伏伏打了數十招，弄得兩邊都心焦不已。

熊大勇「伏虎棒法」使得再精熟也不過是三十六招，使完之後只得重來一遍，古劍慢慢看清來招，出招漸趨穩健。第一遍時，他十招還不到兩招；第二遍使到後來已是有去有還平分秋色；到了第三遍，前招未完，已能預料他後招走勢。這時熊大勇要得再急再猛，也無法威嚇到他，還屢次中招，要不是長劍彎曲變形入肉不深，且古劍無意殺人，所刺均非要害，他早該躺下了。

另外四虎眼看著自己兄弟從穩操勝券轉為落居下風，這回換成他們著急，吆喝著眾人猛攻，但鏢子們守得嚴密，沒給他們半點機會。張、談二人應付羅萬鈞本就吃力，這麼一慌更是難敵，羅萬鈞「千手刀」愈使愈順，兩人暗暗叫苦，也不知還能撐多久，但熊大勇身陷敵陣，又不能一走了之。

這時候忽聞右側小山上有個沙啞的聲音道：「看來這五隻老虎快被打成病貓啦。」這人一開口，雙方人馬都霍然一驚！羅萬鈞趁空瞥了一眼，兩側小山黑壓壓站滿了人，全是強盜，看來比清風寨的陣勢還強過幾分，心中一沉，這下子可真是完啦！

只聽另一個高亢的聲音道：「大哥說得是，照鏢行的規矩，只要動了手，就不能輕易放人，我看這五隻病貓，能剩三隻回家可就萬幸囉！」

那沙啞的聲音道：「沒法子，去年咱們『明月寨』曾邀他們入夥。當時若答應，今天人多勢壯，何愁拿不下一個小鏢？」

那高亢的聲音道：「唉！咱們現在想幫忙，又怕人說咱們撿便宜坐收漁翁之利，傳揚出去，也不甚光彩。」

那沙啞的語音道：「就是這麼為難。咱們現在實在不宜出手，除非……」高亢的聲音問道：「除非什麼……」

卻聽吉星金叫道：「別再說啦！快點出手幫忙，這批鏢貨全給你們。至於併寨之事，日後再談。」

高亢的聲音笑道：「這批貨本來就是咱們的。等他們把你們殺個精光，咱們再殺光他們，還怕這些金銀珠寶自己長腳跑掉嗎？」

張采連叫道：「你這不是趁人之……唉呀！……」他話還沒說完，左手臂已被大刀砍中，左手上的八稜錘落地，剩下單錘，與談十利聯手的雙斧雙錘陣漏洞更多，愈加抵擋不住羅萬鈞凌厲變幻的「千手刀」。

此時高亢的聲音喝道：「到了這個地步，你們還要逞英雄嗎？我數十聲，不願併寨的人，大聲叫出來，否則就當你們全都答應。」他知這幾個兄弟都死愛面子，要他們親口認輸，可比登天還難。說完自坡上一躍而下，輕功不凡，飄然落在圍圈內，他手持長劍，準備隨時接替最危急的熊大勇，緊接著數道：「一、二……」

羅萬鈞見此人露出一身絕佳輕功，知道這票山賊更難對付，心想：「今天決不能讓他們雙寨聯手，否則我方必敗無疑。」隨即當機立斷沉聲喊道：「停手！」他老謀深算，瞧出「清風五虎」無意併寨，對明月寨趁火打劫之行無不憤懣；倒不如趁現在雙方均無嚴重死傷之際握手言和，以免「明月雙龍」坐收漁翁之利。

他這一聲「停手」喊得聲沉氣足，蓋住那人的數數之聲，不只眾鏢子全退一步，清風寨眾也無心再戰，都止住激鬥，只有古劍例外。

他什麼也沒聽到，只看到一個持劍的人突然跳了進來，在一旁虎視眈眈的瞧著自己，看來隨時要加入戰團，而熊大勇十分勇悍，身上被刺了十來劍仍死纏著不放。古劍心想：「這持劍之人看來絕非善類，我得快些把這舞棒之人打退，別讓他們聯手起來。」他看到一個破綻，加了力道，打算一招退敵，重創對方手臂。

熊大勇高舉狼牙棒，本欲朝著古劍斜砸過去，聽到羅萬鈞的聲音，知道他有求和之意，便凝在空中不動。哪知古劍竟不理他總鏢頭的呼喝，長劍逕往自己身上招呼！

古劍算準這時出手，在對手招式用老之際，長劍剛好刺中他右臂。哪知熊大勇忽然止臂不動？這一劍刺出，將會刺穿右胸，哪還有命？他無意殺人，但說到收發自如的功力可差得遠，只卸去一半的力，鈍劍還是刺中了熊大勇的胸口，他覺得入肉不深，卻見熊大勇應聲而倒，一命嗚呼。

這麼一來，五虎寨眾盜譁然，乒乒乓乓又和眾鏢子打成一團。吉星金嘶吼著道：「戴寨主、高寨主，你們幫忙把這些人殺光，咱們五虎任您差遣！」激動之下，竟忘了只剩下了四虎。

「明月雙龍」之鬧江龍戴任，矮小精壯，拿出一把鬼頭刀笑道：「你們早說不就好了！讓開，由我來對付這個老傢伙。」替下張采連及談十利，與羅萬鈞刀對刀，一般的沉雄穩辣，絲毫不讓。

翻天龍高天翔，身形高瘦，使的也是一把劍，他看古劍的劍法有幾分怪異，早已心癢難耐，沒等人家開口，一劍便向古劍刺去。

古劍第一次殺人，無論死的是什麼萬惡不赦的盜匪，仍令他心神激盪，不能自已！這時忽見一把長劍當胸刺來，想也不想回了一劍，刺向對方手腕。

高天翔嚇了一跳，這一劍回的方位、時機都拿捏得恰到好處，趕緊退步縮手才免去一劫。他本來還有一點小看古劍，出手十分大膽，想一招就取他性命，好讓這些新夥伴瞧瞧二寨主的手段，如今卻盡收輕視之心，一劍一劍，小心謹慎的試探對手能耐。

這兩個主戰陣陷入僵局，其他的鏢子卻是岌岌可危；其實光憑明月寨的實力即可奪下這趟鏢貨，布下這個局，是想藉此併吞清風寨。他們今日如此壯大，便是靠不斷的併吞其餘小寨而來，除戴、高二人外，另有六個其他小寨投靠，這些小寨原來的寨主也有一些功夫。鏢局其他的人，要應付幾個勢如狂漢的「清風四虎」已大感吃力，現又加上明月寨的眾高手，不知還能撐多久？

他們節節敗退，受傷的人愈來愈多，所圍的圈子愈縮愈小，羅萬鈞「千手刀」愈舞愈急，然戴任守得嚴密，讓他始終占不到上風，過不多時，何六發、羅支平先後受傷被俘，鏢陣大亂，潰不成軍，倒是原本最令人擔心的古劍還完好無傷。

高天翔身法輕盈，在古劍左右穿梭來去，論招式要比熊大勇高明許多；但他使的是一套劍法，正中古劍口味，且其慢慢回神過來，漸入佳境，「無常劍法」的妙招愈來愈多，若非長劍變形嚴重使來極不順手，或許早已分出勝負。

羅萬鈞雖慌不亂，衡量情勢，眼前只有他和古劍有逃脫的機會，他邊打邊解開一直綁在身後的「龍吟劍」，向著古劍擲去，古劍忽見總鏢頭丟來一把長劍，伸手接下。

這把劍燦然生光，任誰也看得出來是把鋒利尖銳的上上好劍，他利劍在手，信心突增，唰唰三劍，把高天翔逼得連退五步。這時忽見喬小七奔來，對他比個衝殺出去的手勢，古劍點頭，拉住他的手尋找弱處，見羅萬鈞正被三名高手圍攻，情況危及，此時只想著要解總鏢頭的危難，心中沒有雜念，「無常劍法」一劍接著一劍，竟是招招精奇狠穩，先逼退戴任，又重創另兩名頭目，三人併肩，一道衝殺出去，刀狂劍銳，眾盜紛紛退避，眼看就要殺出重圍，喬小七忽然一個踉蹌，癱軟倒地。

古劍想把他抱起，卻見眾賊首紛紛殺來，羅萬鈞見勢不可為，硬將他拖走。

一口氣狂奔數里，看到一鋪荒野茶亭，二人又累又渴，隨意坐了下來。羅萬鈞憂心忡忡，低著頭一語不發，古劍想出言安慰，卻不知該說什麼，自己主意叫了兩樣小菜與清茶，兩人相對無言。

茶點很快送上，羅萬鈞卻完全沒想動箸，古劍斟好茶水，將碗筷遞給羅萬鈞道：「總鏢頭吃吧！吃飽咱們再想法子救人。」

羅萬鈞緩緩抬起頭，忽然起身扼住古劍肩頸道：「你到底是誰？為何來這裡走鏢？劍法怎麼那麼怪？」

他冷不防丟出三個莫名其妙的問題，古劍不知從何答起？只吶吶的道：「我……我是古劍，喬小七介紹我進來。您……您忘了嗎？」

羅萬鈞鬆手，頹然坐下道：「喬小七也是禍水，從你們加入之後，就沒好事發生。」

古劍不明白他為何要把喬小七說成「禍水」？他想一定是自己犯了什麼錯，拖累於他。便道：「是我不好，您別怪他？」

羅萬鈞睜著那布滿血絲的雙眼罵道：「當然是你的錯，要不是你這個聾子殺了熊大勇，害我一個鏢局得同時對付兩個大寨，怎會敗得如此淒慘？」他本來十分謹慎，如今乍逢巨變，不禁愈說愈是激動，絲毫沒在意鄰桌還有幾名客人。

古劍想起自己殺了人也是心中怏怏，放下茶杯低聲道：「我無意殺人，當時確有卸力收劍，照說那一劍該砍不死人，卻沒料到……」

羅萬鈞眼睛一亮，抓著古劍肩膀道：「此話當真？」

古劍道：「我不明白為什麼大家打到一半突然停了手？」

羅萬鈞道：「那是我叫大家『停手』……」

他簡短敘述當時情況，古劍才知道自己又闖了一個大禍。顫聲道：「我沒聽見您的口令，但實在不想殺人，無奈劍鈍力淺，卻還是……我真的很意外！我瞧著手上那把鈍劍，也只有劍尖一點血跡而已。實在想不透一個如此精壯的七尺大漢，竟這麼挨不起？」

「可惡！這全是高天翔搞的鬼！」羅萬鈞拍桌道：「我當時沒有特別留意，現在仔細回想，還真有那麼回事。在你砍中熊大勇的同時，他藏在袖子裡的左手，有微微動了一下，想必是在彈發某種細微暗器，而暗器上餵了劇毒，能讓人瞬間昏迷。喬小七多半也是中了這種暗器，才會突然昏倒。」

古劍點頭道：「我與他交手數十招，始終沒見他露出左手，這其中確有蹊蹺。」

羅萬鈞掏出一錠銀子道：「你去鎮上買馬，連夜快馬把你手上的『龍吟劍』送到成都百花莊，並拜託莊主洪承泰幫忙，如果百花莊肯出面調解，衝著『百劍門』的面子，這群山賊非放人不可。」

古劍道：「那您呢？」

羅萬鈞道：「我得留在這兒，與他們繼續周旋，看能不能多拖個一天兩天。唉！事到如今，也只能盡人事聽天命。」

這時忽聞鄰座有人笑道：「何必如此？不如今夜攻上山寨？暢快再打一場！」說話的人扔來兩只酒杯，各盛了九分滿的水酒，竟一滴不溢！

羅萬鈞看這手巧勁，心知此人絕非泛泛，便起身敬酒道：「在下安西鏢局羅萬鈞，不知閣下尊號？」

那人也起身回敬道：「久仰大名，在下陳弓。」

羅萬鈞驚道：「您是京城快腿陳弓？」

「正是。」陳弓升上千戶還不到半年，沒想到在外地也有人知道他的名號，不禁有些得意，笑道：「羅總鏢頭果然見多識廣，竟然連在下這種微不足道的小人物也聽過？」

羅萬鈞道：「您過謙了。老夫走鏢三十年，到過京城不下十次，大名鼎鼎的錦衣衛四大統領、十四千戶，雖無緣高攀，但每一位可都如雷貫耳，怎能不知？千戶大人不遠千里而來，不知又要抓什麼要犯？」他話中帶刺，其實是說這些人經常濫殺無辜，為虎作倀，名氣雖響，可全是惡名。一般正道人士，不屑與他們有所牽扯。

陳弓卻似沒聽出來，仍笑道：「小事一樁。我們幹這一行的，拿朝廷的糧餉就得替皇上辦事。方才不慎聽到兩位談話，似乎遇到了什麼大麻煩？大家都是武林同道，若有需要幫忙，總鏢頭千萬別客氣。」

羅萬鈞猶豫起來，陳弓的武功強過自己，身旁幾名親衛也非庸手，若有他們相助，眾人趁黑突襲明月寨，勝算不小。但錦衣衛怎麼可能無緣無故幫人？到底有何圖謀？

陳弓見他遲疑，又道：「我保證一旦救出人，絕不會跟你索求任何鏢貨或酬金。您還擔什麼心？」

羅萬鈞心想：「管他要什麼？現在已是最壞的情況，頂多再賠上我這條無用的老命罷了，何不試試？」擠笑說道：「陳大人若肯協助，可真是求之不得。您幫了這麼大的忙，老夫豈有吝嗇之理？」

兩人說定，吃飽便在附近找個隱密的樹林休息，有一句沒一句聊一些無關痛癢的話。古劍十分疲累，沒多久便呼呼大睡。

入夜之後的明月寨燈火通明歡鬧異常，寨裡殺豬宰羊，準備迎接新入夥的弟兄，寨前廣場橫七豎八擺了數十張長板桌，除了明月寨本身及保留給清風寨眾之座位外，還邀宴附近其他小寨的寨主，這群寨主眼見連清風寨都要被明月寨給併吞，早晚也會輪到自己，對這場飯酒，沒人敢不吃。這十一寨寨主，雖不願意，仍各自帶著幾名親信頭目，全都到齊。

飯菜上桌，眼見酉時已過半，才有守寨嘍囉來報：「報……報告……寨主，那五位新……新頭目來……來了。」

戴任皺眉道：「怎麼才五位，不是說好全寨的人都帶來嗎？」

小嘍囉道：「不……不知道。那五位新……新頭目的臉……臉色……」這個小嘍囉天生口吃，話沒說幾句，清風五虎已經到了。不等他說完，大家都瞧得出來，這五兄弟的臉色並不好看，走在最先頭的卻是熊大勇，他果然沒死，大老遠便氣呼呼喊道：「不併了！不併了！你們耍詐！」

明月寨想併吞左近各寨的野心，早已昭然若揭，唯一能擋得住他們一時的只有清風寨，一聽他們說不想併寨，應邀而來的各小寨寨主無不暗喜，只要清風寨多挺一天，自己這個寨主就可多幹一天。

高天翔笑迎上去，拍肩道：「熊兄弟還那麼生龍活虎，今晚可真是喜上加喜！」熊大勇抖去他的手，拿出一支銀針，喝問道：「這是你的嗎？」

高天翔臉色略變，道：「怎麼料定是我？而不懷疑那個使劍的傢伙？」

熊大勇搖頭道：「不是他。憑良心說，那小子的劍法有些邪門，若他有意殺人，根本用不著這小玩意。」

吉星金道：「而且他們同夥，跑到一半突然昏倒。不是你的毒針，難道是他們自己人打的？」

張采連道：「當時你怕我們一旦和羅萬鈞談和，就不會答應併寨之事，才出此下策吧！」

蔡生令道：「兩位若是真能服眾，叫我們做小弟也行。可是如今你們用如此卑劣的手段逼人就範，嘿嘿，咱們可不是笨蛋！」

高天翔笑道：「五位兄弟果然智慧過人，這根無影針的確是在下所發，但把在下說成卑鄙小人卻是不該；想想看，今日若非我們及時趕到，你們還能全身而退嗎？」這「清風五虎」被人誇讚聰明倒是極為罕有的事，本來繃得緊緊的臉都不禁和緩下來，對他後面的話，都忘了該如何反駁。

接著高天翔取出一個鐵盒，打開上蓋，露出兩根細針，一金一銀，各有一組簧片及機關。按下左邊發出金針，按下右邊發出銀針，說道：「金針浸的是『七步歸魂』，銀針浸的是『三步迷』。如果我們沒有誠意，為何不用金針？讓熊兄弟永遠醒不來，死無對證，你們未必發現得到？」他說得也有幾分道理，「清風五虎」各自交換眼神，仍不甘心就這麼被併吞。

談十利道：「無論如何，你都不該對五弟發那一針，今後要咱們如何信任？」

高天翔道：「這麼說來，你們是打算食言而肥？」

吉星金哈哈笑道：「高老二，你還記得我早上怎麼說的嗎？」

高天翔道：「你說把這些人全殺光，便任我們差遣。你真要殺人，咱們就殺給你看。」說著跨幾步躍至角落俘虜安置處，舉劍要斬人。

卻聽熊大勇道：「我又沒死，你幹嘛殺人？」

吉星金道：「殺了他們又有何用？你們還漏了兩個人，那就不是全殺光。」

「這……這……」他這麼一說，倒讓能言善道的高天翔一時語塞。當時吉星金的確是說請他們把鏢局的人全都「殺光」，才答應併寨，如今跑掉兩個人等於未完成，清風寨何須履行諾言？

這時一直保持沉默的大寨主戴任忽然開口道：「吉兄言之有理，我們沒能完成你的條件，貴寨有權拒絕併寨之議。其實各山寨若要合併，得要彼此心甘情願，本寨從無強併各寨之意。今日之事，還請各位見諒，但若非『淨幫』的『花子』就要到了，我們也不會做得如此急躁。」

此話一出，所有大小寨主無不變色，「黑雲寨」寨主秦日月手上的酒杯「哐」的一聲，掉落地面。

所謂「花子」，指的是自行閹割，卻未能選入後宮的閹人。

明神宗萬曆晚年，為了立太子之事與群臣爭鬥不休，荒於政事，已現暮氣，碰上幾個荒年，多出不少窮困潦倒的人。進宮當宦官雖被人瞧輕，卻可保衣食無虞。運氣好的，有享用不盡的榮華富貴，甚至可以擁有那些寒窗苦讀、朝夕練武的文臣武將們永遠無法企及的滔天權勢；於是總有一批接著一批的自宮者，像潮水般湧向宮中。

事實上，明宮每隔幾年都要選入兩、三千名新宦官，但抱著運氣擁向禁宮的候選閹人常在數萬左右，十中選一，其餘的只有流落街頭，人稱「花子」。一旦成為「花子」，便沒有人肯讓他們讀書、工作，更沒有武人要收之為徒。這幫人只好在京師附近四處流浪，或群集乞錢，聚眾打劫……

這些花子其實境遇也慘，雖有乞討之實，但丐幫瞧不起他們，另一新興的乞討幫會「殘幫」也不願和他們有所牽扯。曾有一批花子在太行山一帶開山立寨，前來剿滅他們的不是官軍，而是當地的綠林豪強，還說：「你們也來當強盜，豈不汙了咱們這一行？」

忍辱吞聲許多年，不知什麼時候，竟有人傳了他們武功。這些閹人並非個個都是笨蛋，反倒是自宮之後，特別適合修習一些邪裡邪氣的功夫，其中有十三個人練出了名堂，共同創立「淨幫」，人稱「淨幫十三鷹」，各擁徒眾，開始橫行江湖，令人聞之色變。

「淨幫」成立至今，不過兩、三年的事，卻在武林中掀起滔天巨浪。這些人學會了功夫之後，便從卑躬屈膝轉為狂妄倨傲！誰要是得罪他們，或是說一些他們不愛聽的話，輕則斷臂去勢，重則滿門屠戮，殘忍狠辣不輸廠衛。於是有許多人忍不住在背後稱他們為「閹妖」，卻又怕被他們聽到。

為了報復當年剿滅他們的山寨，這幫人最常做的便是「清寨」。在短短半年之內，「淨幫十三鷹」帶領著十三批凶神惡煞，將河北、山東一帶的大小山寨清得一個不留。雖說這些綠林人物，平常幹的就是打家劫舍之勾當，但他們趕盡殺絕雞犬不留的做法，仍引起非議。

所以一聽說「花子」來了，這些平時殺人不眨眼的土匪頭子個個嚇得面無血色，有的急吞一大口水酒壯膽；有的手腳打顫，碗筷差點拿不穩；有的喃喃自語道：「怎麼這麼快？……怎麼這麼快？」

清風五虎雖然心裡七上八下，但大寨該有的風範還保得住，談十利問道：「這是真的嗎？」

戴任沒有直接回答，對著右側一個小嘍囉道：「劉萬財，你跟他講吧！」

這個劉萬財瘦骨嶙峋，臉上鬍子稀稀疏疏，精神委頓，身上到處裹著白布，顯有多處刀傷。他站出來對談十利報告，聲音略顯尖銳：「談爺！小的是川東『神女寨』的人，去年我們寨主做壽，您還有來祝賀呢！也許您不記得小的，但您一口喝下半缸五糧液的豪情，卻讓小的永遠也忘不了！」

這「神女寨」是川東第一大寨，寨裡有三、四百名嘍囉，談十利當然無法認出這個小嘍囉。但一口喝下半缸五糧液，確實是他引以為傲之事，怎麼可能忘記？哈哈笑道：「沒錯！你果然是神女寨的人，你們郭大寨主還好嗎？我可真想和他再拚一次酒呢！」

只聽這劉萬財哽咽著說：「我們寨主死了，我們神女寨的人也死了，我們巫山十二寨的人都死光了，只剩下我這個沒用的劉萬財一個人苟活著……」說到一半，突然下跪道：「我忍辱偷生，千辛萬苦的巴巴趕來報訊，就是盼望各位大爺能團結起來對抗『閹妖』，替咱們十二寨兩千弟兄報仇！」他說到後來竟是泣不成聲，本來極力壓低的聲音，卻在激動中不知不覺愈顯高亢，有如夜梟，讓人頗不自在。

高天翔道：「別哭哭啼啼！趕緊把事情經過和各位大爺報告才是。」

劉萬財依言拭乾眼淚，緩緩說道：「那些閹妖來到巫山之前，咱們已先得到了消息，大寨主立刻邀集其他十一寨寨主前來商量抗妖大計。咱們神女寨雖說是巫山第一大寨，但朝雲寨和飛鳳寨也差不了多少，平常大家誰也不服誰，再加上這幾年來的一些大小齟齬，竟談不出一個結果來。都說大難當頭，大夥應該盡棄前嫌互相結盟；但說到要由誰來當頭，卻是僵持不下，鬧得不歡而散。」

熊大勇道：「這裡可不一樣，只要戴寨主登高一呼，誰敢不從？咱們就結盟吧！只要任一寨有難，發個蜂炮，大家立即趕去支援。」

戴任道：「熊兄弟，到底要合併還是結盟，且聽他說完再做決定！如果大夥不能互信互讓，天天睡在一起也是沒用，又何必併寨？」說完對著劉萬財使個眼色，示意他繼續說下去。

劉萬財續道：「後來有四個小寨投靠咱們神女寨，朝雲寨併了三個小寨，飛鳳寨併了兩個，形成三個大寨。我們三寨相距不遠，說好任何一寨有難，另兩寨得火速趕去支援。大家想說這些閹妖不過兩、三百人，咱們新的三大寨，最小的飛鳳寨也有四、五百人之多，就算打不過，至少也能撐住幾個時辰吧！

「過了兩天，這批閹妖果然來了，先挑上了朝雲寨。那天夜裡，大夥睡到一半，守崗哨的兄弟大叫，說朝雲寨有火光。大家出來一瞧，除了火光之外，還有若隱若現的廝殺聲，從遠處傳來……。寨主要我們著好裝，帶齊兵器，等大家整好隊，點完名，寨主又說了幾句話，隨即率我全寨人馬向朝雲峰走去……」

張采連忍不住道：「豈有此理！這當口還整什麼隊？點什麼名？」蔡生令也同時道：「豈有此理！還有什麼廢話好說？怎麼用走的？」這兩兄弟同時開口，同時詰問，同時說出「豈有此理」，又同時住口。

卻見高天翔道：「原因倒不難推敲，這神女寨與朝雲寨心結未解，故意拖得久一點，最好讓飛鳳寨先去馳援，趁雙方都打得死傷過半精疲力盡時再到達朝雲峰，殺他們個措手不及。如此既可保存實力，又可讓淨幫先將另兩個大寨殺成小寨，神女寨便可獨霸巫山。」

劉萬財點頭繼續說道：「我們大隊人馬往山下走去，只見那火光愈來愈亮，嘶叫殺伐的聲音也愈來愈明顯。大夥還沒完全走下神女峰，那廝殺聲突然全停了，只聽到遠處不知名的野獸斷斷續續的嗚嗚叫著，可能是被那場大火嚇著的。從山上走到山下，不過一炷香的時間，他們竟把整個朝雲寨清光了！我們寨主的臉色一陣青一陣黑，急道：『咱們快去飛鳳寨！』

「大夥隨即轉往飛鳳峰，沒跑多久，便遇到飛鳳寨的人，原來他們也正朝著我們這邊奔來。雙方商議了一會，很快就決定：所有的人退守神女峰。

「大家上了山，連夜趕挖陷阱、製作機關，兩個大寨加起來將近千人，還有什麼事做不好？天才剛亮，便把所有防禦工事弄完，大夥好好睡上一覺，準備晚上轟轟烈烈的打它一場。

「哪知接下來幾個晚上都不見任何閹妖蹤影，兩個大寨的人擠在狹小的神女峰上，大夥心情都不怎麼爽快，彼此間難免有些小衝突。日子久了，小衝突愈積愈多便成了大矛盾，待了將近一個月，想必那批閹妖早被我們的陣勢嚇走啦，飛鳳寨的人遂決定回到飛鳳峰。

「哪知過了十來天，閹妖又回來了。那天夜裡烈焰沖天，我們全被殺聲吵醒，大夥在寨主催促聲下，二話不說，拎著傢伙便往飛鳳峰奔去。

「飛鳳峰和神女峰中間還隔著一條巫峽，分據南北兩岸。我們預先在兩邊山壁上各拉了十餘條繩索，並在兩岸各放了十多條竹筏，如此便可在半炷香的時間之內相互支援。

「大夥很快趕到河岸，力氣大的便一個接著一個抓著繩索攀爬過去，力氣小的便跳上竹筏渡河。不料就在前頭的人快攀到對岸時，十幾條吊索突然一齊斷裂，每條繩索上至少也有十來個弟兄，都掉落在滾滾江水中。緊接著划入江心的十幾條竹筏也紛紛散開，筏上的弟兄瞬間淹沒在巫江之中。天寒地凍，江深水急，咱們還沒渡河，便已折損了兩百餘名弟兄。」

熊大勇忍不住道：「是不是花子們動了手腳？」

劉萬財點頭道：「這批閹妖領頭的叫『天鷹』魏進忠，據說是『十三鷹』中最狠勇奸邪的一個。他們身經百戰，咱們想得到的任何計策謀劃都在對方預料之中，於是預先將綁縛竹筏的繩子解弄半鬆。大夥急著上筏，剛開始還未有感覺，一到江心，在湍急的江水沖擊下便全散開來；另外又在綁縛著吊索的大樹後方埋伏了幾個兄弟，等到我們的人都掛在吊索上，幾記利斧斫下，便索斷人跌。」

淨幫的殘狠眾人早有耳聞，但到底是怎麼個凶法，知道的人並不多。因為他們「清寨」時極少留下活口；如今這些手段從劉萬財嘴巴裡詳詳細細的道來，還沒講完，已經讓這些綠林好漢膽顫心驚。他們倒不怕硬碰硬廝殺一場，而是畏懼這些層出不窮的可怕計謀。

只聽劉萬財續道：「接著我們聽到一串高亢刺耳的笑聲從對岸傳來，一個尖細的嗓音道：『郭大寨主，您可別急！過幾天咱們再來拜訪。』大寨主一怒之下，拿起手上長槍扔過去。這一記長槍含憤出手，力氣竟比平常更大了許多，穿越數十丈寬的巫峽插入發話之人的胸口。兩百多人換了一個閹妖，這趟買賣，總算沒有全蝕本。」他語氣愈說愈是低沉，但聲音依然尖細。

談十利道：「大寨主果然神力驚人，英雄了得，那些閹妖不怕嗎？」他們本來習慣稱淨幫這些人為「花子」，但聽了劉萬財說出這些惡行後，不覺中起了敵愾之心，也跟著叫起「閹妖」來。

劉萬財道：「怕什麼？那幾人之中就有高手，馬上把長槍給擲了回來，反而是我們嚇了一跳。他們知道神女峰陡峭險峻，強攻不易，便在峰下搭棚紮營，埋鍋造飯，要把我們剩下的三百多人，活活困死在山上。

「我們早就備妥半年的存糧和水，不怕和他們耗下去。沒等幾天，這群閹妖就不耐煩了，趁著一個霧氣瀰漫的夜晚前來滋擾。雙方在寨前一場混戰，各有十來人受傷，大寨主還奮勇砍死一個閹妖，眼見強攻的代價太大，眾妖人匆匆退回山下，我們首次逐退敵人，士氣大振，大夥都興奮不已，都說其實閹妖也不怎麼可怕。

「哪知自那夜之後，寨裡的老鼠忽然多出許多，怕有幾千隻，吃我們的糧，喝我們的水，竟是抓不勝抓。」

「這是那些……閹妖放的？」吉星金提問時，嘴唇不禁略微發顫。

劉萬財點頭道：「那些老鼠多半是去鎮上搜羅的，那一夜索戰之目的，其實是要掩護放鼠的人。從第二天開始，寨裡的弟兄經常拉肚子，生病的人也愈來愈多，我們卻請不到大夫也買不到藥；這樣下去，勢必撐不到一個月。

「如此拖了二十來天，大夥看開一切，已不再想說要如何求生，只盼能逃出一個兩個，再去找公義人士為咱們報仇。在一個多霧的深夜，兄弟們痛快的乾了幾杯酒後，接著放一把大火，將多年掙來的金銀珠寶、古玩雜器全都跟著大寨一起燒光，就是不讓那群閹妖得到半分錢。

「趁著火光，大夥抄起兵器，不分前後的往山下衝殺。兄弟們都豁開了，一陣猛衝，差一點給咱們衝出一道缺口……」

說到後來，語氣中盡是唏噓，眾人有些不忍，蔡生令插口道：「畢竟還是讓你逃出來。我看這些閹妖也未必是銅牆鐵壁，不必擔心。」

卻聽劉萬財搖頭道：「我穿著上次死去那名閹妖的緊身黑衫，在混戰中混入了閹妖陣中。夜霧中，眾妖以為我是跟他們同一夥的，沒有盯緊，這才有機會偷偷跑掉。我在鎮上偷了一匹馬，馬不停蹄趕來報訊，希望你們有所防備。」

張采連讚道：「你們能想出這一招，也算了不起；但聽說這群閹妖喜歡夜戰，他們在黑夜中辨識敵我，主要不是憑靠衣著形貌，而是憑靠聲音。花子的聲音非男非女，特別亢亮尖細，一般人學不來，你又是怎麼騙過他們？」

劉萬財靜默半晌，突然脫下褲襠，用一種亢亮尖細的聲音，嗚咽著道：「為了逃出來報訊，我堂堂劉萬財，也變成了『閹妖』……」

群盜們霎時目瞪口呆，不知該說些什麼，卻在稍遠處傳來一聲「啊……」的尖叫聲。眾人循聲看去，發出叫聲的人是喬小七，他和眾鏢子被綁縛在左側角落，尷尬的笑著。

熊大勇喝道：「你叫什麼？」

喬小七斂容道：「沒什麼，只是覺得你們太大驚小怪！少了那東西，也不見得會變成什麼妖怪，宮裡的太監那麼多，也該有不少好人吧！」其實最大驚小怪的是他自己，要不是後面幾句話說得頗為得體，怕少不了一番痛毆。

熊大勇對戴任道：「戴寨主，您放了這些人吧！咱們『明月清風』自身難保，何必為了幾個寶貝多造殺孽。」

戴任喜道：「你答應併寨了嗎？」

清風五虎各自交換眼神，熊大勇點頭道：「形勢比人強，今天不併寨，難道要等明天暴屍荒野？只要您答應善待咱們清風寨的弟兄，咱們也不計較名位。」

戴任道：「那當然！既然大家有緣在一起，都是一家兄弟，豈有區分彼此之理？」練山雄等前來做客的各小寨寨主見此情景，私下交換幾句，也覺得事已至今，不併也不成。練山雄起身道：「戴寨主，若您不棄，讓咱們十一寨也加入吧！大夥齊力同心，共同對抗閹妖。」

高天翔哈哈笑道：「太好了！咱們劍門十三寨就從今夜起合成一寨，我看就叫『劍門寨』吧！總比叫什麼『清明寨』或『風月寨』好聽多了。」說完眾盜都放聲大笑。

笑聲未歇，忽聞一聲磔磔怪笑，這聲音似遠又近，又高又尖，聽得人不由自主的毛骨悚然，眾人只覺得一股陰寒之氣打從心底湧來，笑容全僵在臉上。劉萬財全身抖得厲害，不由自主的跪了下來，那話兒竟關不住尿水，滴滴答答漏了出來，他渾然不覺，牙關不住打顫，喃喃唸道：「來了……來了……怎麼如此快……」

第五章

暴雨

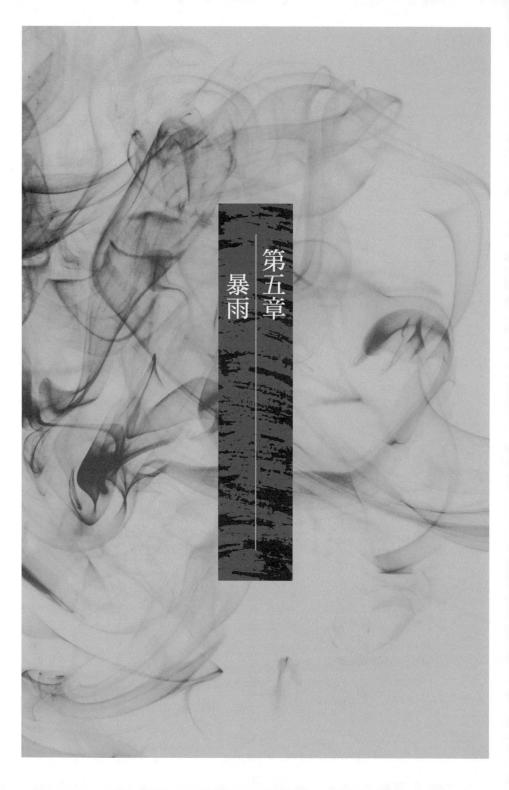

只見一個守在前哨的嘍囉沒命價的跑來，大老遠喊道：「花……花子來了……」

眾盜們個個心中忐忑，僵立不動。戴任大喝一聲：「發什麼愣？還不進去拿傢伙？」眾嘍囉這才有如大夢初醒，像一群無頭蒼蠅般擠進寨內，又過了好一陣子，才紛紛摩肩擦踵擠出門來。前來做客的綠林好漢們都不禁搖頭，思道：「就憑這群烏合之眾，要怎麼對付身經百戰的花子軍？」

高天翔用劍將綁在眾鏢子身上的繩索全部割斷，叫兩名嘍囉把整箱珠寶原封不動抬出來，交給羅支平道：「寨裡只有一個出口，你們自己想法子突圍吧！」

喬小七道：「少鏢頭，這些花子愛財，我們若帶著這箱珠寶，他們恐怕不肯放人。咱們別管這箱，先下山再說吧！」

羅支平打開箱蓋，果然金銀珠寶都還在，少說也值萬把兩銀子。這些珠寶若落在花子手裡，今生可別想再要回來。他實在難捨，便抓一大把塞進衣袋，道：「每個人抓兩把塞進口袋，能塞多少算多少，快！」眾鏢子一人一手，紛紛把珠寶塞進口袋，只有喬小七沒動。就在一陣忙碌間，花子們已經到了。

這群人一口氣從山下奔上來，卻不見任何人喘氣疲憊，井然不紊依序站立。為首的魏進忠身長八尺，面如冠玉，腰圓膀闊，竟是相貌堂堂！卻聽他扯著不男不女的嗓音笑道：「看來我還是晚來一步，讓你們幾個大賊頭齊聚一堂；不過這樣也好，咱們可一次解決，省得麻煩。」

戴任怒道：「魏進忠！咱們『劍門十三寨』的寨主都在這兒，你說這話，未免太目中無人？」

魏進忠笑道：「今天的確棘手些，可能會多死兩名弟兄；但沒辦法，我們清光你們劍門十三寨之後，還得北上陝西，在試劍大會之前，把盤踞秦嶺的三十七個大小山寨清理乾淨。免得他們在這二十年一次的江湖盛會中興風作浪，騷擾百劍門這些正道朋友。」

「放屁！」熊大勇喝道：「誰不知道這幾十年來，咱們三山五嶽的綠林朋友，從沒動過百劍門一根寒毛。你看上咱們的金銀財寶，大家硬刀硬槍的幹一場就是，何必亂編什麼瞎理由？」

魏進忠嘿嘿笑道：「你們這些山賊惡盜，終日打家劫舍，為害鄉里，殺光你們是替天行道，何需什麼理由？」

「日子若好過，誰願意當強盜？」高天翔嘆氣道：「咱們綠林有綠林的規矩，不到萬不得已決不傷人。就算是官府圍剿，咱們打輸了投降，也未必會被處死；哪像你們殘忍嗜殺，卻自以為是替天行道？」

魏進忠也嘆道：「日子若好過，誰願意當花子？說來大家都是苦命人，何必自相殘殺？」這番話說得群盜大感意外，莫非這個閹妖良心發現？卻聽他話鋒一轉，語氣激昂的說：「可是五年前太行山六大山寨一句：『你們不配當強盜』，便聯手將我們『花寨』六百五十七名弟兄殺得一個不剩！這筆帳怎麼算？」說到激越處，聲音拉得更加尖銳，半人半鬼的聲音在夜霧瀰漫的山間迴盪，讓人聽了極不舒服。

戴任道：「這……這已經是五年前的事，何況太行山所有的山寨都被你們清得乾乾淨淨，這……還不夠嗎？」

魏進忠搖頭道：「我們曾經立誓，要清光天下的山寨，除非……」

戴任道：「除非什麼？」

魏進忠丟出一柄鋒利的匕首，道：「除非你們和我們一樣，做咱們『淨幫』的弟兄……」話中之意，竟是要他們自宮！

「放屁！」吉星金罵道：「戴寨主，別跟這些閹妖說這麼多，咱們轟轟烈烈大幹一場。」

魏進忠依然面帶微笑，兩顆陰森森的眼珠直盯著吉星金的黑臉，瞧得眾人不由自主的打從心底泛起一股涼意，過了半晌，才聽他陰惻惻的道：「你是黑面虎吉星金？」

吉星金冷不防打了一個冷顫，答道：「是……是又……怎樣……」

魏進忠笑道：「聽說你的『六合棍法』十分霸道，威震川北。」不等他答話，又對著張采連道：「你是白眉虎張采連，聽說你的八稜錘……」他逐一點名，把劍門十三寨所有的寨主和稍有名氣的頭目都認了出來，就連此人有什麼得意的招術也描述得一分不差。眾盜與他都是初次相見，聽他對自己的一切如數家珍，全都驚傻了！

魏進忠指認到最後，瞥見側邊的羅支平，見他雙目炯然，率領著二十幾名稍有身手的壯漢在牆角處站著，笑道：「至於這幾位英雄，我倒想不起來。不知是何方神聖？」

羅支平拱手道：「在下羅支平，我們是西安『安西鏢局』的人。」

魏進忠笑道：「這可有趣！走鏢的和當強盜的應該誓不兩立，怎麼跑來當客人？」

羅支平道：「不瞞你說，我們是失手被擄上山的。所幸這幾位綠林英雄良知未泯，無條件放我們下山。我看你們雙方都非惡人，彼此更無深仇大恨，何不就此化干戈為玉帛？」

魏進忠笑道：「少鏢頭果然涉世未深，都自身難保，還想替人求情？你爹千手刀羅萬鈞呢？」

「我在這裡！」這聲音從大寨門外傳來，眾人轉頭往寨門一瞧，果然有幾個人疾奔而來，正是羅萬鈞、古劍、陳弓等人。

這幾個人一來到，雙方人馬均感雀躍，認為己方來了強援，陳弓和魏進忠相互寒暄，看來早已熟識。羅、古二人走到鏢隊中，羅支平簡單和他陳述此刻的情勢。只有喬小七憂形於色，把古劍拉到角落道：「待會打起來，咱們別理那麼多，只管往寨門殺出。」

想到喬小七昨天才救自己一命，今天自己卻在他最危急的時候棄之而去，古劍深感歉疚，雖然一時搞不清其用意，還是點了頭。

魏進忠道：「千戶大人，您怎麼和羅總鏢頭一同出現，不知你們交情如何？這堆人個個身上藏滿寶貝，若就這麼放了，倒還真有些可惜；但錦衣衛一向照顧『淨幫』，只要您一句話，我便放人。」

陳弓靠近鏢隊，雙眼對著眾鏢子一個一個緩緩掃過，最後在喬小七面前停了下來，笑道：「你果然躲在鏢隊中。」

喬小七本來低著頭躲在後面，這時卻往前跨一步，仰首笑道：「與他們無關，你來抓我吧！可別牽扯旁人。」

陳弓笑道：「說得沒錯，若不是羅總鏢頭和古兄弟指引，我還不知要怎麼找到你？」他邊說話邊走向羅萬鈞，又道：「陳某和羅總鏢頭雖然萍水相逢，卻一見如故，所以……」這陳弓說到一半，竟猝然發難，一腿踢向羅萬鈞腰際。羅萬鈞哪料到他說翻臉就翻臉，這一腿來得突然，根本躲不開！「砰」的一聲，羅萬鈞重摔倒地，才聽他接著說道：「絕不能放走半個！」雙方立刻殺將起來。

鏢子們紛紛拿起傢伙，圍攻著陳弓，只聽砰砰數聲，一個個摔倒在地，有的中拳有的挨腿，卻都傷得不輕，衣袋裡的珠寶全都彈落在地。羅支平叫大家退開，與何六發、趙敬兩位老鏢師合鬥陳弓，看來也撐不了多久。喬小七拉著古劍要跑，卻被數名錦衣衛圍住。

另一方淨幫花子和綠林群盜的廝殺更是慘烈。花子們漫天叫嘯，聲音尖銳刺耳，與群盜三三五五打殺起來，他們人數雖然少了些，卻個個驍勇，嘍囉們的人數若沒多出一倍以上，很難抵擋得住。淨幫中除了魏進忠外仍有不少能手，與清風五虎及練山雄等人做生死拚鬥。最可怕的還是領頭魏進忠，他的武功高出眾人許多，戴任和高天翔聯手，卻根本絆不住他。

他使一把軟刃怪劍，不把二人看在眼裡，每當兩人逼進，便唰唰數劍將其逼得手忙腳亂，隨即又轉身將附近的嘍囉殺死，就像幽魂野鬼般東奔西竄，晃到哪裡，哪裡的盜眾就得倒下，戴、高二人眼睜睜看著他一劍一劍刺死自己的弟兄，怒懼交加，卻拿不出半點法子！

混戰中，不知是誰打翻火油，木寨劈劈啪啪燒將起來，火愈燒愈旺，映得人人眼紅臉赤。

和古、喬二人纏鬥的五名錦衣衛其實功夫並不突出，「無常劍法」若使得對，一招便可刺倒一人；然而古劍一見人多，心裡便先怯了！有時左右同時有人砍來，慌急之中，不知要先化解左邊那一刀，還是先架開右邊那一槍，只好向後疾退三步，幾次看到漏洞，長劍刺出一半，眼角餘光卻發現身後的刀光，聽不見的人最怕從背後來襲的東西，一個緊張，只想先閃再說，又錯過大好良機。他也知那五人只是庸手，心下十分懊惱，思道：「狐前輩若看到我如此窩囊，非一劍把我給殺了不可！」

羅萬鈞一個人躲在一角靜靜調息，運了好幾個周天才勉強把腰間封住的穴道打開，忍痛起身，眼看兩邊都大居下風，尤其在兒子那裡，何六發已重傷倒地，羅支平也口噴鮮血。

然而，羅萬鈞卻提刀向那五名錦衣衛砍去，一刀一個，一晃眼便砍死五人。他這一提氣用勁，腰又疼得厲害，古劍握住他雙肩道：「總鏢頭，你還好吧？」

羅萬鈞緊緊抓著古劍的手道：「只要不慌張！你的劍法其實比他們都強，別管我們，自己衝殺出去，將這把『龍吟劍』交到成都百花莊。咱們走鏢的，可以丟了性命，千萬不能把信譽也賠去。快走！」他把古劍往外推，這時正好聽見羅支平一聲慘叫，卻是和趙敬同時氣絕身亡！他沒時間哭泣，拋下大刀，轉身撲向陳弓，竟以一雙肉掌與對方纏鬥。

他使的是「撥風掌法」，講究剛猛厚實，在某些場合使出來威力不遜「千手刀法」。

然如今重傷之下以掌法硬接對方硬拳快腿，擺明了是不想打贏，只想多絆住陳弓一時半刻。羅萬鈞每對一掌便吐一口血，古劍不忍再看下去，遂和喬小七並肩往寨門衝殺過去。

羅萬鈞那番話使他信心大增，劍氣忽盛，兩名不知死活的花子擋在前頭，一招就讓他們了帳。古劍親眼看見這些花子陰狠的德性，悲憤之餘，情急之下，出手竟毫不手軟！一旦開了殺戒，接下來就容易許多，後來擋道的幾名花子，他也都在數招之內將其利劍穿心，沒多久兩人便衝到了山寨大門。

有七、八名花子攔在路間，領頭那人也有幾手功夫，但見古劍勢如破竹的殺將過來，心下也怯！未待他欺近，便叫道：「你不管那些弟兄嗎？」

古劍回首一望，鏢隊的兄弟皆死傷殆盡，只剩下兩百餘名山賊還在浴血奮戰。雖然這堆人他半個不識，但習武之人怎能眼睜睜的看著這兩百多人慘遭屠戮而自顧逃命？他一股熱血上沖，對喬小七道：「你先走吧！我得試著救他們。」說罷，挺劍向著最可怕的魏進忠殺去。

魏進忠也注意到了，遂拋下戴、高二人，也往古劍來處迎去。兩人在疾奔中交錯而過，各自交換一記險招，俱都心驚：「好犀利的劍招！」彼此不敢再托大，轉身又對了數招快劍，一時難分難解各有所忌。戴任和高天翔二人隨後趕到，發現有人擋得住魏進忠，喜出望外，揮刀出劍也往他身上招呼。這下有救了！只要三人聯手殺了這個妖首，這群閹妖非散不可。

可是古劍不習慣以一敵多，也不擅長以多對一。有時想攔住對方去路，向右跨步，卻撞上往左跨來的高天翔；有時見到魏進忠露出空檔，挺劍刺去，魏進忠往側邊急閃，他一劍刺空，卻差點傷到正持刀砍來的戴任。這「無常劍法」與那一刀一劍完全配合不來，反而使得礙手礙腳，彼此掣肘，以三打一，卻鬧得手忙腳亂，險境迭生。

古劍索性先退開戰圈，才跨兩步，忽感背後生風，一隻巨腳凌空踢來！他想也不想，長劍撩向那人下陰，終究是慢了一步，「砰」的一聲，把他踢得連退數步。待定睛一看，此人果然是陳弓，他會在此時出現，顯然已將羅總鏢頭擊斃。古劍恨他歹毒，還沒調好氣，便挺劍殺將過去。

而陳弓雖然一招得逞，但剛剛古劍所回的那一劍，方位精準及角度刁鑽之程度，大出他意料之外，那一腿若出得稍慢一些，自己恐怕也會變成「花子」。他驚出一身冷汗，盡收輕視之心，見古劍挺劍狂刺猛削，並不隨之躁進，見招拆招，穩紮穩打，以守勢為主。

「無常劍法」是為鬥劍而創，無論對手劍招有多精妙，只要使對了便不怕。然而他現在的對手，不但不持劍，甚至連個兵器都沒有，倒弄得他不知從何攻起，一輪猛搠強劈，卻連對方衣角都碰不著。古劍心焦不已，瞥一眼明月雙龍，他們在魏進忠怪劍籠罩之下，恐怕撐不了多久。他心愈急劍愈亂，不但傷不到人，反被陳弓乘隙打了幾拳，若非對古劍仍有所忌，保留五分力應變，早將他打得吐血。

激鬥中古劍突然轉向魏進忠處奔去，但跨不到兩步，陳弓旋即一記快腿踢來，他雖有準備，那記飛腿卻快得出乎意料，「砰」的一響，這一腿踢得分外扎實。古劍借勢騰空，像斷線紙鳶般撲向魏進忠處。

魏進忠剛把戴任逼開，正要一劍削斷正躺在地上的高天翔脖子，猛然驚見一人從兩丈之外飛身而來，劍光爍爍，劍勢洶洶。他應變也快，立刻向後急縱，然這也在古劍意料之中，橫劍掃過，利劍在他腰際劃上一道淺痕，同時削斷褲帶，魏進忠忽感下體一涼，趕緊拉上長褲。

宦官也好，花子也罷，最忌諱別人脫他的褲子，古劍這一著無論是有心還是無意，都跟魏進忠結下了八輩子的冤仇；他怒不可抑，一隻手提著褲子，一隻手持劍，如狂風暴雨般刺向古劍周身要害，一招狠過一招。

「無常劍法」不怕快劍，對方劍招愈快愈奇，使劍者愈能激發潛能，自然逼出相應的妙招。兩柄快劍在火光照耀中穿插飛舞，轉眼已過百餘招，一個功深力強，一個寶劍鋒銳，竟是誰也不讓。另一邊陳弓和明月雙龍之戰，一方拳腳俐落，一方刀劍精湛，一時難分勝敗，誰先失神誰倒楣。

眾花子跟著魏進忠南征北討，歷經無數激戰，這還是頭一次見他被人絆住那麼久。在他們眼裡，「天鷹」天下無敵，眾人一向依賴慣了，如今卻見他擺脫不了一個無名小卒的糾纏，不禁聲勢為之一奪，原來漫天的尖聲怪嗚漸漸小了許多；而群盜本被魏進忠嚇得心虛膽寒，這時卻士氣大振，個個奮勇，覺得這些「閹妖」也未必如傳言可怕。雙方本來強弱分明的局面，在氣勢一消一長之後，倒成了僵局。

現在反倒換成魏進忠擔起心來。這座山寨燒得火光沖天，鄰近幾寨的山盜見了，必會趕來馳援，如不能在此之前把這些人殺盡，後果不堪設想！想到這裡，劍勢再變，專走偏鋒，只想盡快了決對手；但愈是心焦愈難如願，急攻之下，還差點被古劍的利刃所傷。

本來晴朗的夜空，卻在這個時候飄來一片厚厚的烏雲，遮星蔽月。過不多時，便嘩嘩啦啦下起雨來，這雨愈下愈大，到了後來，卻似老天爺倒洗腳水一般，瀰天漫地潑灑下來，打在眾人臉上身上，混著血水一起淌流而下。

這場突如其來的暴雨很快把廣場上的火把全數澆滅，就連主寨的火勢也被淋得奄奄一息，整個明月寨忽然暗了許多。這下子換古劍慌了，他聽不到半點聲息，只憑一點微光，反應頓時慢了許多，頻見險招。過沒多久，整個山寨陷入一片漆黑……

花子們忽然「嗚嗚嗚」的鳴叫起來，聲音極為尖細，在伸手不見五指的暗夜中聽來極為刺耳。這詭異嘯聲從四面八方飄來，根本無從捉摸，眾盜正感驚慌，花子們竟摸黑殺來。

這群花子身著黑衣黑褲，臉上、手上、兵器上全塗得一片烏黑，總愛挑夜間攻打山寨。暗夜惡戰對他們來說是家常便飯，什麼狀況沒碰過？自有一套應付的法子，他們在這個時候齊聲尖叫，一來可收擾敵之效，二來不會誤傷自己人。山寨的人沒練過這種聽聲辨位的功夫，只覺得這些怪聲似左似右，忽前忽後，根本分不清敵人在哪個方向，對方利刃砍來，在叫聲和雨聲的掩蓋之下總是慢一步察覺。於是哀號聲、慘叫聲此起彼落，雨水混著鮮血往山下氾流……

暴雨未止，悲鳴之音和嗚嗚怪嘯卻先停了。這群山賊，當年沒被欺凌他們的土豪惡霸打死，沒被苛稅殘吏逼死；落草之後，沒被靖安官兵圍死，沒被江湖霸客殺死，卻在這天殺的鬼夜之中，被一群閹妖殲滅！

雨漸趨緩，整個山寨幾乎是一片寧靜，只剩一人，那個和魏進忠纏鬥不休的人，不知為什麼，還一勁狂舞著手中快劍，不讓任何人靠近。

現在的古劍等於既聾又瞎，根本不知魏進忠的劍會挑哪裡刺進來，心中的驚怖更甚於任何人，唯一能做的，只有將「無常劍法」一招接著一招使將下去，舞得又急又快，就怕被對手找著空隙。

魏進忠靜立在一丈之外，聆聽古劍夾雜在雨聲之中的呼呼劍鳴，過了良久，不遠處忽有聲音發出：「進忠，再不出手制住這聾子，等這片烏雲散了，又會更麻煩。」這人一來就道出關竅，若非耳朵聽不見，誰會把劍舞得如此瘋急。

魏進忠哈哈笑道：「我聽見附近有人呼吸極細，不知是從哪兒冒出來的絕世高手，所以遲遲不敢出手，怎知原來是您王大統領遂野兄。既然您來了，那我還怕什麼？這聾子劍法與眾不同，我倒想再多學幾招。」

那王遂野道：「這人劍法變化萬千，確有可取之處，若非內力不足，許多劍招無法使得更快更絕，恐怕連我都要怕他三分。」言下之意，似乎他的武功還要高出魏進忠一截。

魏進忠仍笑道：「不知是什麼了不起的大事？竟出動您王大統領遠赴四川。若是抓要犯，能用得上咱們的地方，千萬別客氣。」

王遂野笑道：「你已幫了大忙，我們抓到人了，明日便可回京覆命。這要犯狡猾得很，竟然混到鏢隊裡頭。」他手上抓著一個人，竟是喬小七！

喬小七只是逃亡時所用的化名，她本名程漱玉，兩年前送入皇宮，被選為太子「選侍」，備受寵愛。

常洛太子雖經群臣力爭冊封東宮太子，但神宗皇帝並不喜歡他，寵妃鄭氏更無時無刻不想把他廢黜，以便改立其親生兒子常洵為太子，為此惹出了一連串的宮廷惡鬥。「程選侍」伴在常洛身旁，替他化解不少陰謀，卻成為鄭貴妃眼中之釘，就在傳出即將被冊封為太子妃之際，遭幾名蒙面人趁夜行刺，程漱玉與親信太監六醜奮力殺退刺客，卻洩露了會武功的祕密。

然禁宮之中，怎容得下懂得武功的女子？她只好跟著六醜，連夜逃離皇城。

此事震驚大內，為了緝捕她竟陸續派出錦衣衛四大統領，一路從京城追到四川。照說四大統領齊出，天大的逃犯也跑不掉，但程漱玉雖武功平平，腦袋倒挺機靈，一路上花變百出，再加上四大統領個個搶功，就怕這天大的功勞給人先占，彼此大鬥心機、互扯後腿之事層出不窮，才屢屢功虧一簣，讓她安然無恙的逃亡至今。

王遂野這隊人馬一路追到川北，研判程漱玉應在不遠處，便兵分三路尋人。說巧不巧，早上羅萬鈞和古劍在客棧對話時，無意間透露了口風為陳弖留意，當時即懷疑喬小七可能就是他們要抓的程選侍，於是假意要幫羅萬鈞上山救人，另派人通報王遂野前來。

陳弖陪同羅萬鈞上山，本想等王遂野到了再動手；但羅萬鈞救人心切，一上山便急著現身，他只好跟著出現。程漱玉雖扮成男裝，卻被他一眼認了出來。這時淨幫和明月寨之戰眼看一觸即發，他衡量情勢，有淨幫相助，要殺光鏢子抓到要犯不難，這天大的功名利祿，何不全攬在自己身上？於是出腿襲擊羅萬鈞，引發這場惡戰。

陳弓雖立了大功，仍不敢在長官面前得意忘形，他走近王遂野身旁咬了幾句耳朵，聲音極細，卻還是被魏進忠聽見，笑道：「王統領是想把這小子也帶走？」

王遂野笑道：「沒錯，這人來路不明，本官想查個清楚，是否跟要犯有所牽連？」

魏進忠笑道：「這小子跟著安西鏢局的羅萬鈞一起上來，劍法倒強過他的總鏢頭，這麼莫名其妙的插上一手，差點把我整個局面給打亂，論來路確實怪得很。但眼下我死了不少弟兄，可不能輕易放人，至少得留下一點東西。」魏進忠削帶之仇未報，實不甘心白白放人，這淨幫若要給人留下什麼東西，通常不會切手斷腳，卻愛把人的那話兒給切下來，讓他也變成花子。

王遂野道：「那東西一旦給切了下來，傷口難癒，少說半個月不能見風，如何押回京城？進忠，要犯落在咱們手裡，算是他祖宗八代作了孽，怎麼可能好過呢？賣我一個面子吧！」

錦衣衛嚴刑逼供的手段遠近馳名，鐵定能讓這小子生不如死。想到這裡，魏進忠也不堅持，尖聲笑道：「既然如此，那就交給您！我只要他手上那把劍。」說著退開數步，把場子讓了出去。王遂野一聲呼嘯，十來隻獒犬汪汪大叫，圍在古劍四周。

古劍什麼都不知道，只知必須舞出一道綿密的劍網；但他愈舞愈是心虛，劍招不免散亂，漸漸的招不成招，劍不成劍……

忽然間他看到一對對發亮的瞳仁，離地兩尺高，散布四周，不知幾對？他一陣驚慌，還沒想通這是什麼東西，這一對對眼珠卻同時朝著他飛來，他快劍一削，削斷兩隻獸頭，正準備刺向第三隻，忽覺頭頂百會穴一痛，就此倒地不起……

古劍清醒時，發現已被人牢牢綁縛在一個地窖裡，地板上點了一堆炭火，也分不出晝夜。正前方是一個鷹鼻鷂眼冷峻精悍的人，蹺著腿坐在大椅上，椅子有點殘破，卻很長，另一邊竟坐著喬小七！她斜靠椅背，手上抓著一把蜜餞，嘴裡含著一顆梅子，神情十分寫意自在。古劍還弄不清楚怎麼回事，正想開口相詢，卻被一個滿臉鬍碴的粗豪漢子擋住視線。

那粗漢叫屠言勝，是個副千戶。一待古劍清醒，便欺上前勒住他喉頭，陰狠的道：「你是誰？何門何派？這劍法跟誰學的？」

他一口氣提出三個問題，古劍不知有何意義，但想反正我沒做什麼壞事，說說又何妨？便答：「我叫古劍，無門無派，沒人肯教我劍法，是我自己想自己練出來的。」他這番話句句實言，卻引來一陣訕笑。

屠言勝抖開皮鞭，劈頭往他身上打去，笑道：「你當我們是三歲娃娃？快說實話！否則叫你求死不得。」

這麼一打，倒激出古劍倔強之氣，緊閉雙唇，盯著屠言勝凶惡的眼睛，一句話也不吭。

兩人互瞪了一會，屠言勝忽然大笑，轉身向坐在椅上的王遂野道：「大人，把他交給我吧！今天非讓他把十八代祖宗全招出來不可。」

王遂野道：「小心別弄成重傷，還得押他回京城呢！」

屠言勝喜道：「小的自有分寸，您傳下的一百零八種酷刑之中，有三十七種傷皮不傷骨，隨意挑選個三、五種就夠他受啦！」說著喜孜孜的打開一口箱子，裡面放著壓指夾、刺骨釘、磨肉石等奇奇怪怪的刑具數十種。

這口箱子並不輕便，但屠言勝為了不錯過每一次折磨人的良機，無論到哪裡都隨身帶著。他外號「屠夫勝」，不喝不賭不貪不色卻生性殘惡，唯一的嗜好，是愛看著別人受盡酷刑痛不欲生的模樣，加入廠衛一半為了榮華富貴，另一半卻是想藉此之便，盡情享受折磨人的快慰！

……九七、九八、九九、一百，程漱玉不忍卒睹，心裡卻不知不覺的跟著默數，屠言勝整整打了一百鞭才停。他汗流浹背，手上的刑鞭是牛筋所製，再加上他勤練已久的巧勁，打起人來雖不傷筋骨卻鞭鞭痛徹心腑。尋常人挨了五鞭十鞭早已哭天搶地痛昏過去，就算是懂得以氣禦痛的練家子也少有人撐得住三、五十鞭。然而眼前這人看來內力平平，卻是異常耐疼，雖全身血痕處處，卻不見哼唉半句。

古劍倒不是沒了神經，他幼時遊習於各大門派，所遇的都是嚴師，不打不成器，恨鐵不成鋼，對付貪逸愚慢或學藝不專的劣徒，最好的法子便是一陣痛打。打得愈疼，記憶愈深刻，下次就愈不容易再犯錯。

習武之人不能喊疼，更不能掉淚。在江湖上與人過招，傷痛在所難免，若動不動就哭了出來，豈不丟盡師門的臉？這種基本修為，愈大的門派愈是重視；受罰之時，誰叫得愈大聲，哭得愈響亮，嚴師們就打得愈重。古劍天賦異稟，經歷非常，挨打受罰是家常便飯，武功雖沒練出半點名堂，耐打抗痛的本事倒修磨得爐火純青。

屠言勝也頗訝異，拿出一包鹽巴抹在他傷口痛處，邊塗邊笑著說：「你忍耐點，這東西可以讓傷口好得快些。」古劍咬緊牙關，緊閉雙眼，仍不肯喊一聲痛，流一滴淚。

像屠言勝這種刑求好手，最討厭的就是一些文弱儒生，這些人稍稍一點難受，就哭爹喊娘尋死尋活，根本興頭還沒撩起就什麼都招，像古劍這等良質美玉並不多見，他眼神發出興奮的光芒，邊抹邊搓，就怕鹽粒滲不進傷口裡面。

任誰都瞧得出來，古劍疼得全身都抖了起來，從頭到腳溼成一片，也分不清是汗水還是血水，仍始終不吭半句。王遂野忽道：「程姑娘，妳看他如此痛苦，難道不心疼？」太子的寵妃從宮裡逃了出來，這對皇宮而言，可不是什麼光彩的事！參與追捕的廠衛，為了怕洩露口風，故不叫她「程選侍」，改以「程姑娘」稱之。

程漱玉笑道：「若我求你饒了他，你會照辦嗎？」

王遂野笑道：「那可不一定。您雖犯了一點小錯，畢竟是常洛太子最愛的妃子，太后再三交代，您身上少了哪塊肉，就拿我們身上的來補！」

程漱玉笑道：「我才不要，噁心死了！」

王遂野道：「姑娘回宮未必有事，若能過得了這一關，日後東山再起，權勢依然不可限量，王某就算有天大的膽子，也不敢得罪您呢。」

程濑玉笑道：「既然如此，何不現在就放我走！」

王遂野道：「這可為難卑職！皇上和貴妃三令五申，說一定得把您請回去問個明白；若是現在讓您走，下官這顆腦袋，恐怕不太安穩。」

程濑玉問道：「那太子又怎麼說？」

王遂野道：「什麼都沒說，聽說太子很難過，連著三天食不下嚥。」

程濑玉黯然道：「那又有何用？他連自己皇太子之位都不知保不保得住，哪有餘力護我？你我都明白，回到了皇宮，鄭貴妃絕不會放過我，我這小小的太子選侍，怎麼鬥得過皇上的寵妃？」

她說得如此直言無諱，倒叫人一時難以回答，王遂野乾笑兩聲，道：「妳身懷武藝，進宮是為了什麼？是受誰指使？六醜是誰？這個自稱古劍的傢伙又是誰？妳若肯一五一十的說出來，這個人就不必再挨打啦！」

不料程濑玉兩手一攤，大剌剌的道：「哼！我前天才救過他的性命，但他昨日竟兩次棄我於不顧！這人跟你們一樣，是個狼心狗肺的混球！要怎麼折磨他，隨你高興！」想起昨夜若非古劍硬要逞英雄強出頭，自己早就逃出去了，不怪他怪誰？她一生受人疼惜，只有人不顧一切的加以維護她，哪有給人連續背棄兩次的道理？自然對古劍千般生氣萬分不滿，再說錦衣衛絕不可能輕易放人活命，自己表現得愈是關切，對他愈不利。

這時出外打探消息的陳弓帶回來許多糧食雜物，向王遂野稟告：「大人猜得沒錯，另外三路人馬都在左近，咱們若現在出去，無論往南朝北，都很難擺脫。」他們抓到了人，只能算是成功一半，回程漫漫，還得嚴防準備劫囚的各路強人，其中最令人不敢掉以輕心的，卻是等著搶功的另外三組廠衛。

王遂野道：「一切小心為上，只好在這裡多待上幾天。」

屠言勝剛塗抹完鹽巴，聽到還可以多玩幾天，心底雀躍不已，正想附和兩句，卻被程漱玉搶著說道：「你們要待幾天我沒意見，但總要弄床棉被來吧！」

三個頭目面面相覷，他們押解過無數要犯，如此大模大樣的，今天倒是第一次碰到。

這地窖位在一個鬧鬼的廢園裡，園中草長過胸，附近杳無人跡，的確是個適合躲藏的地方，但一待就是幾天，未免太過氣悶，這群廠衛沒帶到什麼骰子、牌九之類的玩意，只好往古劍身上發洩。幾個人輪流折騰，用上了七、八種刑具，變了十來種花樣，就算是鐵打的身子，也是昏了又醒，醒了又昏，全身上下沒有一塊肉沒痛過。從清早整治到晚上，直到大家都累了，才放他歇息。

古劍睡了一夜，次日醒來，卻發現自己躺在地上，身上連一條繩索也沒綁。這不奇怪，反正他全身又痛又酸，掙扎半天才能坐起來，哪還有餘力逃走？但稀奇的是，身上竟蓋著一張暖被！底下墊上厚厚的細草，他環顧四周，整個地窖內只有自己和喬小七有這種待遇；不禁懷疑，莫非這些錦衣衛良心發現，知道他並非什麼反賊，打算善加補償？

一名親衛見他醒來，隨即端上一碗肉粥給他餵食。粥一入口，只覺得有股濃濃的補藥味，多半還添了人參、靈芝等珍貴藥材。古劍受寵若驚，心想，看來錦衣衛並不如外傳如此凶惡，莫非他們知道抓錯人了，白打一整天，心裡過意不去？他正是飢餓難耐，一口氣吃下五大碗的藥粥，吃飽之後，果然精神清爽許多，正想道謝，卻見王遂野靠近，笑著問道：「吃飽了沒？」

見對方態度和善，古劍也微笑答道：「吃飽了，多謝！」

王遂野又笑道：「那可不可以告訴我……是誰指使你來的？你跟『赤幫』是什麼關係？」他前一句還和顏悅色，後兩句卻聲色俱厲，說到「赤幫」二字，竟是咬牙切齒！說畢使了一個眼色，讓人把古劍綁在木柱上。

「赤幫」是一個反朝廷的祕密幫會，據傳是由一些看不慣昏亂朝政的江湖人士所組成，全幫只不過二十八人，號稱「赤幫二十八星曜」，人數雖少，卻個個武藝不凡，包括赫赫有名的江湖異人，隱遁多年的一代名宿，或是各大門派中的一流高手。這幫好漢救過許多東林黨人，劫過幾次天牢，鬧過幾次皇城，也殺過不少貪官惡吏、凶宦殘衛，江湖中人私下提到「赤幫」，無不豎起大拇指；但錦衣衛卻恨得牙癢癢，古劍若與赤幫無關，至少還可留下全屍，否則後果不堪設想。

他還沒回話，程漱玉卻忍不住笑道：「憑他的武功資歷？夠資格入幫嗎？」

王遂野道：「當然不行，但也許他師父或長輩正是赤幫中人，這次不便出面，派他來此救人。」

程漱玉道：「你懷疑我與赤幫有關？」

王遂野笑道：「妳會武功，之前帶妳逃出皇城的太監六醜也有不錯的身手，再加上這小子……此事並不單純，由不得王某不懷疑。」

程漱玉忽然大笑，說道：「如果赤幫真肯出手相救，我會落在你們手上嗎？」說完轉身躺下，眼角上卻多了幾滴淚水。

王遂野突然嘆道：「宮中傳言，程選侍不但有閉月羞花之貌，機敏黠慧之心，個性更是溫柔良善。今日您遲遲不肯吐實，難道要看著不久的將來，赤幫紫微星揭竿造反，戰禍連綿，天下黎民生靈塗炭嗎？」

程漱玉拭去淚水，道：「我不曉得你在說什麼，赤幫存在也不止一、兩年，何以揣度他們將要起義？」

王遂野道：「姑娘可曾聽過『九月十五，天狗食日，無道之君，末日將至』，或是『神龍再現，天將巨變』之類的話語？」

程漱玉道：「市井傳言，又何必當真？」

王遂野連連搖頭道：「自古以來，只要有人想造反，都會事先散布這類流言，讓一些無知百姓以為天命如此，甘心追隨。那些反話幾年前就曾出現，但從未像今年這般如此盛傳，隨便抓個小孩都能琅琅上口。聖上大為震怒，要我們盡速查個水落石出，抓出反賊。唉！若非如此，咱們當差的好好太平日子不過，又何必硬要招惹赤幫！」

他話說完突然變臉，隨手賞了古劍一個巴掌，罵道：「你這小子，管你是不是赤幫的人，今天大爺興致來啦，就拿你好好整治吧！」說完從懷裡取出一把細針和一罐紅色藥水，緩緩拈起一根針頭，沾上紅色汁液，心情頗為亢奮。

他先慢條斯理把紅色的細針停在鼻前，來回嗅了幾下，再徐徐扞入古劍耳屏前方的聽宮穴。剛插入時古劍還沒什麼感覺，過沒多久，慢慢感到有些灼熱，這種感覺逐漸加劇，愈來愈猛烈，像是有烈火在燒，炙痛難挨，不知不覺便把全身真氣都引到耳朵附近，試圖減輕一些痛楚。王遂野見其咬牙強忍，又在臉上顴髎穴及頸側天容穴上各刺一針，古劍猛冒熱汗，丹田之氣往上直衝，在這三點要穴間流竄起來，這時再也忍受不住，雙目緊閉，整張臉不住抽搐，哼哼唶唶叫了起來。

程漱玉被叫聲吵得心煩，看這人皮厚肉粗，哪知只挨了三針，就一副痛不欲生的模樣。她不知古劍最大的長處，就是有股堅忍不拔的意志，小小的年紀，便曾在一日之內抬了上百桶水上少室山，抬得肩膀脫臼也不肯停止；在武當派時也曾為了練一招劍招，連續三個晚上不睡覺，手掌都脫皮了仍繼續習練；更有數次在冰天雪地的華山絕頂上跪了一夜，次日仍拖著凍傷的腳掌苦練輕功。不管有多苦，他從不吭聲皺眉。

然而這才剛開始而已，接著一針扞入頸下的天窗穴，後肩的肩中俞穴、肩外俞穴、曲垣、秉風、天宗、臑俞，再循著手臂背面的肩貞、小海……一直刺至小指指尖的少澤穴，這一連串的穴道，均屬手太陽小腸經的要穴。緊接著他又一針刺入少澤穴附近的少衝穴，這又是手少陰心經的起點，接下來便循著手臂外沿的少府、神門等穴刺至腋窩頂點的極泉穴。

這兩道經脈在人體的十二正經中是屬於火脈，沾上燒藥的紅針如果插在別的穴道，也許不會痛得如此火烈，王遂野似乎略通醫術，插的全是這些對燒熱最為敏感的穴道，每多插一針就好像身上多一塊肉被燒著，疼痛自然多加了一分。這個時候的古劍，從頭到腳赤紅，似乎整個人都要冒出火來！

插完左右兩邊雙脈共五十八個穴道，王遂野神情古怪的瞧著古劍，總覺得少了些什麼。忽然間他又沾了一根紅針，先在鼻頭上嗅了一嗅，再緩緩扦進自己的左手小指少澤穴。這舉動實在太匪夷所思！程漱玉不禁「啊」一聲叫了出來！卻見他臉上青筋暴起，慢慢的由白轉紅，全身上下不住抖動，雙手握著一根寸許粗的鐵棒，竟逐漸彎曲變形，顯然是疼到極處！他口中發出哀號之聲，隨著痛楚的逐漸加劇而愈發急響，整張臉擠成一團，表情卻十分詭異，似乎處在極度的痛苦中又帶有極大的滿足。程漱玉不想再看，摀住雙耳，轉身面對牆壁。

王遂野知道要怎樣使人感到難受，有時候輕描淡寫的點了兩、三個穴道，就能讓人痛不欲生。屠言勝行刑逼供的功夫便是其一手調教出來，江湖有言：「寧下地獄，不到東廠；雖怕閻王，更懼屠夫。」這「屠夫」二字，指的便是心狠手辣的屠言勝，落在他手裡，往往會叫人後悔為什麼要來到這世間。做師父的王遂野反而默默無聞，在這方面的名氣遠不如他。

這倒不是做徒弟的青出於藍勝於藍，而是被屠言勝酷刑折磨過的人，雖然苦不堪言，但十個裡面總還有一、兩個活著出來，替他做了宣傳；然而落在王遂野手上的，不是死去便是發狂，始終未能有人將其手段傳揚開來。

自王遂野從「糊塗神醫」侯藏象身上學到「五色針」之後，突然覺得原先的那些刑罰根本是孩童的遊戲，再也無法令他感受到任何樂趣。

他又給這針法取名為「喪心病狂五色針」，是一種極為霸道的苦刑，一般常人只要一針，什麼都肯招！即使是江湖上的一些勇悍之輩，也往往挨不過五針，令人掃興。今天弄到古劍，就像好色之徒得到絕色美女，嗜酒之人得到陳年佳釀，怎能不細細品嘗，好好享用？

那要怎麼盡情享用？王遂野靈機一動，給自己也扦上一針，唯有如此，才能更深刻、更真實的體會這五色針的威力。因此他每多疼一分，便想古劍比自己多疼了十倍百倍，心裡就多了一分興奮愉悅。

處在這極端的痛苦之中，古劍全身的真氣都聚集起來，不由自主的在這兩道經脈間循環遊走，這是人體本能的反應，將集中在穴道的熱氣分散至全身，這本可減輕一些痛苦，但由於針刺的順序與一般練氣者行功的方向相反，等於強迫他的經脈逆轉，這又是另一種折磨。不到半個時辰，當王遂野拔去紅針時，古劍整個人已為之虛脫，昏迷不醒。

這一覺睡到次日清晨才被搖醒，與昨日相同，先吃一大碗的補藥粥，休息半個時辰後，王遂野來到跟前，問道：「大爺今天心情好，想再給你一次機會！今天招是不招？」古劍搖頭！實不知從何招起？

王遂野又道：「後頭可還有四種藥水，滋味不同，但都同樣能讓人痛不欲生！還想試嗎？」卻見古劍閉上眼合上嘴，一副隨君處置之意。

這下子可更加有趣，王遂野眼睛晶亮，取出一把黑色細針，逐一插入古劍足太陽膀胱經及足少陰腎經各要穴，卻是奇寒奇凍，把他冷得全身發黑……

人體內除了任督二脈，另有手、足三陰和手、足三陽十二經脈，共稱十四經脈，是人體中最主要的十四條主脈。其中手太陽小腸經、手少陰心經屬火脈；足太陽膀胱經、足少陰腎經屬水脈；足少陽膽經、足厥陰肝經屬木脈；手陽明大腸經、手太陰肺經屬金脈；足陽明胃經、足太陰脾經屬土脈。

這五色針便是依據陰陽五行的原理，調配出紅、黑、青、白、黃五種十分霸道的引藥，以刺激這五種經脈。不同的穴道針刺之後，各有不同的反應，有的極寒，有的極熱，有的極癢，有的極酸，有的極麻，但都能讓人痛得死去活來！

接下來幾日，王遂野每日換一種金針，而古劍經歷五種最難受的極刑，自是痛不欲生，這種苦刑持續五天，古劍好像作了一個好長好長的惡夢，在地獄裡無盡的輪迴，一會兒上刀山，一會兒下油鍋，就是死不了……

第六天清早醒來，卻發現自己正坐在一輛急馳的馬車上，四面簾幕垂下，車內漆黑一片，忽覺腰間寒涼，伸手一摸，竟是一根鐵鍊！這東西並不粗重，在腰上匝了一圈後，用一支楔子，打入其中兩個扣環，將他牢牢圈住。他想知道另一端綁了什麼東西，便一截一截拉扯鐵鍊，約莫拉了三、四丈長才不動，

雙手沿著鐵鍊摸去，摸到一個溫軟的物體，這時一隻手重重拍來，打在他的手背上，

這才明白原來另一端也綁著一個人。這人脾氣也真暴躁，碰一下肚子也不行。他想說兩句賠罪的話，一開口才發現，連號五天的嗓子乾澀沙啞，竟是一點聲音也發不出來！

這人是誰？他忽然想到喬小七。連著幾天下來，除了慘遭苦刑之外，自己不是昏睡不醒，便是渾渾噩噩，哪有多餘的心思去想其他？如今稍微清醒些，才開始慢慢回想最近發生的事：「那晚和我對招的，明明是那個使劍的首領，怎麼後來會落到這些錦衣衛的手裡？其他的人呢？怎麼只剩我和喬小七？我們一道落在錦衣衛手裡，怎麼我天天大刑伺候，他卻如此舒服？他們為何要抓我？是不是因為我幫了山寨那票人便認定我也是什麼江洋大盜？……」

他胡思亂想許久，卻什麼也沒想通。

馬車往北疾奔兩、三個時辰，經過廣元鎮來到嘉陵江畔，二人被請了下來，古劍定睛一看，綁在鐵鍊另一端的人還真是喬小七！除了地窖裡那幾個人之外，另有八隻西藏獒犬正對著古劍不停吠叫，他突然想到，那一夜朝他撲來的十來顆眼珠，正是這些惡犬。他不禁一陣難受，心想：「練了那麼辛苦的『無常劍法』，竟連幾隻狗都對付不了！」

程漱玉環視四周，看到不遠處一排棧道，轉頭對王遂野問道：「你要走棧道北上？」

王遂野笑道：「川鄂間的官道雖然好走，但道路不靖，易生枝節。在下思量再三，還是走川陝棧道來得穩當。」

程漱玉笑道：「我看你是怕另三組人馬設伏奪人吧！」

王遂野笑了一笑，說道：「您是千金之體，在下必須盡力護送入京，可不容有半點閃失。」

程漱玉道：「你還怕我死嗎？這棧道險阻，萬一一個不留神掉入嘉陵江中，哪還有命？」

王遂野道：「當初只有您一人，還不是走了過來；如今有我們幫您留意，更是萬無一失。」

程漱玉卻指著古劍道：「我不要跟他綁在一塊，你換個人吧！」

王遂野笑道：「這條『玄鐵鍊』不用鎖，沒有鑰匙，現在我也沒法子啦！」

程漱玉不悅道：「那叫人把這根楔子打斷，可以嗎？」

王遂野搖頭笑道：「這鐵鍊與楔子都是西域精鋼所鍛，別瞧它細，一旦嵌入之後，恐怕得回到京城才有法子弄斷。」

程漱玉知道多說無益，又睨了古劍一眼，這個下流討厭鬼擺脫不掉，不禁讓人發愁。

王遂野叫人把馬車燒了，馬匹殺死，投入嘉陵江中，以免留下蹤影。辦好立即啟程，叫古劍走在最前頭，若有什麼朽木滑地，由他先試試，陳弓與屠言勝輪流握住鐵鍊中段，防他跌倒時拖累程漱玉。

這條古棧道，據傳是戰國時代秦惠王伐蜀時所造，名曰石牛道，向為川陝之間的交通要道。由川北進入陝西，長數百里，右側急坡，處處懸崖深谷，左為嘉陵江，水急灘險。

古人在此，沿江傍崖，鑿石為孔架木為道而通行。棧道寬窄不一，建造時需在石壁上打三排孔，上排做遮棚，中排為步道，下排則固定支撐用的木柱。一般而言算是頗為堅固，但年久失修之處也不少，走起來莫不戰戰兢兢。古劍這才明白他們為何要棄馬而行，並且不用手銬腳鐐來押送他。

趕了十來里路，在一個轉角處突然無路，一段梁柱被人齊根鋸斷！王遂野大驚，命隊伍立即掉頭回去，忽聞彎角的另一端一陣大笑，一個渾厚的聲音道：「你們不必白費力氣，往回走也將無路可行！」眾人望去，恰可看見後方兩、三里某個轉角處，隱約有十來個人正吊在崖壁旁鋸切棧木，現在趕去恐為時已晚，而這段路的一邊是滔滔江水，一邊盡是懸崖絕壁，前後再被截斷，勢必陷入絕境。

王遂野青筋暴起，劈頭罵道：「劉易風嗎？人是我抓到的，你有本事就明刀明槍的來搶，何必用這種卑鄙手段！」

那劉易風道：「抓到人是你王遂野的本事，能夠料到你們會走這條回頭路，卻是我劉易風的本事，你也不必不服氣，乖乖把人交出來吧！」他鬥智贏了一局，得意萬分。

王遂野很快恢復冷靜，權衡情勢，顯然已成了人家的俎上肉，不得不屈服，說道：「你待怎樣？」

劉易風道：「很簡單，待會我叫人架個長板子，你讓程姑娘一個人走過來。五天之後，我自會派人來修復棧道。」

王遂野冷哼一聲道：「說得容易。把人都交給你，還會再管我們死活嗎？」

劉易風道：「你不該以小人之心度君子之腹，劉某與你無怨無仇，何必害你？」

王遂野冷笑道：「你我同朝為官多年，卻一向貌合神離，誰知你會不會想趁此機會將我除掉。」

劉易風正色道：「沒錯！你武功比我差，才智不如我，但卻身居指揮僉事，排名在劉某之前，我當然不服氣！然而如今我即將立下大功，到時補上同知的缺便搶在你之上，又何必再計較？」

原來錦衣衛自指揮使以下，依序有指揮同知、指揮僉事各兩名，南、北鎮撫使各一名。這些職稱說來拗口，江湖上一般稱同知為副指揮使，兩名僉事及南、北鎮撫使統稱四大統領；副指揮使雖有兩個缺，但目前只有牟謙一人，另一個副指揮使懸缺數年，因四大統領互相傾軋僵持不下，遲遲未能補實。而這四個人各有後臺，誰也不服誰！但論職級，指揮僉事為四品官，南、北鎮撫使為五品官，仍有差別。

程漱玉叛逃深宮之事非同小可，誰能把她抓回來，便能名正言順的補上另一個同知的缺；因此四大統領一得到消息，都不約而同快馬追捕，深恐自己搶不到這天大的功勞，更怕讓別人給搶了去。

王遂野心想：「劉易風雖然陰鷙，倒是個守信之人；但在這裡多困五天，以後就別想再追上。如果能只晚個兩、三天，他們人多走得慢，而我和陳弓、屠言勝三人施展輕功加緊趕路，說不定還可在入京之前奪回程選侍。」遂道：「五天太久，我們的乾糧不夠。」

劉易風道：「我可以叫人把食物扔過去。」

「不行！最多三天，否則免談！」王遂野語氣堅決。

劉易風考慮後竟爽快應道：「三天就三天，三天後的此時，定會有人把棧道修好。」他知道對方打的是什麼鬼主意，但只要沿路破壞棧道，他們本事再大，也別想追上。

轉角的另一側慢慢伸出一懸臂木板，那一端綁固後，一個胖子微笑走到前端，將手上的另一片木板分別架在腳前及王遂野這端的斷口處，用繩索將兩端綁固，做成一個帶有轉角的便橋。王遂野見劉易風兩百餘斤的身子，踩在厚不到一寸的木板之上，那端的懸臂木板卻沒彎下多少，估計在轉角的另一側所截去的棧道要比這邊短了許多，最多不超過一丈。再看看山壁，心裡忽然有了主意，嘴角不禁暗暗微揚。

劉易風搭好便橋，這才指著古劍皺眉道：「這人是誰？」

王遂野道：「他叫古劍，一起抓到的要犯，準備帶回京城細審。」

劉易風又問：「武功如何？」

王遂野道：「不差，手上若有一把劍，可以跟魏進忠鬥上百招。你若擔心制不住他，我可以幫你解決。」說著取出背後長槍，準備把古劍刺死。

卻聽劉易風哈哈大笑道：「那又有何可怕？既然用上了玄鐵鍊，現在也不可能把他們分開，就一道送來吧！」

王遂野早料到他會這麼說，於是收起長槍，看著便橋道：「你看這兩塊木板能同時站上三個人嗎？」

劉易風也低頭看了一下，他自己一個人抵得過兩個常人的身重，若不先行退回讓他們走，這臨時搭的薄板便橋，恐怕真會負荷不了。「諒你也耍不出花樣！」他冷哼一句，退回棧道上。

一見他退開視線，王遂野立刻低聲問古劍：「想不想逃？」古劍點頭，王遂野拿出一粒養神丹叫古劍吞下，接著取來屠言勝手上長劍，一施巧勁，長劍折斷一截，卻沒什麼明顯的聲響發出。他把斷劍遞給古劍，要他藏在右手袖子裡，說道：「過去之後，出其不意突襲那胖子，若能將他殺成重傷，你就有救了！」

古劍看了兩人對話，也猜到一些蛛絲馬跡，無論王遂野是善意或惡意，既然有機會，何不試試？他本來精神不濟，吞下養神丹後，似乎恢復了七、八分，依言把斷劍藏進衣袖，這劍被折斷之後，長度恰好能被包裹住，轉頭瞧了一眼程漱玉，卻見她使個眼色，無聲說道：「別試！你不是他們的對手！」古劍笑了一笑，心裡卻在想：「不試也難逃一死，何不拚死一搏？」

古、程二人一前一後走上便橋，古劍行到轉角處時，程漱玉已經上了棧板，劉易風兩隻眼睛炯炯有神盯著他，瞧得他頭皮發麻，持劍的右手微微顫抖。劉易風面露微笑，待他們踏上棧道，才取出綁在腰上的長鞭，呼地一鞭，扎扎實實打在綁縛便橋的麻繩上，將纏繞數匝的麻繩全數打斷，這力道霸得很，便橋晃了兩下，接著「啪」的一聲，竟從中斷裂，墜入江中。古劍心裡打了一個突，思道：「這人功力真強，我有機會嗎？」想到這裡，右手不禁抖得更加厲害。

劉易風長鞭在空中抖了兩下，忽朝古劍身上捲去，一邊喊道：「出劍吧！咱們打一場！」原來他早看穿古劍袖裡玄機。

眼看長鞭捲來，古劍身子一側，向前躍進兩步，同時手中斷劍劃破衣袖，刺向對手胸口。劉易風從容閃過，他這一劍竟刺中山壁？自己也嚇了一跳，怎麼這一躍竟比原先估計多了一尺？

此時卻沒暇細想，劉易風一招便看穿他的虛實，一鞭接著一鞭打來，鞭鞭凌厲，打得古劍不斷跳躍閃躲。鞭長劍短，若想還擊，必先近身，但自從知道自己敗給那幾頭獒犬之後，古劍好不容易建立起來的一點信心又消失殆盡，「無常劍法」就和手中那把斷劍一樣，難以全力施展，別說靠近敵人，連躲閃都十分狼狽。若非此處地勢狹窄，上方又有凝手凝腳的頂篷限制長鞭的揮舞空間，心慌意亂的古劍，恐怕早已傷皮碎骨。

另一側王遂野聽見打鬥之聲，隨即取來手下的大刀，一把一把擲向山壁。山岩堅硬，但他內力到處，每柄大刀竟都入石三寸。一共是五把大刀，各距四尺，呈階梯狀緩步而上。王遂野擲完之後，提氣便往山壁奔去，蹬蹬蹬蹬，轉瞬間奔上轉角處，正見古劍身陷險境，一招「長鷹擊兔」，自上而下，舉槍向著劉易風刺去……

劉易風本來打算慢慢逼試古劍的師承套路，一聽到刀石撞擊聲響，心知不妙，大喝一聲，唰唰數鞭，將頂篷的木梁盡數擊飛。這木梁有手臂粗細，在他重鞭之下，竟摧枯拉朽的不堪一擊！清完這礙手的頂篷之後，長鞭大開大合，盡情施展，強揮三鞭，已將古劍逼到絕境，第四鞭揮出一半，赫見王遂野從空而降，一柄長槍向著自己胸口搠來，勢道猛惡！

長鞭立即轉往王遂野身上打去，軟兵器要在中途變向是一種極難的手法，劉易風卻能轉得十分流暢，王遂野微一愕然，人在空中已無處可閃，但他應變奇快，長槍突然一分為二，左手那半支槍絆住長鞭，右手那半支槍仍舊刺向對手。長鞭在槍上繞了一圈，餘勁未消，又打在他臉上，拍落兩顆門牙；所幸右手那一槍刺中對手左臂，並未吃虧。

兩人同時發出怒吼，又鬥在一起，互相叫罵起來！

劉易風說：「你為何刺我？」

王遂野說：「你為何困我？」

兩人嘴巴互斥對方攪局，手上也毫不容情，各施絕技，竟是性命相拚，把各自的壓箱功夫都使了出來。

王遂野的鐵柄長槍兩頭都帶槍尖，中段有一卡榫，一按之下可瞬間分離成為兩把鋼刺，一推一送又結合起來成一支雙頭長槍，這便是他賴以成名的「離合槍」。離合槍法，最可怕的地方在於這柄槍能瞬間分合，前半招還像中平長槍朝人的肚臍捅來，下半招卻突然變成一雙鋼刺自左右刺出，這兩種兵器一長一短，用勁使招截然不同，一般人哪能適應？

然而劉易風不是一般人，他的巨鞭長九尺粗一寸，末端四尺卻分岔成五條細鞭，手勁正旋時絞成一條粗鞭，反旋時散成五根細鞭，略施巧勁，更能張成一隻巨爪朝人頭頂罩來，極是難防。他這鞭法叫「聚散鞭」，本來還稍勝王遂野半籌，但因剛剛左臂中了一槍，移動上略失靈巧，故只能打成平手。

古劍目不轉睛的觀看兩大高手在這險窄棧道上做生死惡鬥，但見兩人功深力厚，鞭風槍影飛舞穿梭，奇招妙手層出不窮，不禁暗暗佩服，思道：「狐前輩說我的『無常劍法』若發揮正常足可對抗一流高手；但我看這二人出手，無論招術、功力均勝我數倍，豈是我能應付？」他自從明月寨一役慘敗之後，不免信心大喪，不知不覺又高估別人小看了自己。

沒過多久，陳弓也爬了上來，單腳踩在刀上，提一口氣正欲跳將下來，卻見程漱玉笑吟吟的看著自己，手上夾著三柄飛刀，對準下躍的路徑！他的輕功與接刀手法均遠不如王遂野，若要分手接住三把飛刀，便沒有把握能跳到棧道上。衡量得失，王遂野雖是他的頂頭上司，但為他冒著受傷的風險殊不划算，為了立一點小功而得罪另一個統領更是得不償失，於是立即收回伸出去的右腳，手扶山壁，呆立在刀上，不敢輕舉妄動。

王遂野見狀喊道：「讓他下來吧！劉易風可是貴妃娘娘派來的人，這幾天我不是把您當成活菩薩侍奉嗎？落在我們手裡，可比他強多啦！」他說得沒錯，這四組追捕程漱玉的人馬，分別是由太后、皇上、鄭貴妃及司禮太監所派。其中真正恨她入骨的也只有鄭貴妃，其餘三人都被要求活捉善待，劉易風接到的密令卻是要將她暗地處決，若不幸落在他手裡，後果不堪設想。

卻聽程漱玉笑道：「若有機會逃離兩位魔掌，豈不更好？等你打輸了，我自會放他下來。」言下之意，只要一直維持雙方均勢，她就安全無虞。劉易風親信副千戶遠守在另一邊的斷口處，這邊只剩四、五個插不上手的普通親衛，若讓陳弓和屠言勝過來，三人聯手，劉易風是非敗不可。

王遂野莫可奈何，只能心中暗罵，一個不留神嘴角又被細鞭打中，火辣辣好不疼痛！心中更氣，邊打邊開口道：「劉兄，咱們這樣自相殘殺可不是辦法。」

劉易風道：「你待如何？」

王遂野道：「你我一齊攻向古劍，誰先傷了他，誰就可以把人帶走。」

劉易風略一思索，也覺得不吃虧，應道：「一言為定！」他話才說完，長鞭突然轉向，朝著古劍揮擊而去！

古劍忽見散鞭有如巨爪般罩來，來勢勁疾，身子向側壁閃去，才移半步，卻見王遂野挺槍刺來！他經驗太淺，一見兩大高手同時攻來，心中一驚，早忘了該如何冷靜化解，閉目待死……

就在這時，程漱玉突然轉身往江中跳落，把古劍也拖了下去，兩人便像斷線的風箏一般，在眾人的驚詫中，墜入江心。

江中水流湍急，水性再好也難自保。然而此時正巧有一批浮木沿江漂來，兩人躍下後，趕緊抓住浮木，才免於被鐵鍊給拖入江底。

這批木材從上游流下，當地商人伐木後利用江水將之運到下游的合川、重慶等地集散，在這江深水急的嘉陵江中，卻成了他們的救命之物，程漱玉就是因為發現這批浮木，才敢往下跳去。

這些原木都十分粗大，一人無法合抱，摟得非常辛苦，程漱玉靈機一動，搭著木頭翻轉一圈半，靠這玄鐵鍊把浮木牢牢套住，不必再死命抱著，還能騰出一隻手，向岸上的人揮手道別。

兩人剛喘一口氣，卻見王遂野一根接著一根踩著浮木，蜻蜓點水般步步躍近。

程漱玉開始著慌，直道：「怎麼辦？怎麼辦！」

古劍手上斷劍緩緩浮起，由於九寨溝處處有溪有湖，他幾乎天天下水鍛鍊身子，對自己的水性倒是頗有把握，且見劉易風沒有跟著過來，心中略感寧定，心想那胖統領多半是個旱鴨子，不敢下來；但不知這個毒針狂魔水性如何？

王遂野在他們旁邊的浮木上穩住，笑道：「想擺脫我可沒那麼容易！」說罷便往這根浮木跳來。

人還沒踏上浮木，長槍便往古劍身上招呼，古劍出劍架開，又開始一場惡鬥。兩人位置一上一下，一個像刺魚般的猛插，一個卻專攻下盤，以前所練的招式套路在這裡完全用不上，全憑本能反應與經驗過招，凶險倒不輸方才的王劉惡戰。程漱玉全然幫不上忙，只能在一旁乾著急。

王遂野身經百戰經驗豐富，且居高臨下占盡地利，但站在浮沉搖晃的浮木之上，他必須騰出七成的精神來穩住身軀，總括起來反倒吃虧，慢慢的守多攻少漸居劣勢，緩緩退到浮木末端，遠離劍圈籌思對策。這十來尺長的浮木雖然被他壓得有些傾斜，但古、程二人卻因鐵鍊纏身，一時間無法跟著移動乘勝追擊。程漱玉想激他過來再戰，譏道：「王大人，您可真聰明！打不過人就縮到一邊去。」

她這麼一開口，倒提醒了王遂野，便向前跨近兩步，離兩人約莫五、六尺遠，槍長劍短，古劍刺不著他，兩人卻已在長槍的攻擊範圍內。他抓著長槍一端，狠狠刺向程漱玉，這次倒不憐香惜玉，抓到一個受傷的要犯，總比完全抓不到人強。這槍勢疾勁，程漱玉趕忙鑽入水中，躲在浮木下方。王遂野大笑道：「換妳變成縮頭烏龜啦！看妳能撐多久？」

古劍罵道：「別攻擊一個手無寸鐵之人，有本事來找我！」

王遂野卻道：「在這裡你占盡了便宜，有種咱們到岸上去。」

古劍道：「說得倒容易？拖著這麼大的木頭，要怎麼上岸？」

王遂野道：「你可以學我，跳著過去呀！」

古劍搖頭道：「不成，水太急了，我的輕功辦不到。」

王遂野笑道：「你也知道這激流中的浮木不好踩，如果這急流太長，還沒到平緩處，本官已先累死，那還用……」他話未說盡，程漱玉已經憋不住而冒出水面，好狠的王遂野，立即挺槍疾刺，不容她多吸一口氣。程漱玉吸不到半口氣，又急速下沉，古劍勉強出劍想架開長槍，不料王遂野這招只是虛招，他聲東擊西，見對方劍勢用盡，槍勁一轉挑了上來，輕易把斷劍挑脫離手。同時程漱玉因沉得太急，藉著鐵鍊引動圓木，古劍胸口貼緊浮木，先感應到浮木的轉勢，立即抬起下肢，全身貼緊圓木，順勢扭腰，將浮木轉得更急。

王遂野繳了對手的兵器，勝券在握，正感得意之際，發現浮木在轉動，本來圓木在水中就極不穩定，他早有防備，只要輕輕躍起便可卸去轉勢，跳到半空中，卻驚見古劍的身子正貼著圓木轉了上來，雙腿踢出，踹向他落腳之處！

他一時得意忘形，全沒料到對方會在臨危之際想出此一險招，躍起時沒有預留多餘的勁力，此時想要縮退或轉向已然太遲！還未落下，腿脛已狠狠被踢個正著，身子騰空翻轉半圈，頭下腳上倒栽入水，姿態狼狽。

圓木旋轉半圈，古劍在水面上從東側翻到西側，程漱玉則在水面下自西側轉到東側，浮上水面後，大大喘了幾口氣，笑著道：「看不出來你還滿機靈的！」

古劍卻全無歡愉，眼睛注視著不遠處，王遂野正攀爬著另一根浮木，而那柄長槍還牢牢抓在手中。現在換他心慌，直道：「怎麼辦？我丟了劍，待會要怎麼打？」

程漱玉回頭見王遂野雖然無恙，動作卻已不若原先流暢，想是喝了不少江水，笑道：「沒關係！我有主意。」

王遂野好不容易重新站上浮木，看他們正在鬆解繞在浮木上的鐵鍊，往末端移動，叫道：「別跑！」趕緊追跳過去。他一個成名人物，竟被一無名小卒踢中一腳，心中抑鬱難消，只想趕快刺回一槍，以消心頭之火。

這一鼓作氣連躍幾根浮木，眼看就要落在支撐古、程二人的浮木之上時，這根浮木卻突然傾斜，有人的那端沉入水底，另一端則向上急翹，發覺不妙之時，人已躍在半空中，緊接著「砰」的一聲，撞個正著，撲通落水。

這次摔得頭昏腦脹、胸痛氣悶，好不容易才抓到一根浮木，緊緊抱住，喘息不已！他是北方人，不諳水性，想不通為何那麼大的木頭，竟然可以翹得如此高？其實這道理不難，一千多斤的木頭，在水中只剩下兩、三百斤重，在末端的人只要稍加用勁，便可使之傾斜。道理雖然簡單，但在危急時能立刻想到而加以應用，也不容易。古劍暗暗佩服程漱玉的急智，若有所悟：「環境千奇百怪，在真實的江湖之中，很多生死搏鬥，未必全發生在擂臺之上，要能生存，就得適應各種不同的地形地物隨機應變，而非只靠一套死練的劍招。」

沿江往下流了一段，江面稍微開闊，水流已不若原先湍急，王遂野慢慢往前游移，一一更換浮木，最後移到與他們隔鄰的一根，彼此相距不到一丈，望著兩人，苦苦思索擒捕之法。

他先與劉易風酣戰一場，又在這浮木群中苦苦追擊，已先耗去許多體力，初時還不覺得累，現在稍事喘息，反倒覺得全身精疲力倦，先前被踢撞的地方隱隱作痛。反觀對方，原本用來限制行動的玄鐵鍊卻變成求生利器，套著浮木，可以毫不費力的隨波逐流。古劍吃掉他多顆養神丹，精力愈見充盈；而程漱玉卻是詭計多端，不知還會變出什麼花樣來？他連吃了兩次虧，體力與銳氣大受影響，竟不敢再貿然攻擊。

前面突然出現一個險灘，王遂野抱著的浮木撞到一塊岩石，差點鬆脫，趕緊用力抱緊，心想：「這段急流不知還有多長？再拖下去，手臂可真會累到抽筋，哪還有力氣抓人？」想到這裡，不禁又焦躁起來，但偏偏腦袋愈急愈空，全然不像一個以陰狠詐智著稱的錦衣衛統領。

程漱玉看他遲遲不敢再進逼，已猜到一些端倪，稍稍往上攀扶，以身體的重量搖動著浮木笑道：「再來玩呀！我還有許多絕活還沒用呢，嘻嘻！」話剛講完，卻聽到古劍在一旁猛咳猛吐，好像喝了不少溪水，轉頭笑道：「怎麼啦？才晃幾下就受不了啦！這水髒不能喝，可別學人家王大統領！」王遂野連摔兩次，想必喝了不少水，她明笑古劍，骨子裡還是在譏嘲王遂野。其實她也怕對方再殺過來，故意擺出一副有恃無恐的姿態，想叫他心生疑懼，不敢再輕舉妄動。

果然王遂野儘管氣得齜牙咧嘴卻始終不敢再移近，古劍嗆得頭昏腦脹，本是大好良機，他卻以為是對方的誘敵之計，更加不敢再貿然進擊。

古劍好不容易止了咳、通了鼻，吐了幾口痰後喉嚨似乎暢通一些，扯著沙啞的聲音道：「對不住！我……我不知您是……是個姑娘……」

這番話說得語無倫次，程漱玉愣了一會，突然爆笑起來，花枝亂顫的道：「所有的人都看出來啦，就你這個驢蛋不知！」她笑著笑著，低頭一看，本來寬大的長袍，浸溼之後，卻緊貼著身子，上半身曲線畢露，這才漲紅了臉，老老實實的把胸部浸在水中，不敢再胡晃亂盪。

程漱玉在逃難途中，為了掩人耳目而改扮男裝並化名喬小七，但她天生的豐胸細腰，曲線玲瓏，必須做一些束胸墊腰等麻煩情事才可能瞞住別人。可是逃難途中，共有四組人馬一直窮追不捨，哪有餘閒做這些事？只好弄了一件寬鬆的長袍，試著矇混過去，不料這套欲蓋彌彰的裝扮，反而讓她成為更明顯的目標。就算人家一時沒留意外表，但她聲音嬌細甜脆，怎麼假也不像男人。她裝扮拙劣，被人識破早已成為習慣，如今遇到這個渾人，相處數天竟還渾然未覺，可真把她給逗樂了。

不過這也不能怪古劍，他根本聽不到程漱玉嬌甜軟語，且在山中待了六年，整天想的就是練劍比劍，打從他應該懂得男女之事以來，還沒遇過女子，在初遇程漱玉時，雖從她的舉手投足之間感到有些脂粉之氣，但久了也就習慣，從未懷疑她是紅妝。

第六章 鐵鍊

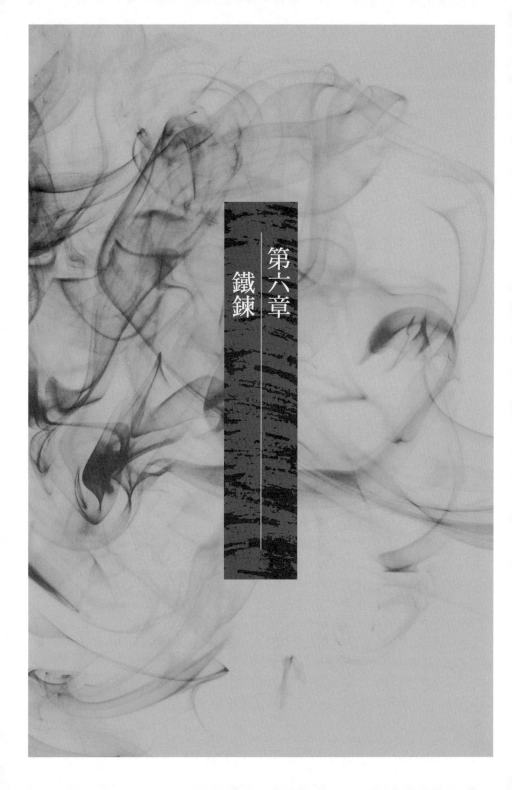

王遂野冷眼旁觀，見兩人面紅耳赤，心想：「裝哭假笑簡單，但這種羞紅的臉卻不易作假，莫非這傻小子確與赤幫毫無干係，不過是誤打誤撞蹚入這場渾水！」既然如此，何不設法招降，先將他騙上岸再說！

他突然哈哈大笑起來，程漱玉不悅，問道：「你幹嘛學我笑？」

王遂野卻對著古劍問道：「古兄弟，你可知道她是什麼人？犯了什麼罪？幫了之後會有什麼下場嗎？」

一連丟出三個問題，古劍連搖三次頭，他實在不瞭解喬小七，只覺得她似正又邪，喜怒無常。

王遂野道：「我告訴你吧！她是宮裡的人，犯了欺君大罪，你若再和她夾纏不清，可是滿門抄斬的重罪啊！」古劍心中一震，他只是一介草民，禁宮之事對他來說未免太過遙遠，但若真會滿門抄斬，怎能無所顧忌？再看一眼喬小七，她沒說什麼，眼神顯得既擔心又無助。

古劍似乎看透她的心思，思道：「我已經連續兩次在她最需要幫助的時候離她而去，不管她是什麼人、對我有何不諒解，這次說什麼也要保她周全！」說道：「喬姑娘待我不差，我不能再置之不理。」

卻見王遂野笑道：「她怎麼又姓喬啦？你連她真實姓名都不知道還把她當成朋友？可笑啊！可笑！」

古劍自受俘以來，不是苦刑便是昏睡，王遂野這幫人「程選侍」、「程姑娘」的叫了不知幾回，他卻一次也沒留意！正想再問喬小七，卻見她笑著說道：「我叫程漱玉，為了逃命換個名字，失禮啦！」

這時河面逐漸寬廣，水流比起先前和緩許多，古劍有些擔心王遂野會再度站上浮木，準備再攻。在河中緊抱著數尺寬的浮木漂流絕不輕鬆，為今之計，應當設法拖延，能多耗他一分精力，就能多一分勝算，古劍有了計較，遂道：「我也無意與朝廷作對，是你們把我抓起來，用刑加鍊！逼得我不得不抵抗。」程漱玉見古劍語氣中似有與王遂野和解之意，轉憂為怒，破口大罵起來，古劍卻故意不瞧她。

王遂野道：「一場誤會，本官在此向古少俠賠個不是！只要您肯捐棄前嫌助我捉拿要犯，保證不再為難！」

古劍偶一瞥眼，見遠方的河道又漸漸內縮，只要再拖一陣子，待漂到水流湍急之處就不必擔心！說道：「這條鐵鍊要如何解開？我可不想跟到京師。」

王遂野笑道：「只要你肯幫忙，我自有辦法。」

程漱玉隔水踢了古劍一腳道：「別被騙了！他說過這不是普通的鍊子，不到京城別想解開！」

王遂野趕緊解釋道：「這玄鐵鍊無鎖無鑰，敲不斷燒不熔，只有幾個人知道啟斷的祕訣。在外地要把它弄開，雖然有些麻煩，但只要您肯配合，本座自會設法。」

古劍問道：「什麼祕訣？」

王遂野笑了一笑，說道：「只要您幫忙捉到了人，自然會曉得。」他是個老狐狸，要套他的話，談何容易？

古劍突然辭窮，想不出該如何再胡扯下去。如果這差事交給伶牙俐齒的程瀲玉，可以不停瞎扯到三個人都漂到大海仍未結束；但一個經常被人瞧不起的小孩，自然會變成沉默寡言、拙於言辭之人，且自耳聾之後，老被人嘲笑語音飄忽難聽，便更加不愛開口。對他而言，用嘴巴拖延時間可比用劍難得多。

王遂野見他遲遲不答，似是陷入長考，也感到水流愈來愈急，漸感不耐，對古劍道：「你快點決定到底要幫誰？不要拖拖拉拉！泡在急流中可不是件舒服的事。」

古劍見他臉色陰晴不定，心知再不表態的話，眼看就要殺過來！遂道：「你發個誓，保證絕不食言！」

程瀲玉聽他的意思，顯然是有意賣友求生，又罵起來：「你這忘恩負義……」她罵她的，古劍置之不理，仍把眼光放在王遂野臉上。

王遂野全無猶豫，立即回應：「王遂野對天發誓，如果古劍能幫我抓住程瀲玉，我必放他離開，絕不刁難！否則便叫我絕子絕孫！」他雖非太監，卻曾經在一次激烈的格鬥中不慎傷了下體，早已斷了子嗣。發這種毒誓，從不當一回事。

發完誓見古劍仍未準備動手，又催促道：「快動手吧！到現在你還跟她談什麼江湖道義？你把她當成朋友，可知她在地窖時，從沒幫您說過半句好話！」

眼見激流險灘就在前方不遠處，再拖延片刻將更加穩當，一時想不出還有什麼話好講，隨口扯道：「王大人，您看我的武功，能否贏過一個千戶？……」話未說完，程瀲玉忽然抱著浮木在水上打滾，轉了兩圈半，鐵鍊脫離原木，人卻與古劍同側，雙手抓住古劍的脖子，喊道：「我跟你同歸於盡！」

古劍沒料到她會如此，反應慢了半拍，沒有玄鐵鍊纏捲圓木，他必須和王遂野一樣用雙手緊緊抱住浮木。儘管脖子被勒得難受，卻騰不出半隻手，偏偏這時水流愈來愈是湍急，只要一鬆手，兩人都會沉入江底。他想大叫：「妳瘋了嗎？」但喉嚨被緊緊勒住，什麼話也說不出口，這個時候才曉得她如此烈性！只見程漱玉口裡唸唸有詞：「要死一起死！要死一起死！……」

處在滔滔激流之中，身上綁著數十斤重的鐵鍊，數尺外有虎視眈眈的強敵正緩緩接近，該同心協力的兩個人卻起了嚴重內鬨！情勢危及到這種地步，哪容遲疑？古劍放開浮木，掰開程漱玉雙手，趕緊深吸一口氣，才吸完氣，便被急墜的鐵鍊拖入江底。

沉江之處與最近的岸邊相距不到三十步，對一個陷入湖底之人來說，卻是極遙遠極艱辛的一段路程。程漱玉才下沉沒多久便昏窒過去，古劍拖著鐵鍊與一個人，在丈許深的水底賣力爬行。江底處的水流雖不如江面湍急，但岩石苔滑不易著力，遇到亂流處仍將他推得東倒西歪。此時也顧不了手腳多處破皮，用盡力氣一步一步抓爬過去。江水混濁，即使睜眼也看不到前方，只覺得這段路永遠爬不完。眼看就要憋不住氣，才終於往上爬升！古劍曉得就快到達岸邊，精神再振，也不知哪來的力量，三步併兩步的猛爬，終於探出了頭來。

他先猛吸數口大氣，再把昏迷不醒的程漱玉拖上江岸，這姑娘臉色蒼白，似乎喝下不少江水，必須在短時間內幫她將胸腹間的積水吐出，否則性命不保。古劍學過武當派的「還魂氣功」，趕緊把人平放，點她喉間人迎穴、肋間期門穴、胸腹間的中脘穴及肚臍下方的氣海穴，再手按其胸口膻中穴，連運幾次氣。但此時的他內功渙散、指力虛軟，哪能有半分用處？

正自慌亂中，忽然想起以前常和徐宏珉在青城山落雁潭比賽憋氣，這不學無術的徐宏珉，不知從哪裡學來的閉氣術，總比他晚一點浮出水面。某次古劍下定決心，死憋活憋就是不肯先認輸，竟憋岔了氣，進了一大口水，人卻昏厥不起，徐宏珉不會「還魂氣功」，便用嘴巴將他體內積水給吸了出來。可是這程漱玉是個女子……

人命關天，哪容他猶豫再三，終將嘴巴貼將上去，左手抓緊人迎穴，右手按壓膻中穴，一吸一按一壓，接連試了數十次，程漱玉的嘴巴終於冒出水來，「嘤」的一聲，醒了！

接著「啪」的一聲，她又賞給古劍一巴掌，罵道：「下流！」

這一掌打得古劍古劍眼冒金星，卻沒時間多作解釋。這個時候，王遂野正從下游處，沿著河岸緩緩走來。

新仇加上舊恨，古劍已成為程漱玉這輩子最痛恨的人，哪有一巴掌就算了？她舉掌欲再播，卻忽感四肢無力，一隻手抬起一半又軟軟的癱了下來，原來方才那一巴掌，已用去全身氣力。程漱玉兩眼惡狠狠盯著古劍，喃喃唸道：「我要將你碎屍萬段……」

王遂野逐步逼近，雖然手酸腳軟，仍較古劍強橫許多。古劍徬徨無計，思道：「他說只要我肯合作便讓我走，是真的嗎？……就算他願意放人，我怎能不顧程姑娘死活！……我的功夫遠不如他，再給程姑娘這麼一折騰，要怎麼打贏？……可是現在不試一試，以後更加沒機會！……」

王遂野邊走邊盤算：「這小子受了那麼多苦刑，想必恨我入骨，無論他合不合作，都不能輕易放走，免得夜長夢多。若帶回天牢，那我食言而肥之事恐將傳揚出去，豈不為天下人恥笑？事到如今，只好先把程漱玉騙到手，再將他除去。」想到這裡，不禁面露微笑，卻聽古劍喝道：「你別過來！我會殺了她！」他雙手拇指貼著程漱玉的太陽穴，只要稍一運氣，立刻索命。

程漱玉軟軟癱在地上，沒有半點氣力活動，但兩人的對話仍一字一句聽在耳裡，哪知道古劍這麼做是為了要救她？氣歸氣，卻懶得再多說，心想：「這古劍貌似忠厚，其實滿肚子的壞水。這樣也好，他和王遂野互不信任，早晚得打起來，最好是兩敗俱傷，死了算啦！」

王遂野果然不敢妄動，笑道：「不是說好，把人交出來就放了你，再保薦一個千戶職。」說話之時，卻有意無意往前踏上一步。

古劍搖頭道：「我沒答應過！」

莫非他看穿我的心意？王遂野道：「我都發下毒誓，你還不相信嗎？」說著取出背後長槍，往前再試踏一步。

要把程姑娘一併救走的意圖，現在可不能讓王遂野知道。古劍搖頭說：「我不相信！」

王遂野道：「你到底想怎樣？」又踏了一步。

古劍慢慢架起程漱玉，卻也不知該說什麼；但他清楚以現在這等處境，對方不可能輕易放人，只能道：「讓我想想！你等一會兒不行嗎？」

王遂野道：「你忘了劉胖子嗎？他沒跟著跳下來，是因為怕水，可不是怕了你。你我都剩不到三成功力，若繼續乾耗下去，等他追來，恐怕都得死在那聚散鬼鞭之下。」說著又往前逼近一步，雙手緊握長槍，蓄勢待發。

古劍忙道：「別動！我真會殺了她！」

程漱玉大叫：「你敢！」情急之下，手肘自然往後一頂。此時古劍正全神貫注盯著王遂野的一舉一動，肚子忽然被頂，一個分神，王遂野突然跨步出槍，向他腹部疾刺而來！

古劍立即縮身，順手把程漱玉架在前方，王遂野這一槍差點誤刺程漱玉，所幸他經驗老到，立即剎住！古劍早知對手不願傷她，如果長槍再多進幾寸，也只有把人推開，由自己來承受，即使如此，仍不禁嚇出一身冷汗！王遂野也是一驚，萬一程漱玉的肚子有什麼三長兩短，就算把人抓了回去，也是功不抵過。要是平常，即使槍尖碰觸到衣服，他仍可及時收力停住，但現在手酸腳軟，豈敢再托大，槍尖離身一尺便硬生生定住；至於被拿來當作人肉盾牌的程漱玉，還沒來得及生氣，就已驚昏過去！

一擊不成，王遂野繞到左側再刺，古劍轉個身，又輕鬆封住。但對方仍不死心，繼續繞著古劍轉，逮著空隙便出槍。古劍也跟著轉身，不管他槍法怎麼變化，只要一刺出來，就推出程漱玉來擋，他確知對方萬萬捨不得殺程漱玉，運用起來，已無滯礙；就這樣一個反覆繞圈，一個來回轉動，僵持良久，始終難有進展。

王遂野愈繞愈快，卻始終找不到一個較大的空檔，手腳愈來愈覺得疲累，漸感不耐，思道：「再這麼拖下去，就算劉易風不趕來搶功，也會把人活活累死！」想到這裡，突然一個疏神，絆到一塊岩石，長槍卻順勢刺了出去！

事出突然，古劍本欲重施故技將人推出，推到一半，才發覺王遂野根本無法收勢，趕緊將程漱玉的身子往旁推開，接著「啵」的一聲，長槍刺中纏在古劍腰上的鐵鍊。槍頭尖端刺進肉裡，另一半卻被卡在鐵鍊中空處，王遂野用勁一抽卻沒能拔出。古劍趕緊按住長槍中間的卡榫，當王遂野爬起來時，手上只剩下半截槍，另外半截卻插在古劍的腰上。雖然丟了半截槍，但重創對手，這一跤摔得值。他哈哈大笑，道：「原來你對她的性命看得比我還重！現在沒了護身符，還是乖乖投降吧！」

古劍咬牙把槍搖晃了兩下才拔出來，左手按住傷口，右手用槍撐著身子，道：「我還沒認輸呢。」

王遂野笑道：「你夠狠，我開始有些佩服起來，可惜……」說著持槍由上往下斜劈，古劍低頭避開，以槍作劍，自下而上撩起，直刺對方咽喉。這一刺技巧、方位妙到極點，可惜速度稍慢，王遂野從容避過，心中暗喜，深吸一口氣，打算一鼓作氣把古劍擊斃，大吼一聲，又向古劍攻去，招招相逼，只想盡快解決對手。

王遂野最擅長的是變化莫測的離合槍，長槍其次，若變成兩支短槍，則當成雙刺來使，威力稍遜一籌；而如今手上只剩一把短槍，再加上先前體力耗損過劇，功力不及平日三成；雖是如此，用來對付現在的古劍，也該綽綽有餘。他一槍緊過一槍，沒想到古劍被逼入了絕境，反倒能冷靜應對，總在千鈞一髮之際，以奇招化解，過了數十招，竟未露敗象！

王遂野漸感不耐，忽把半截槍插在地上，快拳飛腿往古劍身上連番擊去，拳腳上的功夫倒不輸陳弓。古劍還是沒找到對付拳腳的法子，再加上傷疲交迫，劍法雖妙，勁道卻有所不足，擋開左手就躲不掉右腳，竟連番中招，若非王遂野先前氣力大損，早將他打死。

古劍一步步往江心退卻，占了上風的王遂野豈肯鬆手，一掌一掌拍將過去，步步進逼，不知不覺，兩人屁股都浸在水中。激鬥中，王遂野看到古劍腹腰處有明顯的破綻，只要再加一腿便可令他傷口崩裂，但這時怎麼出腿？他心裡忽然一沉：「這小子水性強，莫非故意引我下水？」一想到這裡，正準備倒退，忽見古劍整個人蹲入水中！

王遂野一陣驚惶，右腳向前猛踢，緊接著一聲慘叫，左腳掌已被鐵槍刺穿！

古劍再探出頭時，人已在王遂野身後，不再理會他，逕自往岸上走去。他左手緊護著腰間，點了幾個止血穴道，鮮血仍汩汩流出，顯然方才的一場劇鬥，已將傷口拉得更開。

王遂野用一隻腳，狼狽蹬上河岸，想掏出衣袋裡的止血藥和養神丹，伸手一摸，哪還有什麼東西？全都被水泡散啦！只好老實的坐在岸邊，不敢拔槍，這回可輸得徹底！

所幸古劍對他仍有所忌，並未再攻，而是用鐵鍊將程漱玉綁縛在背上，拔起插在地上的半支槍當作拐杖，一拐一拐沿著小路往山裡走去。王遂野又是一驚，這小子內力不純，卻有用不完的體力，在這當口，竟還能背人拖鍊爬起山來！

王遂野打了一個冷顫，如今只好靜坐運氣，靜待援兵趕來，又希望陳弓、屠言勝慢一點到，好讓他編個像樣的理由。畢竟慘敗給一個無名小卒，不是什麼光彩的事。

行不到幾里路程，程漱玉逐漸甦醒，發覺身子好似一捆薪柴，被人牢牢綁在背上背著走，聞著這肩上的臭汗味，竟然還是古劍！她頗感意外，在昏倒之前，這個壞傢伙眼看著早晚要被王遂野給插出一個大窟窿，怎麼還逃得掉？心道：「哼！這個卑鄙小人還會使什麼高尚的手段？定是拿我當人質，逼得王遂野投鼠忌器，暫且放他一馬。」一想到這裡，心中又浮起昏倒前古劍利用她的身子來擋槍的那一幕，又想這一路來自己對他頗為照顧，卻換來如此涼薄無義的回報，愈想愈是忿恨，突然往他肩上狠狠咬了下去！

古劍正步步為營走在崎嶇山道，右肩忽感一股刺痛，一個重心不穩，失足滾下斜坡。兩人綁在一塊，從山上橫滾而下，直滾了十來丈才止住，所幸這斜坡覆滿雜草，減輕許多撞擊力道，但一陣天旋地轉，二人都頭暈目眩，直想嘔吐。

古劍全吐在地上，後頸卻被程漱玉吐個正著，不由得心中火起，解索起身，抓起程漱玉，喝道：「妳瘋了！」

程漱玉看他全身灰泥，傷口上的血汩汩流出，脖子、臉頰又沾滿她所嘔吐出來的汁液，如此狼狽不堪卻怒髮衝冠的模樣，令人感到十分滑稽，忍不住大笑起來！

古劍氣極，左手將她緊按在地上，右手揚起，程漱玉見他一臉凶惡，不禁有點害怕，卻仍倔強的說：「打呀！你這個偽君子，平常喜歡賣弄俠義，一遇生死關頭，賣友求榮，忘恩負義，什麼卑鄙下流的事都幹得出來！……欺負我一個弱女子算得了什麼？」齜牙咧嘴一字一句，說到後來淚水也不禁奪眶而出，既憤懣又委屈。

古劍右手輕輕放下，試著解釋其中種種曲折原委，但他口齒笨拙，怎麼說也難以讓人相信，卻遭到更多的斥罵奚落，說到後來，程漱玉索性摀住耳朵，對他吐了一臉口水，依然憤恨難消。

「罷了！罷了！我被人冤枉也不是第一次。日久見人心，她信也好，不信也罷，又何必耿耿於懷？」古劍不再多言，自行清拭身上穢物，整理傷處，這才發覺，全身上下可說是遍體鱗傷。有的是在水底爬行時被岩石刮破了皮，有的是在劇鬥時被王遂野打腫的，有的則是拜剛剛那陣翻滾所賜，而腰上的傷口，經過這麼一鬧，血又流得更多。

再往下幾步有一條小溪，他索性全身浸泡水中，把傷口搓洗乾淨。然後拔了幾株艾草，用石頭搗糊後敷在傷口。

抹完草藥，不敢多作休息，馬上趕著程漱玉爬回小路，為防她在背後搞鬼，逼她走在前頭。程漱玉爬上坡頂，突然撿起方才掉落在地上的長槍，轉身向後急刺！

古劍千思萬慮，就是沒想到那柄槍還留在坡頂，驚慌之下，已避無可避，危急中只有向後一躍，又再度失足滾落。而程漱玉也沒得到好處，身子被鐵鍊拉著往下滾去，還未到坡底，兩人已撞在一塊。

跌勢一止，古劍立即翻坐起來，牢牢抓住她衣領斥道：「再這樣亂來，看我怎麼弄妳！」他髮亂鬚張，儀容未整，生起氣來，倒真像個莽夫惡漢，令人心生懼意。

「弄你」這個字眼，在川西一帶，只是懲罰的意思；但在江南，卻另有一番解釋。程漱玉自小到大從未被人如此凶過，即使在被俘虜的那幾天，王遂野亦客氣以待；如今卻得和這個凶惡下流之人一起逃難，羞憤交加，不知不覺又流下兩行清淚。

古劍見她又哭，心下歉然，心想：「她有所誤解才會如此，我又何必計較？」一想出言致歉，卻不知如何開口，轉念又想：「現在示好，更讓她無所顧忌，反倒害了彼此！既然無法同心協力，只好威脅逼迫，續繼假裝凶惡。」

他重新洗滌傷口，拔草敷藥，身上又多了幾處輕傷。反觀肇禍的程漱玉，兩次摔滾，都被古劍本能的護持住，竟無半點傷口！

此時的古劍，飢餓、疲倦與傷痛交纏，後有惡敵窮追不捨，卻還得時時提防程漱玉猝然發難，他覺得好累，對於能否順利逃脫，可沒半分把握！

敷完草藥，古劍不再客氣，出手點了程漱玉穴道，將她負在背上，再拾起長槍，當作拐杖，一步一步往上爬。

好不容易爬了上來，卻仍不敢把程漱玉釋放；因為這小丘頂上的山脊，路寬還不到兩尺，如任她自由，一個不高興又會把人給拖了下去。偏偏這一帶的山丘似乎剛燒過不久，光禿禿的一片，無可隱蔽之處，儘管疲累不已，鮮血一滴一滴落下，古劍仍不敢稍有停留，續繼往樹林處走去。

行不到一里路，碰到一個岔路，他改走岔路。程漱玉笑道：「笨蛋！你身上的血還在滴，就算有一百條岔路，也瞞不了人！」說完才想到：「這人是一個聾子，在他背後講得再大聲，也是白搭。」卻見古劍走了數百尺停了下來，撕下衣袖，將傷口重新包紮止血後，又返回原路。

繼續走了一段，又遇到一條岔路，這次他仍是改走岔路，並撕下一小塊血布，扔在地上。程漱玉又暗笑：「你同一個方法連用兩次，人家怎會再上當？」然而這一次古劍仍繼續前行，不再折返；原來是要故布疑陣，如此虛虛實實，讓追蹤者摸不清，之後即使再有什麼蛛絲馬跡，來人也搞不清是真是假。

一直走到一片密林，古劍才吁一口氣，把程漱玉放下來，解開穴道，拉著她一步一步往內走。這裡地勢較緩，鬱綠幽深，倒不擔心她再搞鬼。

古劍步步為營，不斷東張西望，程漱玉體力稍復，頗感不耐，超到前頭，拖著他快走，口中喃喃唸道：「聾子就是聾子，走起路來瞻前顧後！」

古劍沒見到她說什麼，淡淡的道：「妳最好跟在我後頭。」

程漱玉掉過頭來，做個鬼臉道：「我可不是你的跟屁蟲！」

古劍道：「隨妳吧！摔傷可別再怪人。」

程漱玉哼道：「你以為我沒走過山路？哪有這麼容易……啊……」她話未說完，先慘叫一聲，人已掉到一個小坑裡，古劍探過來看，這個坑洞寬不到四尺，深不過肩，人掉下去並無大礙。

程漱玉驚魂甫定，見古劍似笑非笑的瞧著自己，倔著嘴道：「你笑什麼？這種小洞還難不倒本姑娘！」隨後輕輕躍起，依舊面帶微笑，翩然落在前方。

哪曉得落腳之處，竟是另一個坑，她直墜坑底，又再度慘叫，不等古劍嘲笑，馬上又跳了出來，這次不敢再向前，改向右側著地。哪知這次仍踏了空，「啊……」的一聲，叫得加倍淒厲！立即躍起。

她連掉三次，連叫了三聲，又連躍了三次，叫得一聲比一聲慘，跳得卻一次比一次高，這次她再也不敢著地，逕往古劍身上撲去！古劍閃躲不及，伸手托住程漱玉纖腰，整個頭卻被程漱玉環抱得緊緊，十分氣悶。

過了半晌，程漱玉突然把他推開，順手打了一巴掌。

古劍莫名奇其妙的挨打，倒未生氣，輕輕放下人，探頭往洞裡瞧，坑內竟有一條青竹絲，正捲著身子，朝上猛吐舌頭！這才注意到程漱玉的左足泛黑，已被毒蛇咬傷。

古劍先點她左腿穴道，阻止血液上流，再將褲管上拉，嘴靠上去吸吮毒血。所幸她躍得快，傷口極淺，不致有大礙。

程漱玉第三次掉下坑內時，因驚嚇過度，壓根就沒注意是什麼蛇，她既昏且倦，靜靜瞧著古劍幫她吸出一灘黑血，方知原委。看著他那漲得通紅的臉，心中暗自竊笑：「方才只是輕輕打了他一下，就整張臉連著耳根都紅得透頂，這野人壞雖壞，卻也有幾分有趣。」一突然想到：「難得他心神不寧，何不趁現在襲擊他？」但轉念又想：「他正幫我治傷解毒，若在這時候殺他，未免有點恩將仇報。」「哼！什麼恩將仇報，他不讓我死，只因我是護身符，危急時可以拿來做擋箭牌，說不定還打算把我押到京城換取榮華富貴，哪會安什麼好心眼？」「看這樣子，這野人熟稔山林，早看出來這裡的陷阱，卻故意不提，先害我受傷，再故意示恩，更加可惡！」

古劍在九寨溝便是以設陷捕獸為生，這是極普遍的三連坑，怎會瞧不出來？陷捕一般的猛獸，坑不必太深，但要夠窄。然野獸機警，若踩不到窄坑的中心，仍可能跑掉，所以連挖三坑，讓牠爬開第一坑，爬不過第二坑，就算僥倖爬離前兩坑，也很難跳過第三坑。古劍給她暗示過，程漱玉卻不理，便想給她一點教訓也好，可不知裡面藏著一條毒蛇！

古劍吸了十來口，血色漸漸轉為鮮紅，程漱玉見機不可失，緩緩挺直腰桿，倏然出手點向古劍背部靈臺穴！

驚覺時已經太晚，古劍十分懊惱：「我是怎麼了？竟一再對她失去防備？罷了！罷了！今日我古劍埋屍於此，這『試劍大會』，終究是無緣參加。」

程漱玉緩緩起身，拾起長槍，頂住他胸口道：「是你先對我不義，可別怪我心狠！」說著長槍一送，入肉三分，突然停住不進，看著古劍絕望的眼神，卻連哼也不哼一聲，不知怎麼，竟然狠不下心來多施一分力！

這時又想：「這人雖惡，但殺了之後，還得把他攔腰切成兩半才能走得了，瞧他這種死不瞑目的模樣，若死無全屍，會不會化成厲鬼來找我索命？這野人活著時就這麼嚇人，死了之後，豈不更加恐怖！就算鬼神之說不可信，這人死了之後，剩下我一個人孤伶伶留在這不見天日的密林之中，該如何逃離險境？」在一時衝動出手之前，想到的全是古劍的惡行劣跡，恨不得將他碎屍萬段！現在顧慮後果，卻殺也不是，放也不妥，倒弄得騎虎難下。

猶豫了一陣，才收起了長槍，取出匕首，在古劍眼前晃動，嘻嘻笑道：「我又沒點你啞穴，怎麼不開口求饒？」

古劍冷冷的瞧，淡然回道：「有用嗎？」

程漱玉道：「那可未必？只要你好好賠個不是，保證不再害我，興許本姑娘一時心軟，就此原諒你！」

古劍仍平靜道：「我真的沒存心害妳，妳始終不信，我也沒法子。」

程漱玉怒道：「我親耳聽到你想賣我求官，親眼見到你拿我的身子抵擋長槍，還假得了？這件事可別再提，否則狠起心來，休怪我無情！」

多說無益，古劍索性不再多言，閉上雙眼，任人處置。

萬萬沒料到，這野人如此倔傲，即使想放他一馬也找不到臺階可下，程漱玉滿腔怨懟，更無處發洩，突然「哇」的一聲，又哭了出來！這一哭，牽動許多傷心往事：悲涼的身世，受人擺布的坎坷命運，還有這次逃亡所遭受的種種苦難……應該出來救她的人卻遲遲未現！種種委屈無處發洩，竟哭得一發不可收拾！過了良久，古劍睜開雙眼，才發覺原來這個平日嬉笑刁蠻的姑娘，也會哭得如此悲切！

他突然心軟，思道：「她一定氣極了才哭得如此傷心，生死關頭，又何必跟她計較？姑且讓一讓吧！」便道：「追兵就快到了，妳要放人的話，可得快一點！」

聽到他開口說話，程漱玉趕忙拭淚，紅著眼啜道：「你……這是什麼……意思，是……嚇唬我？……還是向我求饒？」

「就算是求……不是嚇妳的！」古劍磨了半天，求饒兩個字仍是說不出口。

「算你識時務！」取得一次小勝利，程漱玉終於破涕為笑。

「這樣不成，你跟著我說一遍，就幫你解穴。」程漱玉伸出食指，在半空停住，哂然道：「我古劍對天發誓！從今以後，決不欺負程漱玉……」

古劍不禁莞爾，思道：「我什麼時候欺負妳了？反正無意欺人，發個誓也不妨。」遂跟著唸。

程漱玉續道：「對程漱玉言聽計從，決不違逆……」她兩眼睨著古劍瞧，過了良久，卻不見他有任何反應，遂道：「怎麼？辦不到嗎？」

古劍回道：「太危險了！」言下之意，她出的都是餿主意，如果一路上都照她的意思，早晚要被抓。程漱玉當然不悅，但她原本就料到古劍不會同意，這一條只是在測試他是否虛應故事而已，若輕易答應，反倒啟人疑竇。

既然不打算殺他，早晚也得賭這一把，便道：「算了！不跟你計較。」邊說邊伸手解開古劍穴道，她故作輕鬆，其實心中依舊忐忑，另一隻手緊抓著槍柄，兩眼死盯著古劍，怕他再對自己不利。

古劍緩緩起身，突然轉身往背後藏蛇的坑洞跳去！程漱玉心一沉，不知他要搞什麼鬼？莫非剛發完誓就要翻臉？她心中有氣，挺槍欲往洞裡刺去，這次打定主意，不再留情！

人還沒到洞口，卻見古劍從坑裡躍起，手上赫然抓著剛剛那條青竹絲，程漱玉一聲慘叫，丟下鐵槍，拔腿就跑，渾然忘了她跟古劍是分不開的，只奔行幾步，便被鐵鍊拉住，一急之下，又昏了過去。

過了一會，她悠悠轉醒，全身穴道都被點死，又驚又怒，正欲破口大罵，才發現連啞穴都被制住，苦不能言。她積怨難消，心中暗罵千百回，將古劍祖宗八代，六親九族，都咒得永不超生。

她一邊暗罵，一邊冷眼瞧著古劍，只見他正忙著覆枝蓋土，意圖把方才自己踩踏的陷阱恢復原狀，思道：「原來他想用這個陷阱，誘捕敵人，不知這次是誰追來，要是像劉易風或王遂野這種老江湖，區區幾個小坑，怎能困住？」她又想到那條蛇，不禁心中發毛，不知古劍把牠丟到哪個坑？「這人看似老實，其實一肚子壞水，明知我怕蛇，也不事先警告，冷不防的拿出來嚇人！」

古劍突然過來，竟在她雙腿附近撕下一塊帶血的布料，程漱玉花容失色，以為他要對自己不利，差點又再昏一次。所幸他只不過撕下一小塊布，扔到第三個坑洞旁，再從程漱玉靴上取出匕首，在附近斬斷幾條藤蔓，結成一條四、五丈長的長索，一端打成活結，擺在破布旁，再以枯葉掩蓋，另一端輕搭在一根離地三丈高的樹枝，看起來就像是一般懸在樹上的藤蔓。

一切布置妥當，古劍便爬上身旁這棵大榕樹上，找個隱蔽的角落藏身，接著慢慢拉起鐵鍊，把程漱玉緩緩吊了上去，解穴道：「錦衣衛快到了，不要聲張！」

憋了那麼久的氣，哪能說忍就忍？程漱玉深深吸一口氣，正準備開罵，卻聽到一陣狗吠聲，確實有人正往這裡奔來，愈近愈瞧清楚，果然是劉易風，旁邊跟著一隻獒犬，她恨透這群獒犬，從京城開始，幾次眼看著可以擺脫追兵，最後還是逃不過這些牲畜。

一人一犬很快奔行上來，機警的獒犬大老遠就聞到味道，吠聲連連，一晃眼便找到那塊破布，迫不及待奔上前去，卻突然踩了個空，直墜下坑，本來一連串得意邀功的叫聲，霎時變成一陣淒厲的哀嚎！

劉易風急著前往探看，卻踩到另一個陷阱，雙足踏空，往下沉墜，然他應變奇快，立即甩鞭，借力往上急縱，就在此時，古劍往下一躍，藤蔓收縮套住劉易風左腳腳脛，將他往上拉起，倒吊在半空，這長藤帶刺，扎得他痛徹心腑。

然劉易風身為錦衣衛四大統領之一，哪有這麼容易受制於人？儘管身子倒懸在半空仍臨危不亂，揮動長鞭，對著古劍站立處唰的一鞭掃去，依然狠準。古劍一見長鞭揮來，往上輕躍三尺，劉易風便下沉三尺，這一鞭自難落實。

劉易風一鞭落空，不敢稍歇，繼續往古劍落腳處追打，非逼得對方鬆手不可，古劍明瞭他的心思，左騰右跳，就是不放手。

劉易風可說半條命握在他手上，只要找到一個出鞭的空檔，衝進內圈，一槍便可了結此人，但古劍仍不敢躁進，他身上有傷，手上拿的也不是劍，但最要命卻是他的信心尚有所不足。如果是在生死關頭，他無暇多想，自能發揮潛力，但現在占了極大的便宜，反倒猶豫起來。程潄玉看得清楚，但對他吼破喉嚨也沒用，只有空自著急！

劉易風卻知道再這樣玩下去，早晚會被對手弄得精疲力盡，忽然一聲巨吼，將長鞭往樹幹捲去，用力一扯，這一借力，整個人像扯鈴般的繞著樹枝上下轉圈，每轉一圈，藤蔓就在樹枝上繞了一匝，自然短了一截。他一鼓作氣轉了四、五圈，藤蔓也短了六、七尺，此時皮鞭長度已夠，用盡全身力量，振臂一揮，「喀」的一聲，粗如大腿的樹幹竟被一鞭打斷，連著人落下地面。

人一著地，只覺得天旋地轉，頭暈目眩，站立不穩，右手仍不停舞動長鞭護身，環顧四望，原來古、程二人早已不知去向。劉易風頹然坐下，思道：「所幸這傢伙嫩，如果這時沒落跑，一槍刺來，我可無力應付。」

他就地打坐一會，待恢復部分元氣，這才想到方才掉到坑裡的獒犬，探頭一看，這隻狗側躺在坑底，左前腿一處小傷口，流出的黑血早已凝固多時，身旁一條青竹絲也被咬成兩截。顯然獒犬一落下坑就被毒蛇咬中，在毒發之前奮力復仇。劉易風心下惴惴：「這人看來土裡土氣，沒想到手段卻厲害，也難怪王遂野這麼精的人也會著了他的道。」他途中遇到王遂野，還曾奚落幾句，沒想這麼快就輪到自己受罪。

就在劉易風開始轉圈時，古劍已猜中其意圖，他無意冒險，對著程漱玉道：「快跳到我背上！」

程漱玉怎肯任意攬在一個男子背上，詰問道：「你……想幹什麼？」

在這節骨眼上，哪有時間慢慢解釋？古劍出其不意點了她的穴道，對著她繞了幾圈，用鐵鍊將之纏繞綁固在背上，提氣前衝十來步，一躍起身，左手抓住一條從樹枝垂懸而下的藤索，借前衝之力擺盪至第二條藤索，改由右手抓住，繼續向前擺盪。這是他在深山練劍時，跟著猿猴學來的，早已十分熟練。就這樣不斷借力使力，在半空中擺盪易藤，轉瞬間便離開百來丈遠。

程漱玉被迫貼在他背後，原本氣極，但一陣子騰雲駕霧般的飛馳飄盪，看著一株株樹影急速向後倒退，思緒不知不覺的回到了幾年以前——公子背著她盪鞦韆的旖旎風光，心底泛起一絲絲的甜蜜溫馨，當整個人落地時，反覺得意猶未盡。前方還有樹藤，真想叫他再盪下去，古劍卻只低著頭解開她的鐵索及穴道，轉身便往前走。

她立定不動，把古劍拖住，他仍不回頭，扯著鐵鍊道：「走吧！可別等人追來。」程漱玉突然發現他的雙耳略紅，心裡暗笑，但轉念又想：「這個野人不知什麼時候會獸性大發，我可得小心防範。」

她亦步亦趨跟在後面，古劍捨林道而逕往林蔭深處走去，愈行愈是鬱綠深幽，滿布荊棘。

此時已近黃昏，夕日餘暉稀疏穿透層層綠葉之間，映射在地上一層厚厚的腐葉枯枝。兩人行過之處，不時驚擾一些蛇蝎鳥獸，弄得她心裡怦怦的跳，骨寒毛豎。她用手掌緊摀著嘴，以防驚嚇過度時的尖叫聲會把追兵引來。

所幸走在前頭的古劍已先把蟲獸驚走，他用鐵槍開路，不時四下張望，全靠雙眼來提防陷阱及山獸的突襲。眼看著太陽就要下山，儘管傷痛疲累，仍不敢稍停。

兩人在天黑前找到一條山澗，程漱玉大喜過望，想也不想就和著衣衫，歡蹦亂跳的躍入水中，古劍阻止不及，只好走到一旁，以長槍刺魚。

當夜幕襲來，天色盡黑，程漱玉洗淨身子爬上來，古劍的長槍也串著好幾條魚，他稍稍清理一下，丟兩條給她，剩下的竟不生火，直接咬將下去。

見他生食魚肉，程漱玉覺得噁心透頂，再餓也不敢照做。遂自行找幾根乾柴及細棍，準備鑽木取火，烤魚兼烘衣，卻聽古劍搖頭道：「不行！火光會把敵人引來。」

程漱玉略一張望，嗤之以鼻道：「你這蠢牛，這樹林如此深密，一點火光有何相干？」說著繼續取火。

古劍見她不斷以雙手來回搓滾細棍，顯然不得要領，鑽到天亮也難有結果，便不再多說。從懷裡取出方才從路上採摘的山果，拿出兩個給她充飢。程漱玉隨手咬了一口，覺得又苦又澀，於是重重扔到水裡，又繼續生火。

本想不再理她，但看著她單薄的身子，穿著溼衣在寒風中瑟瑟發抖，古劍脫下獸皮遞過去說：「把溼衣脫了，換這件。」

哪知她看也不看：「誰要你的臭衣服！」又重重扔了回來。

暗夜之中，看不到她說些什麼，但意思明顯，古劍不再自討沒趣，逕自吃完後，又拔幾株艾草，搗碎後再補敷傷口，並找一些乾淨的樹葉及細藤包紮，這些傷口大多不嚴重，卻有十來處之多，花了他近半個時辰才包紮妥當。這時程漱玉已把雙手都磨出繭來，卻仍未弄出半點火星，憤憤然踢開柴棒，靠坐在一棵大樹下，暗自啜泣。

古劍心中不忍，有股想幫她生火的念頭，跨了兩步，轉念一想，這個時候若有廠衛追煙覓人，勢必難逃，生死關頭，千萬不可心軟！於是轉身不再瞧她，自忖此時應該好好睡上一覺，養精蓄銳，以應付明天崎嶇凶險之路。

他取來幾根藤蔓，接出一條長長的樹藤，在三棵樹之間繞了數匝，做成一個三角護欄，以防野獸夜襲，又折了許多枝葉擋在迎風面，布置妥當後和衣躺平，不消多久，便打起呼來。

慢慢的，一弦彎月升上夜空，透進一點稀疏的微光，程漱玉聽來卻覺滿布雜音。樹葉擺動聲、淙淙流水聲，蛙鳴蟲嘶、鳥啼獸哮，無不使她心煩意悶。此時小腹不時傳來咕咕的鳴響，然山風冷冽，正是疲累煩躁、飢寒交迫，有生以來最為落難無助的時刻。

轉頭瞧瞧古劍，見他身披獸披衣裘，睡得正酣。思道：「這聾子什麼都聽不見，反倒好眠。哼！他自己吃飽，就不幫我生火，只顧穿著自己溫暖的獸衣入睡，十足的自私自利，無情無義！」她愈想愈是忿然，倍感委屈！

她胡思亂想起來：「如果公子在這兒，一定不會讓我受到半點委屈。下雨時，他為我撐傘；風大一些，替我套上披風；義父要送我入宮臥底，他捨不得，為了我和義父大吵幾次！

「我說我願意！我的命是義父的，我的心是你的，只要對你們的復位大業有所幫助，只要你還會惦記著我，送皇宮禁院也好，送陰曹地府也罷，漱玉無怨無悔！

「後來我果真被選入宮中，常洛太子待我不薄，卻是個苦命的太子，皇上不喜歡他，鄭貴妃為了自己的兒子福王常洵，處心積慮想陷害他，就連宮裡的太監都瞧不起他！

「太子委屈慣了，我卻難以忍受，幫他拿些主意，與鄭貴妃暗鬥起來！日子一久，終究瞞不住她，派人深夜前來行刺……

「我當然不能坐以待斃，把刺客殺死，卻暴露出我會武功的祕密，後宮侍衛要把我帶去審問，這時六醜突然衝了出來，奮力殺出一條血路。

「六醜救了我，他跟了公子好幾年，公子不放心我隻身入宮，想找一個信得過的人保護我，六醜自願進宮衛護。

「我當時很不情願，直接告訴公子，不要他跟著進宮。公子的四個隨從我都不喜歡，二癲、四傻最會裝瘋賣傻，六醜、八怪卻是真的既醜又怪，另外三個人，儘管看不順眼，至少對我還算本分。唯獨六醜，表面上對我恭恭敬敬，背地裡卻老用他那倒吊的三腳斜眼暗地瞟過來，弄得人渾身不自在；然而義父最後還是派了他。

「多虧有六醜，在緊要關頭，他把我救出後宮，弄了一輛馬車，一路上他駕馬，我乘車，從京城逃到陝西。他人雖長得一副凶煞模樣，卻對我照顧得無微不至。我餓了，他去搶食物；我冷了，他去偷被子；明知我身上還帶著許多高價珠寶，卻始終不忍向我要去換錢。這十幾天的路程在六醜照料之下，竟是風平浪靜，全然不像亡命天涯。

「我們在沿途做了許多暗記卻遲遲不見公子派人前來接應，只好一路逃亡下去，一直到了陝南，終於被錦衣衛給追上，六醜護著我奮勇殺出，帶著我繞小徑奔逃，跑了數十里，實在跑不動了，他要來背我，我不肯。

「我的身子是公子的，侍奉太子不得已，在我心中，我仍是個處子，怎能讓這個醜八怪隨意亂碰？一急之下，厲聲斥道：『你走開！誰不知道你心裡在想些什麼！』

「六醜黯然，冷不防的腰帶一解！我驚叫了起來，原來他一直在宮中，以太監的身分，默默護衛著我。

「他跪下來，愴愴哀哀的說：『程姑娘，我知道妳討厭我！是我不好，天生一對賊眼，老是冒犯您。

「您在俺心中就像是天仙一般的人物，和公子正是這世上最完美的一對璧人，俺六醜再怎麼不肖，也還有這點自知之明；像俺這種骯髒齷齪，奇醜無比之人，哪怕是半夜裡偷偷想您個一、兩回，也是莫大的褻瀆。然而俺卻偏偏管不住這顆豬心和這對賊眼！不但惹得公子和您不高興，六醜更是內疚不已，幾次想把這兩顆汙穢的眼珠子挖下來；卻又怕這麼一來便不能再保護您了！俺不放心他們三個，論武功，二癲他們未必比我差，但絕不可能像我那麼細心，那麼賣命！

「『那天您不讓我跟著進宮，六醜雖難過，但絕不敢怨您，為了向公子表明心跡，我……切掉了這條穢根，做太監更方便護衛，也保證我不會冒犯於您！』

「原來我一直錯怪了他！陪他哭了一段，放心的任由他背著奔逃，他還真能熬，挺著受傷的身子，一直撐到天黑，才找到一間破廟休息。他殷勤的鋪好稻草讓我躺，我說累了，要用他的腿當枕頭，他一張醜臉漲得赤紅，卻不知該不該推拒。我很快睡著，迷迷糊糊中好像有人用稻草替我驅趕蚊蟲。

「次日清早醒來，才發現枕頭已換成了稻草，身上蓋滿他的衣服，過沒多久，才見他匆匆奔來，光著上身，雙手捧著用油紙包著的飯糰。

「原來他怕我餓肚子，竟連夜趕了十幾里路，找到一家農戶，逼那農婦熱一份我最愛吃的飯糰，但由於天氣溼涼，儘管拼命趕路，飯糰終究涼了，他一臉懊惱！聽他的肚子咕咕的響著，顯然一路上也還沒吃，我將冷飯分一半給他，他抵死不受，推拒半天，才勉強吃一小口。

「還未吃飽，又被錦衣衛發現，領頭的只有陳弓一人，我不怕，六醜卻說王遂野和屠言勝就快到了，催促我先逃，等他宰了陳弓之後，自會再找到我。

「跑不到百步，我回頭一看，才發現情勢危殆，原來他已油盡燈枯，竟連陳弓都贏不了！遠遠看著他奮其末勇，打傷陳弓的腿，殺了幾個人，卻也慘死在對手掌下。」

想到此處，程漱玉不禁又流下兩滴清淚，而那聾子睡得正酣，呼聲愈來愈響，心想：「他倒是挺放心的，分明是吃定了我。唉！」

想著想著，又開始飢腸轆轆，忍不住在心裡臭罵古劍：「這野人說什麼只要一生火就會把錦衣衛引來，分明是胡說八道！這樹林如此茂密，怎會有火光外洩。」將身子平躺，看能不能減輕一點飢餓的感覺，一躺下來，便發現樹梢上有一個鳥巢，大喜過望，沿著樹幹上爬，希望巢裡有新鮮鳥蛋，可稍解腹中飢火。

好不容易搆到巢，裡面真有好幾顆鳥蛋，她取出一顆，打破一看，立即感到一陣噁心，差點從樹上掉了下來。這是什麼鳥蛋？都快變成小鳥啦！抖著手把鳥巢放回，這時候卻發現遠處有一點微光，若隱若現，離此尚有四、五里之遙：「原來如此！暗夜中只要居高臨下，密林中任何一點微光，都無所遁形。」

她爬回地面，坐回原地繼續胡思亂想，忽爾自憐身世，忽爾唉嘆際遇，過了大半個時辰，仍未能入睡。

此時明月漸升，皎潔月光灑在溪流上，映出片片銀光，溪澗的對岸有兩隻松鼠正在追逐嬉戲，她瞧得有趣，暫且遺忘煩憂。

過沒多久，跑在前頭的那隻突然在地面消失，餘下的一隻在澗邊唧唧亂叫，程漱玉起身躍溪一看，原來又是一個陷阱。再看看附近地勢，此處恰是這條溪流最窄的地方，若有虎豹之類的猛獸躍溪，多半會挑這裡，便落在這個坑洞之中。獵人選擇在此設下陷阱，也是天經地義的事。怎麼這野人反倒沒發現？

這一路奔逃，只要一有陷阱，古劍總會預先指給她看，免得她重蹈覆轍。程漱玉天生機靈，不用他多作解釋，也漸漸瞧出一些設陷捕獸的手段，自認已頗有心得，到後來古劍再告知時，她反而會說：「我早看出來啦！」

這圓洞約莫五、六尺寬，卻有七、八尺深，她用一根樹枝把松鼠救上來，心裡突然浮起一個狡獪的想法：「這野人僥倖贏了兩次便自以為是，一下叫我注意這個，留心那個；一下又不准這樣，不要那樣！何不趁此良機好好整他，殺殺他的銳氣，以消我心頭之怨！不能殺你，讓你吃點苦頭總行，誰叫你得罪本姑娘！」

計議已定，便開始整修陷阱，她知古劍眼力極佳，一到白天，任何一點蛛絲馬跡都瞞不過他，這個陷阱看來粗糙，騙野獸可以，騙野人卻是不易，必須整修到天衣無縫，才能引他踏上。

她拔了許多樹枝，細心的架在坑上，上面再敷一層土石，撒些許枯葉，弄了近半個時辰，把陷阱的表面弄得和附近的地面一模一樣，才滿意的回原處休息。

還沒入睡，忽然覺得雙手略癢，不由自主搓揉起來，懷疑是否沾到了什麼有毒的汁液，想把古劍叫起來幫她止疼解癢，又怕他問東問西，看穿自己的圖謀，那剛剛的一番苦心，豈不白費！

她寧可繼續搓揉著雙手，愈搓愈癢，愈癢就愈難停止，弄得全身發熱起來，不消多久，把皮給搓破，更加疼痛，癢卻止了。她到古劍原先舂製草藥的石上挖了一些殘餘，塗敷上去，痛得眼淚直流，心中暗禱老天開眼，明日古劍非得掉進這陷阱不可，這場痛才沒有白忍。

敷完藥回去躺下，這回可真倦了，沒折騰多久，便沉沉睡去。

次晨醒來，那件又厚又臭的獸衣卻不知什麼時候壓在身上，她心底一陣溫馨。在不遠處有柴火正燃，上面架著一串烤魚，香味四溢，而古劍在一角舞弄短槍，似在揣摩這半截槍和劍的分別。程漱玉心想：「這野人總算良心發現，看在這件臭衣服的分上，等你中計之後，這幾天的悶氣，或可不再計較。」

她元氣恢復大半，只想快點實現昨夜的願望，看這串魚架得太高，不知要多久才會熟，便過去加柴翻魚，沒多久已是一片焦黑。她將魚分成兩串，喚來古劍，遞一串過去。

古劍搖頭道：「烤得外焦內生的，怎麼吃？」

「你昨天連整條生魚都敢吞，怎麼現在說不行？何況劉易風就要追來，哪還有時間給你慢慢磨蹭！」

古劍辯她不過，只得接下焦魚，慢條斯理的去皮剔骨，小口小口吃著，反倒是急餓中的程漱玉狼餐一頓，生焦不忌。古劍第二尾魚還未吃完，她已把整串的魚都啖光，頻頻催促他快些吃完好上路，準備引他踩上陷阱。

這時背後突然傳來一陣笑聲，劉易風竟在不遠處冒了出來，笑道：「你們好大的膽子，還有閒情野餐？」

二人沒料到他會這麼快出現，均嚇了一跳，不約而同退後幾步，程漱玉對古劍埋怨道：「都怪你！」

古劍很快恢復鎮定，扔下魚肉，握緊短槍，兩眼直瞪對手，並不打算束手就擒。

劉易風取出長鞭，輕抖兩下便往古劍上身揮去，他蹲下身子，長鞭打在一根樹幹，樹皮剝落，留下一道清楚的鞭痕，力道之大，令人咋舌！

劉易風一鞭接著一鞭揮出，連摧三十來鞭，力道仍一分不減，古劍不敢硬接，東逃西竄，躲得頗為狼狽，所幸在這密林中，長鞭的舞動受到限制，不難閃避。

劉易風見普通鞭法奈何不了古劍，突然長鞭一抖，末端開叉成五條細索，像隻從天而降的龍爪，將古劍四方退路全給封死。他報仇心切，一出手就用上了壓箱絕招——「金龍探爪」。

古劍看這巨爪似的長鞭凌空罩來，無暇思索，將槍尖對準分岔處點去，倒是使對了招法，散鞭的這一點被點到，立刻收束纏捲，把短槍的前半截纏繞數匝，兩種兵器結為一體，只有相互拉扯，力強者奪之。

古劍功力仍不如對手，只好放開半截短槍，轉身往溪澗對岸躍去，見程潄玉還傻傻的站著，大叫一聲：「快跳！」

程潄玉本不該如此遲鈍，只是見到古劍躍起後，落點必是她昨夜精心布下陷阱之處，本來還巴望著他掉下去，但此時大敵當前，唇亡齒寒，倒不願他就此了帳，不禁一聲驚呼，多愣了一會，聽到古劍的喊聲，又見劉易風的長鞭正向這裡捲來，這才急忙躍溪，她曉得避開陷阱，左足卻被長鞭掃到一點，疼得眼淚都快掉出來。

人一落地，順勢跑了幾步，突然想到：「怎麼古劍沒掉下去？」就在此刻，聽到撲通一聲，倒是劉易風跌落陷阱，濺起一灘水花，程潄玉大惑不解：「這坑裡怎麼有水？」

原來古劍早就看出來此地陷阱，他選擇此處過夜，不但取水捕魚方便，更打算利用這個陷阱來擺脫劉易風。

他待到半夜才起身布置，此時圓月高掛中天，沒有大樹遮光，方可瞧得清楚。這個陷阱要困的是一個老於江湖，武功精湛的高手，不宜太過陽春，更不能露出任何蛛絲馬跡。

他先打通一條水路，將溪水引至坑內，在附近取了一堆蕁麻、野葛等物放入坑中，再重新鋪好，在鋪架時，又換了兩根稍粗一點的樹枝。

果然如他所料，當他躍過溪澗時，故意落在那兩根較粗的樹枝上，著地時用了一點暗力，正好將木頭壓出一道裂痕，同時叫程潄玉「快跳」，藉此喊聲掩蓋木頭折斷的聲響。

劉易風早就懷疑古劍會在這裡布下機關，一直小心翼翼，心想：「只有他踏過的地方才穩當。」便選在同一位置著地，但他身子比古劍重得多，只聽見喀嚓一聲，木頭折斷，全無支撐，暗叫不妙，身子往下一沉，掉落水坑。

這坑不深，但裡面裝了水，讓人無法立刻跳出去，更討厭的是滿布著帶刺的樹枝，令他全身上下刮傷多處。

他本能反應，一觸及坑底，立即上躍，頭剛冒出水面，卻見一隻腿向他踢來，又把他踩將下去，多喝了幾口水。古劍拳腳功夫本不如他，但人在水中，速度慢了數倍，竟無還手之力！而他身形矮胖，這水深雖不滿六尺，已足夠將他全身淹沒。

沉靜片刻，一記長鞭忽從水中揮出，捲住上方一根樹幹，猛力一拉，劉易風整個人從水中拔起。古劍早有準備，本欲再加出一腿，但看他雙頰飽鼓，反而向後退了兩步。

「我可沒你那麼膽小！」程潄玉看到了便宜，怎肯放過？旋即往劉易風起身處踢出一腿。她練的是短兵刃，拳腳功夫不能差，這一凌空飛踢，使得比古劍俊得多。

人一騰起，卻聽古劍大喊：「小心！」在把劉易風踹回去的同時，從他嘴裡噴出一大口水，溼得她滿身滿臉。程潄玉不以為意，得意揚揚瞧著古劍。

古劍的表情很怪，突然過來，出手將她推到溪裡。在這個天寒地凍，水冷徹骨的時節，被人莫名其妙推到溪裡，叫她如何不生氣！奮力拉扯鐵鍊，硬要把古劍也給拖下水，並伸手要打人。古劍抓住她說：「這水有毒，快點洗一洗。」話還沒說完，劉易風已經爬出水坑，整個人捲在地上，雙手拼命搔抓，全身上下奇癢無比，恨不得上天多給他長幾雙手，哪有餘力再向二人動手？

程漱玉這才恍然大悟，立即浸入水中，搓洗了一陣才上岸，但總還有一些已深入肌膚，漸漸發起癢來，就和昨夜的手一樣。原來這種蕁麻的毒，只要觸摸就會有斑疹，奇癢無比，而古劍把其樹枝折斷，擠出汁液，即使經過稀釋，仍是奇毒無比。

他教程漱玉用口水塗抹患處，劉易風有樣學樣，先跟著泡到溪裡，再學她用唾液止癢，只是他浸泡時間久，又遍及全身，更糟的是有許多被樹刺刮傷的小傷口，所中的毒強過數十倍，沒熬個幾天，別想止癢。

劉易風再怎麼癢，氣力仍在。二人不敢靠他太近，待程漱玉身上的癢痛稍稍緩和一些，便往南走去。

走了數十步，程漱玉回頭一望，劉易風仍不停對著自己吐口水，像他這麼寬廣的身軀，可不知要吐多久的口水，想到這裡終於忍不住噗哧一笑。

笑到一半卻見古劍仍毫髮未傷，又覺美中不足，冷不防一揮衣袖，在他臉上橫抹一把。古劍哪料得到這招？很快的左頰感到有些癢疼，卻見程漱玉似笑非笑的道：「你最可惡！偷偷摸摸布下這種鬼機關。」

二人悶著頭趕路，程漱玉似乎受了點風寒，加上這兩天始終沒有飽餐過，身子較虛，走得不快。到了下午，忽聞遠處有犬吠聲此起彼落，顯然另一票錦衣衛已經追來，雖然距離尚遠，但錦衣衛獵犬的追蹤本領天下聞名，決難輕易擺脫！

她把這訊息告訴古劍，他微一皺眉，加快腳步，往前方一座禿山行去。程漱玉頗感納悶：「這禿山沒有半棵大樹，只有遍地蘆葦雜草，稍後人家追上來，不是更難隱蔽？」但她跟著古劍幾天，發現這野人在荒野中，總有各種奇奇怪怪的辦法，便不再多話，靜觀其變。

兩人穿越禿山，爬上一株大樹上張望，只見遠處密密麻麻的人影犬跡，恐怕有二、三十人，獵犬亦不下十隻。隊伍的後面有兩具擔架，距離尚遠，瞧不清面容，但躺在上面的是誰倒不難猜。一個多半是腳板受傷的王遂野，另一個必是劉易風。他赤身躺在一個擔架上，由四個親衛賣力抬著，左右再加一名親兵，不斷朝他身上吐口水。程漱玉忍不住噗哧一笑，但見來人聲勢浩大，不禁又憂心起來：「劉、王二人雖受了傷，但手下幾名千戶亦不好惹，這傻子若要硬拚，恐怕凶多吉少！」

想到這裡，卻見古劍跳下地面，撿起幾根乾柴和枯葉，開始用長槍鑽木取火，說道：「別瞧了，快去找些乾柴。」

程漱玉大悟，心道：「原來要放火燒山，妙啊！」趕緊下樹，在附近撿一些枯枝，當她抱了一把回來時，古劍已把火點燃，再將枯枝全放下去引火，不消多久，已全部燃起，他東丟兩把，西擲兩根，枯枝敗葉劈啪作響，很快燃起一道火線。

那十幾隻獒犬打前鋒，爭先往前衝，離目標還有三十來丈時，才見到火苗竄起，這些狗跟人混了一段時間後，對火早已見怪不怪，當火苗初起之時，仍奮勇向前。沒有主人的哨音，這群受過嚴格訓練的衛犬，是不會向後跑的。

隨著眾犬的逼近，原本微不起眼的小火迅速蔓延，幾隻比較機靈的獒犬才開始放慢腳步，這時背後響起一陣陣急促的哨音，是主人催促牠們回去，所有獵犬紛紛掉頭，往後疾奔。

天乾草枯，又有強風助勢，大火由山腰往山頂延燒極快，煙霧瀰漫，幾隻原先衝在前頭的獒犬，因吸入不少濃煙，奔速大受影響，被火舌苦苦追趕。

古、程二人上樹靜觀，但見天空眾鳥亂飛，原本隱匿在草叢裡的鼠兔蛇雞等獸禽，也驚惶向外跳竄。

錦衣衛因距離稍遠，大火一時還構成不了威脅，但在嗆鼻刺眼的濃煙下也跑得十分狼狽。最悲慘的還是劉易風，擔架摔了幾次，新傷舊痛一併暴發，口中「直娘賊……直娘賊」喊個不停！

大火燒過稜線後，又由上往下燒，這種燒法火勢緩和許多，眾衛用大刀在山腰間割出一塊防火旱地，總算可以喘一口氣。王、劉各自清點人馬，人都沒事，狗卻丟了大半。

喘息之後，王遂野召集手下，打算下山。劉易風不悅道：「你們這樣就怕了！這些獒犬還沒死光，還怕追不到人嗎？」

陳弓指著剩餘的幾隻獒犬說：「劉大人，這幾隻雖然沒死，但吸了太多濃煙，嗅覺大損，沒有十天半個月恐難恢復正常。他放火其實不是要燒人，而是要燻壞這些獒犬的鼻子。」

劉易風心寒了半截，對於古劍在山野中逃亡的本事，他感受最深。如果沒有這些獵犬的協助，要再找到人，恐不比海底撈針容易！

第七章 殘丐

雖然暫脫險境，卻也不曉得錦衣衛會不會窮追不捨。古劍不敢稍歇，拖著程漱玉跋山涉水，朝深山密林處行去，連趕幾個山頭。

程漱玉身上的痛癢漸淡，但因早上那一陣折騰又感染了風寒，顯得病懨懨，整日不露笑容，不說半句話，默默跟著走。原來她生性愛捉弄人，興致來了，連太子的玩笑都敢開，昨夜精心布置的陷阱沒能讓古劍中計，反而害了自己，哪能不嘔？

她突然安靜下來，倒令古劍不太習慣，不知她在想些什麼？

直走到太陽西斜都未見追兵，古劍找到一個隱密的山洞，決定暫待數日，先養好傷病再說。

當晚古劍在洞裡生火，脫下獸衣給她蓋上，不知是嫌髒還是嫌臭，程漱玉重重扔了回去，和衣躺在火邊，逕自睡了。

古劍在洞內找一塊平地，練起氣來，自習藝以來，他每日至少盤坐運氣一個時辰，從未間斷，但內力一直沒有很大的進展。

內力的修習，全憑個人悟性，許多關竅，只能意會難以言傳，愈是著急愈難突破，更不宜隨意自創，因為自創的招式如果不對，頂多無用罷了；但自創的內功若有什麼差錯，那便是走火入魔，萬劫難復；因此儘管古劍修習了十幾年的內功，至今仍未打通任督二脈，反倒因各派功法不同，彼此干擾，難以精純。

因連日逃亡被迫中斷數日的氣功修習，如今稍有得閒又開始靜坐練氣，不知怎麼，此番卻出乎意料的順暢，只覺得真氣注入丹田之後，腹部明顯有氣流鼓動，似乎任脈已通，並從尾閭徐徐上升，到背部才略見停滯，似乎只差一步就要打通任督二脈，他心底雀躍不已。

在此同時，另一股似有若無的真氣隱隱約約從腹部神闕穴，沿著手太陽小腸經脈之中脘、膻中到肩井，循手臂外側臑會、小海、陽池通至小指末端，並循手少陰心經脈的少海、肩前到胸口膻中穴，再返回神闕穴。

他學過七大門派的氣功，每個門派都有其獨特的修氣之法，卻從未聽說過體內真氣會有這種跑法，只覺得上身不由自主的緩緩搖擺，漸感灼熱，顏面潮紅，原先被王遂野扎過的部分穴道，又開始疼了起來。他隱隱感到不妙，但習練多年的氣功，如今好不容易有這麼一點突破，怎肯輕言放棄？

深吸一口氣，想把體內熱流強壓下去，並持續運氣，做小周天行功，但體內的熱流不聽使喚，愈來愈是猛烈燥熱，全身汗如雨下，穴道更是變本加厲的疼，痛得他咬牙顫響。眼前的那堆柴火似乎剎時間愈發猛烈，像要漫燒整個洞穴，這時才想起身暫停，卻已動彈不得！

這種痛楚升至最高處，忽然起了變化，真氣改走胃足陽明及足脾太陰兩條經脈，臉色突然自紅轉黃，眼前熊熊烈火，在瞬間消失無蹤，原本灼熱的身子變得奇癢無比，好像洞穴忽然坍塌，將他徹底掩埋，全身覆滿泥土，土裡似有成千上萬的蚯蚓、蜈蚣等等怪蟲在身上鑽來繞去，偏偏動彈不得，手腳奇癢，胸悶欲裂！

這得拜「喪心病狂五色針」所賜，這五種顏色的藥水，加上根據陰陽五行所演化出來的針法，金生水，水生木，木生火，火生土，土生金，五行相生，循環不息，是藥也是毒。開始練氣時，眼前恰有一堆火，這股真氣便從手太陽小腸經及手少陰心經兩條火脈行起，當火脈走到極至時，便自然而然轉成胃足陽明及足脾太陰兩條土脈。

土脈之後，便是金脈、水脈、木脈，不到一炷香的時間，他的臉色由紅轉黃，由黃轉白，再變黑、變青，已歷經五種變化，在短時間內嘗盡五種截然不同的劇苦。

這木脈走完之後，接著又將會轉回火脈，是第二輪的五脈運行，比第一輪更加凌厲凶險；如果到了這個地步才停下來，恐將真氣潰散，再難凝聚；若拖到第三輪，心智將會發狂；到了第四輪，那就有死無生；但他現在走火入魔，已經無法靠個人意志將這股詭異的真氣壓下……

就在第一輪木脈將盡而第二輪火脈未生之際，突然感到有股真氣灌進頭頂百會穴，這股真氣其實不強，卻起了引導作用，頓時讓他靈臺清明，幻象消失，即時阻止體內邪氣的運行。

程漱玉站在前方，一身香汗淋漓，默默瞧著古劍，是她出手相救。古劍說了一聲：「多謝！」聲音虛弱得連自己都嚇了一跳。

程漱玉還是沒說話，躺回原處自生悶氣，不知剛剛為何心軟，出手救了這個惡人！

古劍只覺得好累，一直睡到第二天的下午才醒，一睜開眼，身旁竟然多了一頂床，骨架大致完成，只差床板。他走到洞口一瞧，真的是程漱玉，正用一柄匕首削木取材，洞口附近的樹都被她折枝斷葉，變得光禿禿。一個姑娘家，竟能把木工做得如此熟練，實在令人詫異！但也覺得她未免太嬌生慣養，逃命之人，有塊地躺平即可入睡，哪能計較這些？

眼看天色不早，肚子也咕咕響起，遂帶著程漱玉至附近覓食，順便布置幾個陷阱，程漱玉靜靜跟著，撿拾合適木材，今天運氣不好，只抓到一條草蛇，採幾顆山果，勉強果腹。

吃過之後，程漱玉到洞裡繼續組床，古劍不敢再練氣，拿著半截槍在洞口練起劍招。一招使出，自己都嚇了一跳，勁道速度竟較以往強快許多！手陽明大腸經各要穴隱隱有真氣流過，古劍一時搞不清怎麼回事？頓了一下，又接連試了十來招，只覺真氣在各經脈上流竄，會自然而然配合著劍招的五行屬性而走。出招若強調剛強猛捷，便有一股熱氣流過手太陽小腸經，更顯剛勁十足；出招若要求輕柔圓緩，則有一股寒氣流過足太陽膀胱經……

「這是怎麼回事？莫非是那些怪針？在王遂野要命的毒針刺激之下，打通我身上幾條經脈，好似突增十餘年的內力，出招運劍更加順暢渾然，達到另一個全新境界。」古劍停招細想：「那些毒針不知沾了什麼鬼藥，扎在穴道上實在難受，疼得人全身真氣不由自主的衝盪過去，或許當時就打通了經脈，只不過後來一路疲憊，真氣始終沒有機會導引凝聚，才會若隱若現，忽強忽弱。」

各大門派均有其獨特的養氣方法，經脈與穴道之原理卻是放諸四海皆準。古劍所學雖廣，然功力太淺，所知均是較粗淺的道理，因而只能推敲至此，也不敢肯定無誤。

他繼續練招，只覺得每一招使將出來，都有真氣流至相應的經脈，令其劍法剛者愈剛，柔者更柔，更加刁鑽詭奇，變幻莫測；他愈舞愈是興奮，使完九十七招「無常劍法」，就地翻了一個觔斗，突然腰部被拉住，暗叫不妙！起身一看，程漱玉整個人摔在洞口，身上沾滿汙泥，兩眼死盯過來，胸口不住喘氣，似在竭力忍怒。原來古劍得意忘形之際，沒注意到腰上的玄鐵鍊長度有限，翻觔斗時鐵鍊往外急扯，將她給拖個狗吃屎。

古劍一臉歉然，打算任她出氣。卻見她起身拍去塵埃，又轉身回洞。古劍大感意外，心中有些不安，倒希望她痛痛快快打罵一場，一時也不知該怎麼賠不是，只好繼續練劍到天黑。

練完劍走進洞內，程漱玉已經躺在火堆旁沉沉入睡。木床也做好了，上面鋪滿枯草，就放在他原先睡覺的角落。古劍心中納悶，這麼辛苦做好的床，怎麼自己不上去睡？本想叫她上床，但見她嘴角露出一抹淺笑，睡得正是香甜；轉念一想，木床不宜太近火堆，若將她抱上木床睡覺，只怕更易著涼，再說男女有別，怎能再碰她？

想到這裡，忍不住又多端詳兩眼，在火光照映下，她的臉嬌嫩中有種妙齡女子才有的紅暈，眉清朗，鼻秀挺，確實不該是個男子，難怪太子喜歡！若不是脾氣如此古怪，不能老老實實待在宮中，應該……想到這裡，程漱玉忽然翻身，古劍嚇了一跳，這才驚覺自己正在偷看一個姑娘睡覺，似乎有失君子！趕緊轉頭，小心翼翼躡手躡腳爬上木床。

躺在床上心中猶是怦怦的跳，又胡思起來：「程姑娘脾氣雖怪，其實心地不壞，昨天救我一命，今日又抱病做了一張床，明天得努力抓一隻野獸，弄一張乾淨的獸皮，助她驅寒……」想著想著，一個翻身，整張床突然塌了下來，摔得他頭昏眼花，卻見程漱玉捧腹大笑樂不可支道：「嘻嘻……你以為我會那麼好心的救你嗎？嘻嘻……其實……我是怕你死了，就沒仇可報啦！……嘻嘻！」她稱心如意的報了仇，終於肯笑了！

古劍露出一臉傻笑，心中卻在擔心，她會不會一直都沒睡？把我的一舉一動都瞧在眼底！

到了次日，布下的陷阱幸運捕到一頭山羊，兩人飽餐一頓，古劍取下羊皮，洗淨送給程漱玉，她雖不喜歡這羊臊味，但為了早日驅盡風寒，勉強收下。

接下來的日子，古劍除了張羅三餐外，其餘時間，都拿來練劍悟招。每多練一次，就覺得多一分的隨心所欲，甚至覺得即使再碰到王遂野、劉易風之流，憑真本事決鬥也未必會輸！然轉念一想，又覺得這未免太過異想天開，之前能傷他們，全靠環境、運氣和對手的輕敵，真要打起來，這等高手豈是我這個初入江湖的蹩腳劍客所能抗衡？

程漱玉則繼續做她的木作來消磨時間，先幫古劍把床修好，也給自己做了一張，接著還有桌、椅、大門，還在洞外加蓋一間茅房。跟著古劍捕獸時，也常採摘一些山花回來，弄得滿室清香，這個原本陰溼的山洞，在她苦心經營下，竟然愈住愈舒服。

她還發現古劍不時在半夜起身夢遊，用那半截槍舞將起來，所舞盡是一些粗淺的入門劍法，荒腔走板不說，口中還喃喃自語：「我不要離開……」「我不是傻子……」「我聽不見了……」「我不是害群之馬……」聲音不大，咬字不甚清楚，程漱玉有些害怕，索性折幾株枝葉做成屏風，眼不見為淨。

有時候工作累了，程漱玉便坐在洞口觀看古劍練劍，她曾在一個名氣極大的武林世家待過，雖然武藝平平，見識卻廣，已瞧出古劍的劍法不凡，且進步神速。

然而她卻偏不肯誇讚半句，開口閉口全是批評，說他這一劍刺得歪七扭八，那一招使得亂七八糟，所謂「無常劍法」，是無常鬼在使劍，有如山魈怪舞，難看死啦！又諄諄告誡說：「可別以為連敗錦衣衛兩大高手，自己就天下無敵！你傷王遂野靠的是巧計，傷劉易風靠的是運氣，什麼時候憑真功夫了？」「你這種功夫，可以當個小鏢師，但最好別妄想參加什麼『試劍大會』，免得丟人現眼，貽笑大方！」

「無常劍法」本來就不講究優雅，古劍打敗錦衣衛統領也都沒靠真功夫，她說得似是而非，聽久了，倒也不知不覺信了幾分。程漱玉心中竊笑，真想早日看到他發現上了大當時，會是什麼表情？

兩人悠然在山中待了十來天，直到各自的傷病已無大礙，才動身下山。古劍怕劉、王的人馬會在附近的城鎮等著捉拿他們，又往西走了兩天的山路，來到一個小鎮。

二人都說，眼下最要緊的，是找個鐵匠，解開這條糾纏不清的鐵鍊，還得自在，從此各分東西，再無瓜葛。這是兩人相處多日以來，首度的意見一致。

這個地方叫蓬萊鎮，二人在黃昏時分找到打鐵鋪，卻已打烊。程漱玉不管，重重急急敲著大門，一個老鐵匠開門，見二人身上的玄鐵鍊以為是什麼惡人，面露驚恐之色！

程漱玉道：「你別擔心！我們只是被奸人所害才套上這個東西。勞煩您行個好，設法把這鐵鍊打斷。」她掏出一顆珍珠，塞給鐵匠。

鐵匠卻不敢接，忙著搖頭說：「這東西我不會打，你們還是另請高明吧！」

「可別逼我生氣！哪有鐵匠連這個都不會？」程漱玉取出匕首，架在他脖子上，翻臉得真快。

那鐵匠嚇得面無人色，顫聲道：「我……試試看！」他拿出器具，設法將楔子打脫，但這楔子緊貼著肉身，下手不易，又迫得異常緊密，竟是怎麼也敲不出來！

他改從鐵鍊下手，這鐵鍊是由無數小扣環串成，只要打斷任一扣環，便可解開。老鐵匠叫古劍將腰緊貼著鐵砧，對著其中一個扣環鑿打了半天，竟絲毫無損！

他把錘子愈換愈大，使勁的錘打，打缺了好幾根鑿子，仍一無進展。老鐵匠汗流浹背，氣喘如牛道：「這鐵鍊不知用什麼百鍊精鋼製成，比我的鑿子硬得多，真奈何不了。」

古劍道：「去找兩個木桶來，裡面裝滿水，用火燒紅再試試。」

此計大妙，因為鐵鍊是緊繞在他們腰間，如果直接用火，還沒燒紅，兩人已先燙死；但若浸在水裡，以水來吸收熱氣，對人的傷害就會減輕許多，只是燒紅的地方，不能太靠近人身。雖然如此仍會留下一截鐵鍊，但至少可先將兩人分開，不必再糾纏不清。

老鐵匠依言弄來，兩人分別蹲進裝滿冷水的木桶裡。炭火很快升起，一股黃色的濃煙從煙囪冒出，老鐵匠說這種會冒黃煙的炭材，所燃出的火苗比較熱。

他把鐵鍊中段置於火爐上，沒多久已經轉為赤紅。這鐵鍊極易傳熱，二人雖浸在水中，仍能隔著衣服炙燙肌膚，程漱玉疼得直道：「好了！好了！可以打啦！」老鐵匠夾起赤紅的鐵鍊，放在鐵砧上猛力鑿擊，卻仍完好如初！

此時門外忽然響起一陣尖銳的笑聲，一個鼻尖嘴細，模樣古怪之人開門進來，笑道：「沒用的，這鋼材的特性與一般生鐵不同，愈熱愈韌，燒得再紅也敲不斷。」老鐵匠一見此人，立刻丟下器具，轉身從後門逃逸。

程漱玉一見來人，心涼了半截，但她履險多次，已經不太容易驚慌，故作淡然道：「原來是金大統領，您可真行！單槍匹馬也找得到人。」原來這人正是四大統領之一的陰陽爪金克成。

金克成笑得更加得意，說道：「他們三個帶了那麼多酒囊飯袋，還不是無濟於事？而我金克成有真本事，一個人已足夠。」他身材高瘦，看起來陰陽怪氣，笑到忘形處，自有一番詭異。古劍聽不見那桀桀怪笑，卻從言談眉宇間感覺出此人頗為驕傲，認為凡事都可只憑一己之力完成，獨來獨往，無須隨從。

他若無其事的以右掌將鐵鍊抓回爐火上，又道：「在這方圓數百里內，所有的打鐵店都布滿了錦衣衛的眼線，在等候兩位大駕光臨。他們人多，看的地方大，我只有一個人，只能盯住遂寧、蓬萊兩鎮，照樣抓得到人，哈哈……」

古劍身子浸在水中，且與中段燒紅處隔了數尺長度，猶感炙熱難耐，這人不知練了什麼邪術，竟能用一雙肉掌直接抓取？他看得張目結舌，都忘了注意他說什麼。

程漱玉倒不覺得意外，說道：「所以你叫這附近的鐵匠，在我們上門時都要燒這種會冒黃煙的炭材，作為信號。」古劍趁她說話時，撿起身旁火鉗，將鐵鍊從爐火中夾了出來。

金克成哈哈笑道：「妳果然伶俐，難怪會被反賊選派進宮臥底。」說著又輕描淡寫的把鐵鍊放回爐上。

程漱玉又道：「現在才想到總是慢了些，只是我還有一點想不透，你們四大統領，一向貌合神離，那三人怎肯告訴你，我們身上綁著鐵鍊？」說話時，鐵鍊仍繼續加溫，燙得她香汗淋漓，古劍又輕輕把它夾開。

金克成很快又抓回去，說道：「那還不容易，花幾個錢，那些沒用的跟班就什麼都說了。」他轉頭打量著古劍道：「我可真看不出來你有什麼本事，能把王遂野和劉易風弄得如此淒慘？不過今天落在我金克成手裡，可別再妄想……」

話還沒講完，古劍的鐵鉗冷不防伸出，刺向金克成。但他早有防備，不慌不忙出手奪鉗，就要抓到時，鉗尾突然轉向去撥打炭火，把赤紅的木炭撥得四散飛落。

金克成倒未料到這一招，但他反應極快，馬上過去抓住火鉗，暗用內力，猛力一奪。古劍正欲用勁相抗，突然感到一股熱勁從鉗尾傳到鉗柄，只好放手。此時爐上仍有大半炭火未被打散，火勢僅是稍減，但仍繼續烤著鐵鍊；而散落的炭火一部分掉在火爐旁的薪柴上，很快引燃起來。

古劍一擊不成，一咬牙竟跳出來，奮力舉起木桶，大喝一聲，硬是將整桶的水往火爐灑去。

金克成沒料到古劍會不顧腰上滾燙的鐵鍊，竟敢跳出水桶。這次來不及出手阻止，水灑在炭火上，揚起一陣塵煙，濺得滿身髒汙。他最愛乾淨，趕忙拭去臉上的飛灰，這回可真動了怒。

古劍一倒完水，感覺腰間滾燙，趕忙跳進程漱玉正在泡著的水桶，又濺出許多水花。這只木桶約莫兩尺來寬，勉強可以擠上兩個人，身子貼著身子，再無迴旋餘地，這麼做雖然失禮，但在這火燒屁股的當口，誰還顧得了這許多？程漱玉驚叫一聲，並未斥罵。

天色已暗，爐火雖滅，剛燃起的薪柴卻並未完全淋溼，依然劈里啪啦的燒著，甚是猛烈，火光映照在三人臉上，一個怒髮衝冠，一個喘息不止，一個則顏面泛紅。

金克成冷哼一聲，突然一個跨步，左掌迎面打出，來勢勁急，古劍不敢托大，出拳相迎，他拳腳功夫遠不如劍，只想先拖個十來招，待鐵鍊不再發燙，再設法脫身。

哪知拳掌相接的一剎那，忽然有股寒氣從手臂傳來，襲向心肺，就連緊貼在後面的程漱玉都感到一股寒意，本來熱呼呼的身子，也不禁打了一個冷顫。

金克成接著揮出右掌，古劍勉強揮出左拳接招，才一碰觸，又有一股熱氣，直灌肝腸。右半邊奇寒徹骨，左半邊熱火焚身，這一冷一熱的怪氣從兩邊直衝腦門，只覺得一陣頭暈目眩，全身穴道已經被制。

程漱玉也被點了穴，卻放聲大笑道：「我原以為陰陽爪金克成的武功是京城四大統領之首，今日一見，也不過爾爾！難怪刀槍鞭爪，你排行最末。」

金克成嗔道：「妳懂什麼？他們三人晉升高位，全靠吹鬚拍馬，哪能和我一拳一掌打出來的功勞相提並論？嘿嘿！待我將你們抓回去，自會名正言順的成為四大統領之首。」

「是啊！當你風風光光的把我們押回京城，那些同僚一定又嫉又羨的問：『這小子如此難纏，你是怎麼制住的？』我想你大概不會老實的說：『只不過用了一個小小的「奸計」……』」

「智取怎能叫『奸計』呢？」金克成憤憤的道。

「就算是智取吧！那為何要『智取』呢？不敢『力敵』嗎？」程漱玉笑道：「他們三個多半會這麼說：『八成你也聽說這小子的劍法有些邪門，擔心你的「陰陽爪」制不了他的怪劍！於是設了一個局，把他困在桶子裡，讓他動彈不得，並趁他手上無劍，施展你天下無敵的「陰陽爪」來對付他的花拳繡腿，不出兩招就點中其穴道。』」

金克成冷笑道：「什麼『劍術高手』？我看不像。難道他勝得了劉易風和王遂野？」

「你不知道嗎？……這也難怪，打輸一個無名小卒可不是件光彩的事，要是我，也不會老老實實的說出來。」

金克成搖頭，心裡卻信了七成。他行事剛愎，沒有親信，有關古、程二人的消息全是向王、劉二人的手下買來的，買來的消息未必可靠，所以他沒問太多細節，只約略知道這小子武功有點邪門，又熟諳荒野，捉拿不易。

程漱玉又道：「不信就算了，你也甭冒險嘗試，一到京城隨便編個謊話就是。」

這種激將法要是用在另外三個統領身上可就白費心機，但金克成心高氣傲，明知這是激將，卻仍按捺不住，只想試試古劍的真能耐。

牆上掛著一柄鍛鑄一半的劍，不尖不利，黯淡無光，他取了下來遞給古劍，解開二人的穴道，在他前方三尺處站定說：「我只要移位半步就算輸，而你手中也有了劍，現在可公平了吧！」說話時又順手把鐵鍊中段扔到柴火當中。他知道程漱玉詭計多端，最好把他們繼續困在木桶裡，無論勝敗，都跑不掉。

程漱玉道：「你輸了怎麼辦？」

金克成笑道：「妳拿什麼跟我討價還價？萬一這小子打贏，就是連敗三大統領，死了也風光！」言下之意，無論勝敗，他都不放人。

兩人相互凝視，忽然間同時出手。由於距離近，彼此又無迴旋餘地，只有以快打快，往往一招使不到一半就得變招。金克成以一雙肉掌迎戰鐵劍，如果古劍手上持的是龍吟寶劍，或對手只是普通肉掌，恐怕早將他雙手卸了下來。但古劍手上的劍鈍，對手的雙掌不但硬如鋼、靈如蛇，更有源源不絕的寒熱之氣，藉著鐵劍傳到手臂。這樣下去，用不了多久，使劍的右臂恐會癱軟無力。

古劍劍勢忽變，棄守為攻，竟不再理會對手雙掌，招招刺向金克成身上各處要害，全是同歸於盡的拼命打法。

這麼做自是凶險，他身體不能移動，對方一掌打來，完全無處閃躲，必死無疑。而金克成雙手練到如此境地，恐怕全身橫練的功夫也差不到哪去，就算被鈍劍刺中，也難是重傷。

金克成自恃甚高，可不願拿自己的一點小傷來換這個無名小卒一條小命，轉攻為守，雙掌猛拍，想夾住鐵劍；然而古劍出招十分滑溜，一見巨掌拍來，立即轉向變招，改削他處，鐵劍絕不能被夾住，也絕不能讓對手有一絲喘息空間。此時招招都是生死關頭，自然得將「無常劍法」詭奇多變之劍風發揮得淋漓盡致。只見金克成雙掌拍擊之聲，劈里啪啦連綿不絕，不知打死多少蚊蟻，就是夾不到鐵劍。

這麼緊迫怪異的打法，別說古劍，即使是身經百戰的金克成，也從未試過。

兩人打得凶險，柴火卻不肯安安分分的熄滅，從火爐旁小柴小火漸漸蔓延到角落的大柴堆，忽然間火勢大了起來。過沒多久，土磚造的房子也開始著了火，悶熱焦燥之氣瀰漫整個打鐵鋪，令人十分難受，但在這貼身激戰下，已無緩衝空間，誰先停手，誰先受創。

實在很難想像，眼前這個不起眼的少年，竟能憑一柄鈍劍，逼得他緩不出手來，金克成不禁後悔方才太過托大，許下了足不移位的承諾；如果現在能自由移動雙腳，對手劍招再精也不足懼。

熱戰中屋頂一片瓦掉落桶中，大火隨時有可能燒到身上，金克成忽然想到：「我說的是不移位，可不是不能動腳！」對著木桶猛力一踢！變生倉促，古劍哪料到他會突然出腳，刺出去的鐵劍急著回救，已經慢了一步，金克成右腳結結實實踢中木桶！

桶破水流之際，雙腿安在，腰間也未感炙熱，古劍還搞不清怎麼回事，只見金克成驚惶失色，一把血淋淋的匕首正插在他腳背上！

他忿然瞪視程漱玉，古劍也隨著他的視線轉頭看，原來程漱玉趁兩人激戰之際，悄悄將鐵鍊拉離火爐。並料到金克成會有這一招，先在桶內備好匕首，在他踢來之時對準方位送去，果然奏功，她微微一笑道：「閣下身手果然不賴，可惜腦子差了些！」

此時火勢又更加猛旺，二人不敢多留，不再理會金克成而攜手跳出屋外，向外奔走數十步，回頭一望，熊熊烈火已將土房燒得簷塌牆傾，遠處正有村民三三兩兩提著水桶趕來滅火。程漱玉道：「這鐵匠最是可惡，房子燒掉活該！」古劍卻想：「他這麼做也是逼不得已，如今好好的一個鋪子全燒了，日後怎麼生活？」二人為了避免麻煩，另尋小路離開。

程漱玉得意揚揚，總想這次得以化險為夷，全仗她的機智與急變。現在可得好好慶祝一番，道：「咱們過去找間客棧吧！」說著，便往市集走去。

她向前走了幾步，直到鐵鍊拉直，回頭一看，卻見古劍動也不動，搖頭道：「太危險了！」

程漱玉嫣然一笑，說：「放心吧！金克成最愛面子，吃了那麼大的虧，絕不會傳揚出去，待在這個鎮，再穩當不過。」

古劍指著鐵鍊，依舊搖頭。兩個人身上綁著長鍊招搖過市，勢必引人注目。程漱玉把眼一翻，笑道：「放心！我自有法子。」

古劍仍是不理，轉身便往林中走去，程漱玉氣惱，心想：「好不容易走下山了，幹嘛還聽你的？」掉頭向市集方向前進，就這樣一個往東，一個向西，把玄鐵鍊繃得緊緊，卻是誰也動不了。

先前在打鐵鋪的一場熱戰中，二人腰部都被鐵鍊的高熱所灼傷，古劍尤其嚴重，這麼一拉扯，皮都掉了，痛得全身都抖了起來，但他天生一股怪脾氣，反而咬緊牙關，再加把勁，慢慢拖動起來。

程漱玉的傷輕微許多，但她一個女孩子家，可不願意因此在腰上留下傷疤，只稍稍僵持一下，便回過身來跟著他走，看到古劍的腰都滲出血來，心想：「我的命真苦！不知還得跟這瘋子牽扯到何時？」

古劍拖著程漱玉走了十來步，回頭匆匆一瞥，卻見她淚眼汪汪，發現古劍瞧她，趕忙拭淚；古劍突然心軟起來，心道：「就依她一次吧！」在林中繞了一大圈，不知不覺轉回市集方向。

程漱玉喜開，走上前去，拉著古劍道：「走！我們先找個地方換裝，就不怕被人看穿。」

古劍俯身瞧著自己一身又破又爛的野衣獸皮，心想：「是該換點人穿的。」

走不多遠天色已暗，不遠處似有一間農舍在原野中透著微弱的燭光。二人悄然逼近，從窗縫看進去，原來不是點蠟燭而是燒火爐，爐上正煮著一鍋地瓜粥，飯桌上只擺著兩道醬菜，一對年輕夫婦正在用餐，看似十分清貧。

程漱玉撿起一粒石塊，對著陶鍋打去，「砰」的一聲，鍋破水流，爐火立熄，便衝進門內，點了他們昏穴。

兩人換上乾柴，重新生火，檢視屋內器物，發現這戶人家的東西少得可憐，好不容易找到一個兩尺長寬的箱子，裡面放了幾件衣衫，一件件拿出來看，才發現最體面的衣服都穿在身上了，料子雖舊，但還算強韌，只補了幾處丁。

程漱玉把妻子抱進房裡，將她身上的衣褲脫下，穿在自己身上，再以棉被將她全身蓋住。原來她女扮男裝後，四處被人識破，反而成了明顯的目標，只好恢復本裝。

換好後，叫古劍依樣行之，古劍覺得不妥，說：「人家已經夠窮了，怎可再剝他們的衣服？」

程漱玉笑了笑，掏出一顆珍珠放在桌上道：「這夠他們穿一輩子。」這顆珍珠像龍眼般大小，晶瑩剔透，顯然價值不菲，古劍不再客氣，依樣換了男裝。

走出房間時程漱玉已把臉洗淨，頭髮放了下來，紮成一條馬尾，衣服雖破舊，卻掩不住豔秀。這是她第一次以女裝出現在古劍眼前，笑吟吟瞧著古劍道：「你呀！換掉了獸皮還不見斯文，倒像個又俗又呆的鄉巴佬。」古劍心想：「我本來就是鄉下人。」卻見她拿出匕首又道：「我來幫你割鬍鬚，就不那麼粗野啦！」

古劍呆呆坐下，任她一刀一刀割去臉上的鬢毛髭鬚，這村婦的衣服稍窄了些，襯得她曲線畢露，古劍閉上雙眼不敢再看，但腦海又冒出她的模樣，這才注意到她的臉輪廓分明，鼻梁堅挺，眼珠子又大又靈，肌膚賽雪，雙頰白裡透紅，的確好看極了！他心裡莫名其妙撲撲亂跳，忽然想起了一位小姑娘，多年不見，不知變得如何？

修好臉，程漱玉進房拿出一面銅鏡，古劍接過來攬鏡自照，過去他在山中一心練劍，從未在意儀容，任由髮亂鬚雜也不修剪，已有好多年未曾看見自己淨臉後的模樣，這一瞧倒有幾分陌生，原來的些許稚氣已不復見，不知該是歡喜還是感嘆！

程漱玉找到一把剪刀，幫著他剪髮，她沒學過剃頭功夫，索性貼著頭皮剪，古劍也不在意，任人摧殘，剪完之後，程漱玉端詳了一會，差點笑岔了氣。古劍狐疑中看了兩眼銅鏡，雙手合十道：「阿彌陀佛！」

程漱玉笑道：「幫你剃光頭可不是讓你當和尚，而是要裝乞丐。」

自出山以來，古劍一路上看過不少乞丐，發現四川的乞丐比以前多了不少，這些乞丐大多身有殘疾，不是缺胳臂斷腿，就是眼瞎耳聾。可能是人數太多，怕相互傳染頭蝨，許多人都理了光頭，看看現在衣衫襤褸，頭上無毛的模樣，確有幾分相似；但他搖頭指著套在兩人身上的這條玄鐵鍊，表示有這個東西在，可瞞不了什麼人。

程漱玉笑了笑，到後院水井旁找到一條提水的麻繩，截斷頭尾，將繩蕊一束一束撥離，古劍豁然明瞭，也幫忙拆起線來。

原來近幾年來有個新起的幫派叫「殘幫」，從各地移入數以萬計的幫眾到達四川，個個身有殘疾，與丐幫一樣乞討為生，其中有一部分盲眼和聾啞的乞丐，會在身上互綁繩索，由聾子牽引瞎子行走，瞎子代聾子說話，二人若也扮成一對殘丐，再將鐵鍊弄成麻繩模樣，便不會顯得太過突兀。

程漱玉把拆下來的繩索重新編織纏繞在鐵鍊表面，紮得十分密實，這時古劍卻插不上手，看著程漱玉頗為熟練的手藝，心想：「這姑娘看來嬌生慣養，做起一些雜活倒頗為靈巧，怎麼烤的肉如此難吃？」

不到一炷香的時間，整條鋼索的表面已纏滿麻繩，從外表看來，就像是一條普通麻繩。程漱玉再到廚房找了兩個破碗和筷子，拿一組給古劍，笑道：「咱們討飯去！」

穿過一片樹林便是鎮上，程漱玉逮著一個路人便問：「這位大哥，這鎮上最大的一間客棧在哪兒？」那人答道：「我們蓬萊鎮是個小地方，就只一間蓬萊客棧，不過你們來得不巧，這幾天不開店。」程漱玉問道：「這店裡的掌櫃和廚師躲到哪兒偷懶去？我們難得攢了一點錢，該怎麼辦？」

那人笑道：「他可是去賺大錢，據說成都百花莊莊主洪承泰過幾天要做七十大壽，這蓬萊客棧王老闆所煮的麻婆豆腐遠近馳名，便重金將他請去，負責料理這道名菜。」

一見有人提及百花莊，古劍就想到他丟去的那把龍吟劍，有朝一日，定要搶回送還莊主，卻不知是否要去告訴他，寶劍已被魏進忠搶走一事？

程漱玉倒不在意這些，想去百花莊的唯一理由，只因她生性愛吃豆腐又喜歡辣，吞一下口水又問：「成都離這還多遠？」那人道：「約莫百來里路，兩位今夜可至鎮西的一座舊廟將就一晚，明日再走不遲。」程漱玉謝過，便拉著古劍往西走，既然沒得吃，只好趕緊找個地方睡覺，免得肚子餓得難受。

向西行去，出了市集，走不多久，果然有一間破舊的將軍廟，前門已塌，色彩斑駁，顯然年久失修，但廟內倒不髒，沒見什麼蜘蛛網，看來平常有人光顧。二人撿了一些乾柴，正準備生火取暖，程漱玉卻在此時聽到腳步聲響，不止一人，她怕又遇錦衣衛，使個眼色，趕緊拉著古劍躲到神像背後。

月色中進來四個人，走在前頭的人踢到地上的乾柴：「咦？這裡怎麼會有木柴？」

另外一個女聲道：「八成是阿猴撿的，他說今天必有野味，先行準備。」

先前說話的人笑道：「又聽他吹大氣，他做的那幾個捕獸陷阱，也鋪了好幾個月，從來沒抓著什麼玩意。不過既然有現成的乾柴，就順便生個火吧！就算吃不到肉，驅一驅跳蚤也好。」說罷兩人都笑了。四人蹲在地上，很快便把火點燃。

火光一亮，古、程二人都嚇了一跳，不約而同對望一眼，這四個人一身乞丐裝扮，和古、程二人一樣，兩人一對，都綁著繩索。古劍忽然憶起幼時在丐幫學藝時，也曾見過這種腰間綁縛麻繩的乞丐，一男一女，男的聾啞女的瞎，約莫三、四十歲，號稱「聾瞎雙丐」，據說武功不俗，均為八袋弟子，這四個乞丐多半是其門徒。

四個乞丐在柴火周圍坐下，面向神像的女瞎丐說：「待會阿猴回來，如果還沒東西吃，大家可得早點睡，明天才有氣力趕去成都。」坐在對面的男丐突然比手畫腳，嘴巴咿咿的叫，聲音只有一種，但聲調卻有明顯的抑揚頓挫，高低起伏。他比手畫腳給另外一個聾丐看，咿咿呀呀的聲音卻是對兩位瞎丐溝通。這兩人是天生的聾子，向來不會說話。

兩個瞎丐側耳細聞，過了一會，女瞎丐似乎懂了，笑道：「你只曉得要去百花莊吃，我可不是說這個。再過十來天就是望江樓大會，我們得提早趕去，看看能幫上什麼忙？」

左首的瞎丐道：「小麻子說得沒錯，望江樓是非去不可，但若沒能吃到川西首富洪承泰壽宴的剩菜，可就終生遺憾！」他吞一下口水，繼續說道：「聽說百花莊為了這次的壽宴，特地請了四川十二名廚，分別做一道最拿手的菜肴，這次若沒嘗到，咱們就算再乞討十二個地方，也未必吃得齊！」他邊說邊比，不時用舌頭舔雙唇，十足一副饞嘴樣，把另兩個聾丐都逗笑了。

女瞎丐未笑，憂心忡忡的說：「或許七月以後，咱們連川菜都吃不著啦！」

聽她這麼一說，另外三丐都斂起笑容，跟著皺起眉來，過了半晌，男瞎丐才道：「師姐不用擔心，說不定真讓師父找到一個好徒弟，學得她一身好本事呢？」

女瞎丐仍搖頭道：「衛飛鷹的『天擊劍法』不僅在丐幫數一數二，在江湖上也大大有名，咱們殘幫盡是一些殘缺不全之人，怎能跟他教出來的徒弟比劍？」

古劍全神貫注看他們的對話，此時不禁滿腹疑竇，想起小時候在丐幫時，還有不少殘丐，怎麼如今瞧他們言語，似乎彼此之間，還有不小的過節，要用比武來解決？

這其實也算是近年武林中一件大事，只是他都在深山練劍，初履江湖，不免孤陋寡聞。

殘幫的人原本都是丐幫的人，丐幫有殘丐有乞丐，若在同一處乞討，殘丐要到的飯菜或碎銀總比乞丐多。乞丐不樂，常要求殘丐把多出來的東西平分，但殘丐卻認為你們四肢健全來當乞丐已是不該，怎麼還要和我們這些可憐人搶飯吃？所以殘丐與乞丐之間一直衝突不斷。

以前殘丐不多，大家在幫主約束之下，勉強相安。但最近這十多年來，東廠橫行，動不動就把抓到的人削足刺眼，這些人放出來後，往往財產充公，又身有殘疾，只好淪落為丐。短短十幾年，全國多出萬餘名殘丐，分飯的人多了，乞丐與殘丐之間的矛盾更層出不窮，幾次爭執，幫主多偏袒乞丐，於是在五年前，有四個八袋弟子帶著所有的殘丐，另行成立殘幫。

這些人雖脫離丐幫，紛爭卻更難避免，既然不在同一幫派，乞丐更加無所顧忌的欺侮殘丐，人少勢孤的殘幫只好團結起來，一齊到四川討生；巴蜀雖是天府之國，但一下子擁進了兩萬多名殘丐，也難承受，四川分舵的乞丐更是怨聲載道，要求總舵幫忙把殘幫趕走。

然丐幫自許為仁義之幫，即使是把他們當成叛幫之徒，也不敢明目張膽的把這些殘丐逼上絕路，雙方幾經談判，在少林、武當兩大掌門及四大劍門中的「莫愁莊」及「胭脂胡同」調解之下，終於在五年前談出了一個協議。

當時雙方約定派出「劍缽」，參加五年後的「試劍大會」，誰得到的名次較高，誰就能保住四川的地盤，百劍門的試劍大會每隔二十年一次，屆時會有兩百餘家習劍門派，派出其最優異的年輕子弟，俗稱「劍缽」，在陝西的太白山上以劍會友，區分高下。這是中原武林頭等盛事，與賽加上觀戰的人潮成千上萬，輸的一方無可抵賴。

如果殘幫的劍缽輸了，全體幫眾必須轉入貧瘠的雲、貴兩省討生，這麼一來，至少要餓死一半。是以幾個殘丐一提到試劍大會，總不免憂心忡忡。

那男瞎丐接著又說：「聽說『天擊劍法』深奧難學，說不定他找到一個笨徒弟，到現在還學不到幾成功夫呢？」

女瞎丐搖頭道：「丐幫人才濟濟，怎會找不到人？如果沒有把握，怎麼會提出比武的要求？而且以丐幫在武林中的地位，派出來的代表至少要在試劍大會中搶進『四大劍門』，才不算丟人。」

見她提到「試劍大會」，古劍心中一震，憶起多年以前在丐幫學藝的日子，當時他被武當逐出門牆，祖父只好賣去最大的一塊田地，帶著他到京城，千懇萬求拜託丐幫中劍法最強的九袋長老衛飛鷹收他為徒。衛飛鷹勉強同意，但授劍不到一個月便告放棄；又過了一陣子，來了一個聰明絕頂的師弟范濬，盡得師父寵愛，沒多久，便通知父親將他領回。古劍心想：「范濬的確是萬中選一的習武良才，如果真是派他參加試劍大會，必將震撼武林。」

就在這時，門口突然衝進一個獨臂乞丐，另一隻手正抓著一隻兔子，兔子身上插著一根竹枝，奄奄一息。他看到坐在地上的四個殘丐，有點吃驚但隨即恢復鎮定，緊接著又跑來一個聾丐，一進門就指著斷臂乞丐手中的兔子，伊伊呀呀不知在說些什麼。

那獨臂乞丐不悅道：「你這啞巴到底什麼意思，幹嘛追著我們不放？」

男瞎丐起身道：「陳忠，阿猴是說你手上抓著的兔子，是從他所挖陷阱裡撿來的，拜託你還他。」話還沒說完，又進來兩個乞丐，一個少了一條腿，另一人也是個瘸子。

瘸子一進門便理直氣壯的道：「你胡說，阿猴怎麼會做陷阱？你可有證據？這兔子可是我們先瞧見的。」阿猴聽了舞手跳腳，氣憤難當！咿咿啊啊叫得更加大聲。

瞎丐往前一步道：「這種東西怎麼證明？你們欺侮他是啞巴，說不清楚，我們也沒法子。」

獨臂乞丐也動了氣，欺近身高聲道：「你這是什麼意思？瞎子啞巴可憐，難道我們缺胳臂斷腿的就不淒慘嗎？」

女瞎丐突然叫道：「不要跟他們爭了，少吃一餐不會死。」說著過來把阿猴和男瞎丐拉了回去。

她這麼一叫，三個殘丐倒有點心虛，他們也知道這陷阱的確是阿猴挖的，今天要不是蓬萊客棧沒開張，少了許多剩菜剩飯，也不會想爭這隻瘦兔子。三人面面相覷，斷臂的乞丐開口道：「看在大家都是同門的分上，待會烤熟了，上半身分給你們就是。」

五個聾瞎丐全無反應，誰不知道兔肉的精華在下半身的兔腿上，上半身哪有什麼肉？五個人吃連塞牙縫都不夠，何必接受如此施捨！

見這五丐毫不領情，瘸丐往前走兩步，手持木棍往地上頓了一下道：「這樣吧！你們隨便派出一個人來，只要能贏我一招半式，這兔子就整隻拿去！若輸了可要服氣，別四處去講我們拿你們的東西。」

阿猴馬上起身，上前對著他咿咿呀呀的罵，女瞎丐又上前要把他拉回來，這時瘸丐又說：「同門之間切磋武藝有何不妥？你們如此膽小怕事，那幾天之後的望江樓大會，你們聾派、瞎派怎麼跟我們瘸派、缺派爭幫主之位？」

他這麼一激，阿猴更加按捺不住，拔出隨身木棒，直欲和他一決高下。女瞎丐把木棒搶走，扔到地下，拔出腰間短棍，斜指著瘸丐道：「我來接你的『鐵拐棍法』！」

瘸丐雙手持棍，一聲：「很好，看棍！」語音方歇便舉起長棍，由上往下斜劈，一出手就不留情。

女瞎丐從容讓開，往前跨步，逕攻對手下盤，瘸丐一驚，急忙一招「翻天覆地」，長棍順勢在地面一頓，並以此為支點，連棍帶人往前翻轉半圈，落地之後，隨即持棍沿地橫掃一遍。女瞎丐從容躍開，向前一步，仍攻下盤。

鐵拐棍法大開大闔，舞動起來聲壯勢強；然女瞎丐靠的就是聽音辨位，聲勢愈強，就愈早讓她測得棍勢，及早避開並尋隙進攻，瘸丐本來信心滿滿，卻不料一開始就自陷險境，落了下風。

古劍專心觀戰，這女瞎丐雖武功平平，卻善於以己之長，攻敵之短。她不斷近身攻擊對手下盤，弄得瘸丐狼狽閃架，疲於應付，若不是以短棍使劍招難免有些不順手，早該分出高下。

女瞎丐雖然目不見物，對廟內的格局倒頗為熟悉，漸漸把瘸丐逼入牆角，眼看著將無退路，瘸丐的招法忽然為之一變，本來直劈橫掃的棍勢，轉為以刺、挑為主。這些招法在槍法中常見，瘸丐使得並不純熟，但因所帶的聲響較輕，女瞎丐聽到時，棍端已快招呼到身上，這下子情勢逆轉，反而換她屢遇險招，步步後退。

阿猴見狀不妙，走到火堆前，想把柴火踢滅，卻被另一聾丐拉住，示意不可，獨臂乞丐也說話道：「大家都有不方便的地方，把火弄熄，可就不公平……」他話還沒說完，女瞎丐已經中招。

卻聽瘸丐對著獨臂乞丐斥道：「誰叫你多嘴！」又轉身對女瞎丐說：「妳被他說話的聲音干擾，這場不算，咱們重來！」

女瞎丐摸摸胸口道：「算了！你已經找到贏的竅門，再比也一樣。」

瘸丐拿過兔肉，說道：「既然如此，那咱們一邊一半好了！大家都是殘幫，何必再分什麼殘派瞎派。」他雙手各抓兩條兔腿，使勁欲撕開。

就在此時，門外突然飛來一把長劍，他嚇得雙手一鬆，只見疾飛而來的長劍貫穿兔身，勁勢未滅，筆直插入神臺，入木三分，劍身震得嗡嗡作響，眾人為之一驚！

門外進來三個人，也是乞丐裝束，走在最前頭的少年，一臉傲氣，看來還不到二十歲，腰上卻已掛了七個袋子，顯有過人之處。這柄飛劍，多半是從他手裡擲出的，進門便道：「殘幫已經夠弱小，你們還不思團結？」走到神桌前，一手拔劍，一手抓著兔肉道：「只為了一隻瘦兔子，就可以大打出手，將來怎麼和我們丐幫爭？」

「這是我們殘幫家務事，不用你管！」瘸丐一拐一拐的走來，伸出左手，想要取回兔肉。

那乞丐並不給他，說道：「方才看你們比武搶肉，挺有意思，不如咱們也來玩玩。你們一塊出手，只要有人能碰到我一片衣角，便雙手奉還；否則便如方才的例子，勝者全拿。」

瘸丐舉棍欲打，出口罵道：「小子你別太……」話未說完，木棍落地，虎口已經中劍。他這一傷，激起眾憤，不分瞎丐瘸丐，紛紛拿起棍棒，往那人身上招呼。

少年乞丐毫不在意，東晃西遊在眾殘丐間穿梭自如，出劍快又準，沒兩下子，眾殘丐手中棍棒一一落地，每個人虎口都流了血，驚恨盯著這個狂妄少年！只見他嘴角輕輕翹起，從口袋裡取出一塊布，拭去劍尖上的血跡。

女瞎丐顫抖著說：「這……這麼快的劍……是不是『天擊劍法』？」

少年乞丐哈哈笑道：「看不出來妳眼盲心不盲，這正是『天擊劍法』最粗淺的幾招。老實告訴妳，我師父正是丐幫首席長老衛飛鷹，你們敗給我秦圭，可一點不冤！」

女瞎丐又問：「你可是丐幫的『劍鉢』？」

「如果只對付你們殘幫的代表，派我已綽綽有餘；但我師父說我們丐幫參加試劍大會，沒搶到金劍就算輸。」那少年冷笑一聲道：「也不怕你們知道，『劍鉢』這一重責大任，是由我師兄范濬擔起，他劍法強我十倍，哈哈！你們準備滾出四川吧！」

聽他這麼一說，眾殘丐更加沮喪，沉默不語，如此一敗塗地，也無顏再待下去，彼此扶持，準備離開，還沒跨出門檻，又有人進來。

共有六個身穿勁裝的錦衣衛，領頭的百戶先進門，另外五個在門口一字排開，擋住了去路。

這名百戶滿臉鬚髯，操著北方口音道：「格老子的，大老遠就聽到你們的打架聲，我還以為有強盜在打劫呢？沒想到只是一群乞丐在狗咬狗，告訴本官，你們在爭啥？」

秦圭心高氣傲，哪容他如此無禮，立刻回嗆：「什麼叫『狗咬狗』？我們丐幫與殘幫本來就互不相容。大鬍子，你別以為掛個錦衣衛的招牌就可以橫行天下，唬得了殘幫，可唬不了咱丐幫！」

這百戶長得高頭大馬，臉色赤紅，見一個丐幫的小子也敢對他不客氣，雙目圓睜，斥道：「你是哪來的乞丐？敢對我呼延灼說這種話！」

秦圭也怒道：「還是別知道的好，說出來怕你嚇死！」

呼延灼道：「那咱們手底下見真章，看招！」他跟著四大統領之一的蕭乘龍跋山涉水追捕程漱玉一無所獲，一肚子鳥氣正無處發作，哪還管你殘幫、丐幫？這個時候敢惹上老子的，算你倒楣，留個全屍就算慈悲！說畢從背上取出一對判官筆，逕向秦圭等人攻去，秦圭亦不落人後，把兔肉扔在一旁，提劍相迎。

丐幫總舵在京城，而東廠橫行京師，這一官一民，是北京城裡最惹不起的兩個組織；因為雙方都勢強力大，一旦起了衝突，後果不堪設想，因此丐幫幫主與錦衣衛統領都會約束下屬，嚴禁與對方起衝突。在京城的丐幫與錦衣衛，雖然彼此看不順眼，往往井水不犯河水；然而這兩票人馬在四川相逢，禁令不及，短短幾句便挑起多年來的積怨，紛紛抄起傢伙，先幹上一架再說。

呼延灼對其餘親衛道：「你們守住門口，一個也別放走！」五名親衛在門口一字排開，只要沒有人接近，並不出手，讓首領獨鬥眾丐。他似乎鐵橫了心，不想留下半個活口！

只見一招雙龍出海，一支判官筆攻擊秦圭，另一支則點向秦圭身旁的五袋弟子，秦圭架開對方兵器，那名丐幫弟子卻避不過，陽白、肩井、天池三穴接連中招，木棒只舉了一半，再也動彈不得。

緊接著一根短棍往他腰間打來，呼延灼想也不想，判官筆一挑一點，便把來人點倒，順便一瞄，原來是個女瞎丐。

殘丐與乞丐雖然向有宿怨，但論起深仇大恨，經常欺壓良善、嚴刑待人的錦衣衛更加可惡！許多殘丐本非天生殘疾，卻因遭人構陷，進了一趟廠衛大牢之後，弄壞了四肢五官，無力謀生，才會落得如此地步。在京師錦衣衛鷹犬遍布，殘丐們再多的恨意也只能往肚子裡吞；但這時哪能忍住！再說無論他們加不加入戰局，這些狠惡的錦衣衛，多半不會給他們留下活路，故明知武功遠不如人，仍如飛蛾撲火般一擁而上。

這火面判官呼延灼武功不弱，若非個性凶殘，脾氣暴烈又常喝酒誤事，早該升上了千戶或副千戶。只見他用一支判官筆便壓住秦圭的快劍，騰出來的另一支指東打西，不分殘丐乞丐一一解決。不消多久，無論殘丐還是乞丐全被點住要穴。

秦圭一向自負，以為世上除了師父及師兄之外，能打贏自己的人不多；不料一個區區錦衣衛百戶，只用五、六分力便輕描淡寫的化解他得意劍招。他有點後悔，當初師父派他出來辦事時，曾一再告誡，說他的「天擊劍法」火候還差得遠，不要隨便招惹外面的高手，他一時衝動，竟忘了囑咐！

呼延灼解決眾丐，雙筆齊攻，秦圭壓力倍增，立刻落入下風，不住向後退卻，突然大喝一聲，將腳下一名殘丐的身軀踢向呼延灼，藉此一緩，人衝向門口想殺出一條血路。但把守在門口的五名錦衣衛也非庸手，五把兵刃齊向他砍去，鏗鏗鏘鏘密響數聲，還沒殺出半點空隙，穴道已被呼延灼點了幾處。

五名錦衣衛齊聲叫好，俱誇百戶大人武功出神入化，令人嘆為觀止！一名親衛就說：「小的跟過不少百戶，論武功，沒人及得上您！」這親衛名叫林根，嘴巴甚甜，一開口就讓呼延灼頗感快意；另一名親衛見狀接著道：「何止是他們？我看就算是千戶大人，也未必都強過我們呼延大人……」

此話一出，本來一臉得意的呼延灼立即變臉，狠狠瞪視說話之人。他雖粗霸卻不糊塗，心知此話若傳到任何一個千戶耳裡，可大大的不妙。只聽林根代他斥道：「涂歪嘴，有一天你會死在這張嘴巴上！」

這涂歪嘴被瞪得兩腳發軟，不知又說錯了什麼話，不敢再看呼延灼，用力賞了自己兩巴掌，喃喃自語道：「多做少說！多做少說！俺怎麼老忘了？」他顫巍巍的拾起兔肉，拔毛取臟，再也不敢插口半句。

呼延灼不再理他，啐道：「他奶奶的！這個程還侍也不知什麼來頭？還真難抓！」

林根近身貼耳細聲道：「百戶大人，咱們此行的任務極為隱密，可不宜為外人知曉！」

呼延灼不悅，朗聲道：「有啥關係！反正他們也都活不成！」

林根卻道：「誅殺殘幫的人事小，但丐幫可不好惹，大人請三思！」

呼延灼冷笑道：「這裡又不是京城，殺幾個臭要飯的有啥大不了？這裡的捕頭查案，難道敢找上咱們問？你要知道，今天只要跑了一個乞丐，在江湖上胡說一通，我還要不要見人？」這林根是他頂頭上司蕭乘龍派來的人，因為他行事魯莽躁進，必須有人時時提點，要是其餘屬下敢如此囉嗦，早被他剁成肉醬。

林根還想再開口，呼延灼卻道：「不要講了！我沒點重穴，待會吃完肉，這些臭要飯的穴道就快打通，到時再補上一刀，誰還知道是咱們幹的？」原來他的點穴手法自成一格，若馬上殺人，痕跡仍深，易被行家看穿，才願多留眾丐性命一會。

古劍留神瞧他們對話，見呼延灼為了一隻兔肉就要殺光所有在場的乞丐，頗感憤慨。右手不知不覺緊握劍柄，準備衝出去救人，這時手腕卻被一隻溫軟的小手握住，並在他手背上輕輕寫著：「能勝否？」

古劍愣了一下，他不像一般身經百戰的江湖老手，只要看個三、五招，便能掂出對手斤兩，只知呼延灼出招狠辣，認穴精準，絕非易與之輩。便在程漱玉掌心上寫：「不知。」程漱玉把他的手掌剝離劍柄，在掌心上寫道：「準備好再上。」

古劍點頭，不再看他們，專心冥想，該用哪幾招「無常劍法」來對付那種兵器。

錦衣衛一面烤肉，一面閒談，講的盡是一些不堪入耳的話語，當中一名親衛說到興起，走近女瞎丐，捏著她的臉頰道：「直娘賊！這女瞎子雖然髒了點，倒還有三分姿色。」眾衛齊聲大笑，只聽另一名親衛道：「周老三，你也瞎了眼嗎？她是留給百戶大人的。」

那周老三吐吐舌頭，忙道：「那當然，咱們大夥還有一個，直娘賊！這兩個女乞丐可真走運，要上西天以前還可以先快活一陣！」說得眾人狂笑不止，殘丐們個個悲憤填膺，心如火熾，二名女丐更是悲悽，心想這一生流離坎坷，不料臨死之前還要承受如此屈辱，淚流滿頰，若非動彈不得，早一頭撞死！

「我聽說有個姓孔的人曾說『貪吃跟好色都是人的本性』，這話可真說到咱們心坎裡。」呼延灼不通文墨，連孔夫子是誰也搞不清楚。

眾人又是一陣大笑，笑聲中周老三靠近火堆，說道：「聽大人這麼一提，小的可真要等不及啦。」他舉起兔肉細瞧，又說：「託大人的福，這兔肉……」話未說完，一柄飛刀從神像處激射而出，正中眉心！

官兵們大吃一驚，人人自危，紛紛拿起身旁兵器。只見神桌後方竄出一男一女，二話不說，殺將過來。

呼延灼見到程漱玉，心中一喜，這人正是四大統領苦追不得的要犯，若是能一舉擒獲，加官進爵跑不掉。

還來不及開口，卻見一少年挺劍向他刺來，並不在意，隨手從背後取出一支判官筆，朝來劍架了過去；但長劍行到途中，忽爾轉了方向，以詭奇之勢刺向他眉心，這劍轉得突然，他來不及抽回架出的那支判官筆，更無暇拔出貼在背上的那支，只有後退閃讓。

然長劍不息，又跟著過來，方位絕妙，呼延灼不知如何破解，又退走一步；長劍換招，仍攻勢不緩，這招蓄勢待發，暗藏無數殺著，他不敢賭命，只得再退一步。就這樣古劍連出了七、八劍，呼延灼竟是一招也還不了，連退七、八步，被逼進牆角，眼看再無退路，古劍突然停步不追，原來是程漱玉正在另一端忙著追殺衛卒，兩人分據兩角，把玄鐵鍊繃得緊緊，互不能移。

就這麼一緩，呼延灼已從背上抽出另一支判官筆。他雙筆在握，膽氣、武藝都徒增數倍，雙筆齊出，指、點、刺、打，攻向古劍周身大穴。

古劍氣勢一挫，突然心生怯意，心想：「糟了！單劍要如何戰雙筆？」膽怯則劍慌，竟忘了方才所思的克敵劍招，剎時間主客易位，反倒由呼延灼占盡上風。

一般江湖老手，只要看人出手，便可估量出對方武藝深淺，然古劍一沒經驗二沒信心，見呼延灼揮灑雙筆，招式凌厲，氣勢雄渾，已是人未戰而氣先衰，不免心生懼意，而不知自己所創的「無常劍法」若能盡情發揮，並不懼一流高手。

「無常劍法」之所以「無常」，主要在於它沒有絕對的順序，全視對手招式而隨機應變出最合宜的劍招，只要使得恰當，招招精絕；卻最怕使劍者心慌意亂，無法全神貫注，必將自陷險境。他打算一開始就傾力搶攻，殺他個措手不及，哪知一個小意外，打亂了原先的策略，見對手氣勢上升，不禁氣餒起來！

呼延灼也頗感詫異，怎麼好好的一流劍法，轉瞬間變得荒腔走板？要不是他心生疑懼，擔心這是古劍的誘敵之計，並未躁進，否則古劍危矣。

他小心翼翼試探對方虛實，混戰數十招後，已瞧出端倪，再看自己帶來的手下，除了林根還在強自苦撐外，其餘均已倒下。忽然清嘯一聲，招勢陡盛，雙筆齊出，招招狠辣，點向古劍左右肩井穴。

古劍聽不到嘯聲，見呼延灼來勢洶洶，慌亂中使出一招，架開左筆，向左側急騰兩步，驚險避過；但雙筆猶如附骨之蛆，緊追不捨，分別點向他前胸膻中穴及後背至陽穴。古劍急忙護住後方，向旁躍開，才從雙筆的縫隙間驚驚閃過。緊接著雙筆一高一低，分別點向上額印堂穴及左腿風市穴。

古劍封住下方，同時彎腰屈腿，判官筆迎頭點來，從頭皮削過。驚魂未定，卻見判官筆一支由上往下，一支自下而上，改點為掃劃將而來！古劍匆匆撥開一筆，又向後退了兩步，這次竟換自己被逼到牆角！呼延灼不給他有任何喘息的機會，雙手抬起，分自左右斜劃下來……

眼見退無可退，古劍突然靈光一閃，雙足往牆一蹬，像一道匹練般連人帶劍撲向對方胸口，勁急勢猛。呼延灼識得厲害，急急收筆側身避讓才堪堪閃過。長劍在他胸口處劃出一條長痕，險些傷到肌膚，驚出一身冷汗！

呼延灼既驚且怒，稍一調息，倏然間青筋暴起，猛喝一聲，運筆再攻，古劍還來不及寧定，對方雙筆再度襲來，慌亂依舊，使出的劍招全不對路，只知道架開一支筆，再閃開另一支，不出數招，又陷險境。

此時程漱玉已將其餘兵衛盡數殺死，她插不上手，遂在一旁觀戰。

看著古劍的劍法時好時壞，心想：「這傻子的劍法其實高過呼延灼，偏偏信心不足壞了事，早知道一路上不要對他的劍法冷嘲熱諷，當時這渾人面無表情，沒想到竟然信了！」便喊道：「別害怕！你的劍法比他強……」講到一半突然想到古劍是個聾子，喊破喉嚨也沒用，暗自焦急，卻幫不上半點忙。

她忽然又想到，雖然無法幫古劍打氣，倒可嚇嚇呼延灼，便大聲說道：「不要玩啦，趕快把他殺了……」「快點砍了他！可別像王遂野和劉易風，試了半天，最後讓人給跑了……」「你要找高手比劍，四川多得是，我們去找杜百陵或商廣寒，別再理這個蠢蛋，快殺了他……」

她左一句右一句的把古劍吹捧成一流的劍術高手，古劍沒能聽見半個字，卻是一字不漏鑽進呼延灼耳裡。他想起蕭乘龍打聽到的消息，據說跟著程漱玉一起逃亡的年輕人武藝不凡，連敗王遂野和劉易風兩大統領，當時聽了雖然半信半疑，如今卻也不敢小看這個無名少年。武林中從不乏一些遊戲人間的絕代高手，為了不暴露身分，常會裝瘋賣傻，假裝武功平平，今見古劍偶有幾招的確精妙，莫非眼前這無名少年正是這種人？思慮及此，不敢貿然急攻，打算再瞧清楚一點對手虛實。

呼延灼攻勢稍緩，倒讓古劍有機會慢慢穩住心情，本來十招之中使正的不到兩招，漸漸的增加到三招、五招、八招……

呼延灼見對手出招愈來愈沉穩，再這樣下去非輸不可！大喝一聲，雙筆疾催，竟然全是拼命險招！但這時古劍已不再畏懼，見招拆招，急攻的人最容易露出破綻，不到五十招，古劍已有三次機會殺他。

然而古劍無意殺人，在山寨時情急之下殺了不少花子，日後想起，難免惴惴不安，故總在最後一剎那把劍使偏。呼延灼受了幾次驚嚇，發現古劍的劍法遠比自己的雙筆高明，偏偏不乾脆把自己一劍刺死，不知是蓄意玩弄還是另有圖謀？慢慢的卻由驚懼轉為氣憤！但無論是害怕還是憤怒，總是難以擺脫對手的劍網，又苟延殘喘了數十招後，忽然怒吼一聲，力貫雙臂，將兩支判官筆重重扔出，分別插進兩邊的門柱，兀自顫動不止！呼延灼兩手空空，憤然道：「你要殺就殺！何必如此戲弄人？」

古劍將劍尖抵住他的喉頭，右手不住顫抖，竟不知該如何是好……二人四目相對，僵持良久。

突然間，呼延灼身子向後急縱，右手微揚，撒出數枚金錢鏢，古劍暗叫不妙，一個鐵板橋，身子向後急仰，手中長劍趁勢擲出，整個人仰跌在地上，胸口被兩枚銅板打中，竟然沒事！

他驚出一身冷汗，起身一看，剛剛擲出的長劍已經貫穿呼延灼腹肚，而其右手手腕上正插著一柄匕首，原來是程瀲玉先瞧出異狀，及時出手射中了呼延灼的手腕，才卸除出鏢的力道。

古劍感激的望了她一眼，不知該怎麼致謝，程瀲玉卻先罵道：「這種惡人都不敢殺！你還闖什麼江湖？」她走過去，踩著呼延灼的手臂，若無其事將匕首拔出，呼延灼尚未斷氣，慘叫一聲，鮮血從傷口湧出。隨後抓著呼延灼的衣服把匕首抹乾淨，指著長劍說：「這柄劍你自己拔出來！可別再說什麼不忍心？」

古劍看著呼延灼虛委的面容，心知就算大羅神仙也救不了他，緩緩伸手抓住劍柄，咬牙抽出長劍。呼延灼一記哀鳴，鮮血噴出，隨即斷了氣。

古劍失神瞧著劍上的血跡，手不住抖顫，他畢竟又殺了人！

程漱玉不再理他，逕自撿起兔肉，拍去塵土，用剩餘的火星，繼續燒烤著。古劍慢慢回過神來，便去幫那些殘丐解穴，但試了半天都解不開，只見程漱玉道：「使判官筆的都是點穴行家，所點的穴道不容易解，你不用白費力氣，我看他出手不重，麻穴自通大概不須半個時辰。」

第八章
花宴

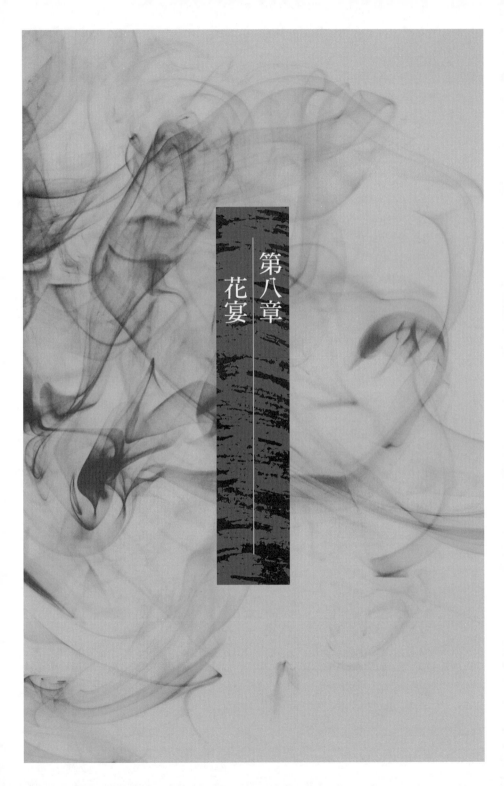

過不多時，肉香四溢，躺在地上的眾丐也陸陸續續通穴起身，一時間手腳還不太靈活，肚子卻餓得緊。他們被點穴後都癱軟在地上，並沒有看到打鬥的情形，但確定是眼前這兩個人殺死了呼延灼，救回自己性命，再怎麼餓得難受，也不敢向救命恩人要回兔肉。

殘丐們靜靜坐在地上，看著古、程二人衣衫襤褸，身上也綁縛著一條麻繩，心中滿是詫異，均想：「看這兩個人一身殘丐裝束，怎麼從來沒見過？」第一批來的聾瞎丐竊竊私語一陣，女瞎丐起身正待要問，卻見程漱玉已將兔肉分開，撕下兩隻腿肉，一隻遞給古劍，為自己留下另外一隻，其餘捧在手上，轉身說道：「阿猴師兄，勞煩您把這塊肉拿去分掉。」她說這話時，兩眼直直死死盯著前方，就像瞎子一般。

阿猴不敢接下，咿咿呀呀又比劃一陣，程漱玉側耳傾聽，卻茫然不解，女瞎丐示意阿猴停口，說道：「感謝兩位救命之恩，這些肉是你們搶回來的，我們不敢拿。」

程漱玉點頭，突然朗聲道：「那三個丐幫的走了嗎？如果沒有，馬上給我滾！」她突如其來冒出這句話，令在場的人都大吃一驚，秦圭更是勃然大怒，道：「閣下是誰？妳雖然料理了錦衣衛，也無須如此霸道呀！」

程漱玉冷然道：「霸道又如何？剛剛你不也是如此對待我的師兄師姐嗎？」

鏘啷一聲，秦圭拔出長劍指向程漱玉，她卻毫不在乎，仍冷然以對。古劍殺人之後，一直沒有完全回過神來，直到秦圭拔劍，劍光冷冷指來，突然開口說：「不要再打！不要再打！我不想再殺人……」

秦圭一拔劍便發覺身上的血路尚未暢通，再戰也不過是自取其辱。他望著古、程二人，緩緩收起長劍，突然笑道：「莫非你們是殘幫祕密訓練，準備參加百劍門試劍大會的『劍缽』？」

程漱玉道：「無可奉告！」

秦圭又一次自討沒趣，只好乾笑道：「倒不妨跟妳說，本幫的劍缽正是我師兄范濬，他殺一個區區呼延灼，可用不著那麼久。」說完便狂笑離去。

另有三個缺腿斷臂的殘丐見古、程二人是和聾瞎丐同夥，也不願自討沒趣，瘸丐問道：「敢問二位尊姓大名？」

程漱玉道：「我們乃無名小卒，不值一提。」

三殘丐也不敢再強問，向二人作揖道：「無論如何！兩位救命之恩，沒齒難忘，告辭！」說罷，三人相互扶持，一拐一拐走出廟門。

古劍追了上去，自己撕下一小片肉，其餘送給三殘丐，說道：「我沒了胃口，剩下的給你們！」三人推辭了一下，見古劍誠意要給，才感激莫名的收了下來，連聲道謝。

三殘丐一走，程漱玉隨即起身，向其餘殘丐打躬作揖道：「喬小七、木一竹相救來遲，害諸位師兄、師姐受驚，尚請見諒！」

五位聾瞎丐心裡早有了譜，待程漱玉自承是師妹時並不訝異。女瞎丐循聲摸來，眼眶泛著淚水，緊緊抱住程漱玉，過了一會才放開問道：「我們好久沒看見兩位師父，身子還好嗎？他們說要去找一個天資聰穎的好徒弟，訓練成本幫的劍缽。喬師妹，是妳嗎？」

程漱玉遲疑一會，才道：「妳怎會知道？」

女瞎丐笑道：「聾刀和盲劍都不好學，若非得到師父真傳，怎能殺死呼延灼？」

程漱玉笑道：「師父要我們盡可能隱藏身分，但看來今天是瞞不住啦！」

女瞎丐道：「別擔心，師門大事，沒有師父的首肯，我們不敢張揚，以二位武功，到時候必定一鳴驚人。」

程漱玉笑道：「要一鳴驚人的是木師弟，他天資過人，沒幾年就把師父新創的一套『無聲劍法』練得出神入化，這次師父要我帶他出來磨練，好增加一些歷練。」程漱玉一見這幾名殘丐，就想到若能和他們一起混進成都，可比兩個人大搖大擺的走隱密得多，當下便有一番計議，該說什麼早在神桌後方編排妥當。儘管這番說詞一遇他們師父就會立即穿幫，但那時已到成都，吃過了百花宴，又有什麼打緊？

見程漱玉臉不紅氣不喘編派出一堆謊話，古劍實不明白她葫蘆裡面賣的是什麼藥？他倒不介意當什麼木一竹師弟，但說什麼「天資過人」……實在是滑天下之大稽。雖隱隱覺得不妥，卻也不便說破。

經她那麼一讚，殘丐都注意過來，弄得古劍頗不自在。女瞎丐問道：「木師弟是……」

「他是聾子，向來不愛說話，整天只知練劍。」程漱玉代他回答。她見殘幫的聾子說話時，多會比手畫腳來輔助表達，怕古劍只懂唇語而不善手語，遂讓他盡量少說話，以免露出破綻。

古劍說：「我是聾子，說話很糟。」他簡單比劃兩下，正是殘幫裡面流傳的手語，原來當年徐宏珉教他讀唇術時，連手語也一併教才能學得順暢，而徐宏珉的讀唇術與手語正是學自一位聾啞乞丐。古劍學會讀唇術之後就沒再用手語，本已遺忘大半，但看了阿猴比劃一陣，又記起一些，這兩句話比得正確無誤，殘丐們對二人已全無疑惑。只有程漱玉在一旁暗笑，思道：「沒想到這傻子也會殘幫的手語，這下可好玩啦！」

殘丐們見師父收了兩個好徒弟，均感欣慰。女瞎丐向二人介紹，她本人叫紀春曉，和她綁在一塊的啞丐叫胡長壽，兩人已經算是夫妻。另一個男瞎丐叫張升，和一個麻臉的聾丐陳日雄綁在一塊，互相照料，而那個叫阿猴的聾啞丐，看來還不到二十歲，本名叫李山。

程漱玉一邊啃著兔腿，一邊和眾殘丐瞎天胡地閒聊起來，遇到有人問了一些不容易回答的事便胡混帶過，倒也沒有引起太大的懷疑。聊著聊著，紀春曉突然問道：「你們夫妻倆想必也要去成都見師父，不如大家一塊走，彼此也有個照應。」

程漱玉聽她提及「夫妻」兩字，心裡撲通了一下，兩頰泛紅，突然結巴起來：「夫妻……？我們……」

紀春曉道：「一男一女，不是夫妻怎會綁在一塊？你們成親不久吧？還會害臊！」見古劍的臉紅得比她還凶，程漱玉不禁好笑，不再多說。心想：「為了混進成都城，只好委屈一些，和這傻子做個幾天的假夫妻吧！」便道：「我們初涉江湖，許多規矩還不太清楚，此去成都，也是人生地不熟，能和幾位師兄、師姐一道走，是最好不過了。」

從蓬萊鎮到成都城不到兩百里路，跟著殘丐邊乞邊行花了四天才到，這可苦了程漱玉。雖然他們很疼這位小師妹，總把最乾淨的飯菜給她，但她吃慣宮裡的山珍海味，怎受得了這些乞討而來的剩菜剩飯，於是藉口肚子疼，匆匆扒了兩口便送給古劍吃。

一聽她說鬧肚子，殘丐們湊了幾文錢，到客棧買了兩碗新鮮白飯，再加點清簡小菜給她一人食用。程漱玉見狀掏出一點碎銀道：「我身上也有些銀子，不如咱們一道去客棧大吃一頓如何？」

眾丐們面面相覷，女瞎丐道：「小師妹，除非肚子疼，咱們殘幫的人是不能到客棧吃的，這條幫規師父沒跟妳提過嗎？」

程漱玉愣了一下，才道：「師父是說過，但我看師兄師姐們待小妹如此照顧，一時激動，忘記了！」說畢低下頭心中暗罵：「這不可以，那又不行？這到底是什麼鬼幫派？」罵歸罵，因為怕露出馬腳，也不敢多問。

她為了裝瞎子，兩眼必須死板板的定著，無論遇上什麼新鮮好玩的事，都得視而不見，起初還覺得有趣，到了後來卻苦不堪言；但騙人就得騙到底，豈可半途而廢？反觀古劍倒是輕鬆，裝聾作啞本來就是他的專長。偏偏這是她自己的主意，可怨不到古劍身上，滿腔氣苦，無處發洩！

不過跟著這幾個殘丐，一路上倒不見官差刁難。第五天上午，眾人進入成都城，信步走到城東的市集。由於時間尚早，只有零零星星的幾家攤位準備開市，人聲稀落，大家各自找好位子準備行乞。古、程二人走到一個廟口前的好處所，正要坐下時，背後有人喝道：「不准坐！這是丐幫的地盤。」程漱玉轉身直著眼瞧，廟內走出四個丐幫的乞丐，為首的不過是個五袋弟子，卻盛氣凌人。

程漱玉哪能受得了這種閒氣？忿然道：「你憑什麼說這話！這條街是丐幫的嗎？」

那五袋弟子笑道：「這關廟街向來是咱們丐幫的地盤，妳是外地來的嗎？怎麼連這都不曉得？」

程漱玉道：「這是誰訂下的規矩？縣太爺？還是皇帝老爺？」

她和眾乞丐因此爭辯不休，嗓門愈拉愈響，看熱鬧的人愈聚愈多。不多久又有一群乞丐聞訊趕來，而殘丐也增加不少人。紀春曉怕鬧出大事，過來拉程漱玉的手說：「小師妹，我們走吧！」

程漱玉滿肚子委屈，怎麼可能就這麼算了？甩脫她的手道：「妳別管我！受了這麼多天的氣，今天一定要給他們一點教訓，叫人知道，咱們殘幫可不是好欺侮！」

紀春曉急道：「千萬不要！師父再三交代，可不能和丐幫起衝突啊！」

程漱玉道：「您別擔心！我和木師弟對付這幫人綽綽有餘。」又對丐幫道：「你們一起上吧！咱們手底下見真章，誰打贏就算是誰的地盤。」

那五袋弟子掄棒跳了出來，喝道：「妳這瞎子未免太過猖狂，就讓我錢三泰來教訓妳！」程漱玉拗強不懼，取出匕首。

眼見一觸即發，紀春曉突然抱住她的腰，淒然道：「小師妹，就算師姐求妳吧！妳難道不知？兩年前咱們的人不幸傷了一個乞丐，後來丐幫興師問罪，打傷了咱們十個人。現在若將他們十幾個人都弄傷，日後不知還會有多少弟兄受難呢？」

「真有這種事？」程漱玉愣了一下，反而益加悲憤：「難怪這一路上你們看到丐幫的人就好像耗子見到貓，給他們占去最熱鬧的地方，搶走最新鮮的飯菜；而你們只知忍！忍！忍！到底要委屈到什麼時候？連做個乞丐都是這種最卑賤的，活著還有什麼意思！」說到激動處，不禁潸然淚下。

程漱玉這麼一哭，除了發洩近日來的不快之外，更悲憐起自己的身世。她自幼失怙，收養她的人，將她培養成一個嬌媚動人的姑娘，送入深宮，作為內應；於是她不能和心愛的人長相廝守，像一顆棋子般任人擺布，任務失敗後，她倉皇逃出禁宮，歷盡千辛，只想再見情郎一面，但命運總難如人意，連這麼一點小小心願都遲遲難以實現！她愈想愈是哀傷，抱緊紀春曉，哭得更加悲悽！

眾殘丐受她感染，一個個想起悲涼的往事和黯淡的未來，不禁痛哭失聲！古劍雖也憶起過往，但他忍哭慣了，眼淚在眼眶上打轉，始終沒讓它掉落。

經他們這麼一哭，圍觀的人愈來愈多！整條街的乞丐也都聚攏過來，或竊竊私語或靜靜觀看，眾乞丐一時之間，也不知該如何趕人。過了一陣子，一個臉汙衣濁的小乞丐叫道：「喂！你們要哭到什麼時候？哭給誰看？哭有何用？你們命苦，難道我們的命就好嗎？哭得慘，我們就會讓出四川嗎？」

程漱玉突然推開紀春曉，逕往發聲的小乞丐衝去。紀春曉急喊：「不要啊……」但她動作奇快，丐幫眾人還沒來得及回神守禦，人已奔到，拔出匕首，削向小乞丐左臂，眼看著就要把他左手給削了下來，突然腰間的鐵鍊向後急拉，將她向後倒扯五、六步，連人帶刀摔倒在地。

古劍竟在此時扯她後腿，她怒不可抑，立刻拾刃躍起，對著古劍狂刺！古劍早已熟悉她的套路，連切帶擋，輕描淡寫一一化解。程漱玉狂刺了一陣，卻好似刺在一堵牆上，索性把匕首扔了，掄拳往古劍胸口打去。古劍不知如何是好，只是收起長劍，任她捶打。

一陣發洩後，程漱玉逐漸冷靜下來，氣消了一些，又拉著古劍道：「我們走！再也不管他們！」

卻在此時，人群中忽然竄出一個中年瞎丐，掄著棍子往乞丐堆打去！他胡亂打一通，什麼都沒打著，反而被丐幫弟子圍了起來，你一棍我一棍打得好不狼狽。古劍大叫：「放開他！」衝過去想將乞丐們的棍棒架開；然而才架開一根，馬上又有兩根棍棒打來，擋住了這兩根，又有三根過來！十來根棍棒亂打一氣。古劍無意傷人，卻因顧此失彼，招架不住。

他想不出別的法子，長嘯一聲，劍勢突變，專挑手腕刺去，只聽哐噹哐噹之聲連綿不絕，丐幫眾弟子紛紛手腕中劍，棄棍而逃，口中兀自咒罵不斷。

程漱玉和紀春曉等人圍過去，見那瞎丐被打得青一塊腫一塊，心下戚然。那瞎丐泣道：「對不起！平常被那幫乞丐欺壓夠了！剛剛看你們又被欺負，一時沉不住氣，便衝過去想和他們拚個你死我活，倒忘了師父的囑咐。是我陳六不好！害了大家。」

程漱玉道：「別想那麼多！快回去養傷吧！」

紀春曉問道：「陳師哥，您是這裡人的嗎？可知師父在哪？快帶我們去見他們，替你治傷，並報告今日之事。」

陳六正待要答，程漱玉卻插口道：「師姐！妳不認識他？」

紀春曉道：「師妹！咱們幫裡的瞎丐，沒有一萬，也該有三、五千人，怎麼認識得完？」

程漱玉想了一下，說道：「師兄師姐們，我二人還有要事待辦，請你們代為向師父問好。」說畢拉著古劍要走。

古劍也知此處不宜久留，更不能隨他們去見師父，便拱手向他們道別，但見陳六道：「你們走了，待會丐幫的人回來怎麼辦？」

程漱玉道：「人是我們傷的，叫他們來找我們吧！」說罷，強拉著古劍匆匆離去，留下一臉錯愕的眾殘丐。

二人信步向城西行去，愈近百花莊，就有愈多的江湖人物；而數日後殘幫將在城東望江樓召開大會，成都街上到處有殘丐，身上綁著繩子的聾瞎夫妻也不少，兩人大搖大擺走在街上，並不顯突兀。程漱玉繼續裝瞎子，若有「同門」前來寒暄，便隨意敷衍幾句。

她不想再和他們牽扯不休，只想找個客棧，洗去塵埃並大吃一頓；於是先找家當鋪，隨意取出一只玉環，換到大把銀子。又去買一些黏膠、粉餅、香水、胭紅、毛髮之類的玩意。

也許是壽翁的面子大，或是巴蜀十二名廚的聲名遠播，等著吃這場壽宴的人早將城西的客棧占滿。二人走了近半個時辰，才在西郊找到一家小客店。

客店雖偏遠，仍坐了不少人，一進門便有許多人目光灼灼瞧向這裡，令古劍頗不自在，程漱玉仍視而不見，大剌剌坐下，拿出一只銀子重重擺在桌上。店小二馬上收起鄙夷的眼神，堆著笑臉迎來，她點了幾樣好菜。自從遇上古劍這個倒楣鬼，就沒有好吃好睡過，今天無論如何也要吃個精飽。

冤家路窄，隔桌就坐著三個丐幫的人，朝著二人指指點點。古劍也向他們瞄了兩眼，為首的人鼻尖眼細，肩寬膀闊，似曾相識。這人看來不過三十出頭，竟綁了八只布袋，古劍待過丐幫，知道身披八袋者絕非小人物，不是幫主的左右，便是分舵舵主，在他左右兩個乞丐看來老得多，一個駝背，一個禿頭，也都各有七袋。

古劍忍不住又瞧一眼，那人也正睜大眼往他臉上瞧，四目相對，古劍不禁顫然，原來是李奇鋒大師兄，趕緊轉回頭！

十餘年前古劍拜在衛飛鷹門下學藝時，李奇鋒早已出師，並在外頭闖出一番名號，他是衛飛鷹的得意弟子，衛飛鷹經常叫古劍以他為榜樣。有一次大師兄回京探望恩師時看到古劍這個小師弟，還親切的摸頭問好，並送給他一個燒餅；雖然只見過一、兩次面，但因為那個燒餅，古劍還是回想起來了！

他不敢相認，就算去了，人家也未必記得，再說如今一身殘丐模樣，恐怕得不到什麼好臉色！

程漱玉繼續裝瞎子，毫不理會眾目睽睽，用無聲的唇語向古劍說：「那三個乞丐好像不懷好意，待會若來找麻煩，可要好好教訓一下，給殘幫那些弟兄出出氣！」

古劍輕聲道：「別鬧事！」

三個乞丐竊竊私語一會，駝背的乞丐突然起身，帶著兩只酒杯，杯中的酒水滿溢，比杯沿還高出一點，這駝丐看似不經意的走來，竟未溢出半滴，走到二人跟前說：「兩位可是殘幫的朋友，能在這種地方見到貴幫的人著實不易，敝派李舵主要我送來兩杯薄酒，敬二位一杯。」

程漱玉面無表情，目不轉睛的說：「什麼舵主？閣下是丐幫的人嗎？貴幫有十三位舵主，不知在場的是誰？」

駝丐笑道：「這裡是四川，坐在這裡的當然是人稱八臂神劍的李奇鋒李舵主，在下周自達，和另一位馮七兄，都是李舵主底下。」

周自達說得還算客氣，哪知程漱玉並未接下水酒，冷冷回道：「在下區區賤名，不足掛齒。你們既然是丐幫的人，那可真對不住！本幫幫規：不能任意飲酒作樂，尤其貴幫的酒，更是喝不得。」她聲音不大，卻十分清亮，一字一句清清楚楚，整個客棧霎時變得鴉雀無聲，滿座賓客都止住喧譁，齊向這邊看來，好奇想著：「哪裡冒出來的兩個大膽殘丐？竟敢對丐幫分舵舵主如此無禮！」

那禿頭的乞丐馮七把手上的鐵棍重重往地上一頓，霍然起身瞠目怒視，李奇鋒把他拉住，示意冷靜。古劍心中暗叫不妙：「這哪是人家欺侮她？根本是自己主動挑釁，卻要逼我收尾！」

過了半晌，周自達才磔磔笑道：「你們這條幫規我沒聽過。倒是有一條，說是什麼凡貴幫弟子，都不能在客棧酒樓等處吃飯，不知閣下是否記得？」

程潄玉似乎早料到對方會有此一問，答道：「沒錯！以前是有這個規矩。我們當乞丐的，所得到的每一文錢，都是向芸芸大眾乞討而來，得之不易，怎能任由幫內高幹拿到酒樓裡隨意揮霍？但我們依此原則而不進酒樓，不吃宴席，卻因此和武林人士極少往來；於是這些年來，飽受惡幫欺凌而孤立無援。所以本幫現已撤銷這條幫規，今天我就要在這裡用餐，明天還要去百花莊喝壽酒，目的就是要多結交幾位江湖上的朋友，朋友多了，或許欺壓可以少一些！」這番言語不疾不徐的講出來，雖未指名道姓，但誰都知道她在諷刺丐幫，聽在李奇鋒等人耳裡，句句刺耳。

殘幫出自於丐幫，各項幫規其實大同小異，其中最大的不同便在這裡：殘幫的人討到了錢，必須攢起來以備不時之需，手上錢銀再多，也不得到酒肆飯館中進食；除非是有人吃了不新鮮的剩飯拉肚子，才可以到酒店沽一些新鮮飯菜，但無論如何都不可以進店裡吃。殘幫的幾個頭子認為：當乞丐就得要有乞丐的樣子，如果老是給人瞧見在餐館裡大吃大喝，自然不會大方施捨。

但丐幫卻是階級分明，下層的弟子討到兩分錢，必須上繳一分，其中一半到了總舵，一半留在分舵。他們人數眾多，一個人每月繳個兩分錢，總舵和各分舵自然闊綽，這些錢可不必交半毛的官稅。所以李奇鋒等人雖名為乞丐，卻從不擔心沒銀子可花。

程漱玉一諷他們是奢華的乞丐，二嘲他們經常欺凌殘幫這群比他們更苦命的人，語調平淡，卻聲聲刺耳。其餘食客均想：「這兩個不知死活的小殘丐，今天可別想走出此門！」

只見李奇鋒的臉乍紅還綠，眼看就要發作！那馮七卻先沉不住氣，從座位上跳起來，一個大跨步來到桌前，喝道：「妳再胡說！今天甭想活著出去！」

程漱玉也不慌，雙手一攤道：「我可沒說是何幫何派，怎麼您急著過來自首？」她這麼一說，在場的酒客有一半都笑了；另一半人也覺得好笑，但想到丐幫勢大難惹，只得硬生生的忍住。那馮七氣得整張臉漲得通紅，連頂上的禿頭都變了色；程漱玉暗自偷笑，要不是今天扮的是瞎子，準會拿這副德性多作文章。

馮七深深噓一口氣道：「既然妳這麼說，不如我們一對一出去打一場，這可是比試武藝，別再說我們以多欺少！」他想殘幫之中武功高明的人不多，但這女娃敢如此倨傲，或許真有兩下子；雖在盛怒之下，也不敢輕視對方。

哪知程漱玉忽然臉色大變，「咚」的一聲跪了下來，竟對著丐幫的人磕頭道：「小女子有眼無珠，得罪三位丐幫大爺，還請高抬貴手，饒了小的，千萬別再提什麼比武較量！」方才還一副有恃無恐，霎時又轉為謙卑討饒，態度丕變，倒令人不知如何是好？

眾人正感詫異，怎知她話鋒又轉，續道：「我師父千叮嚀萬囑咐，說千萬別和丐幫的人比武！今天若不幸打傷你們一人，明日貴幫必興師問罪，傷我十人。您要我怎麼賠罪都行，就是別逼我們傷人！」

「豈有此理！」馮七大喝一聲，掄棍欲打，鐵棍卻在半空中被人定住，回頭一看，舵主示意他退下。

李奇鋒親自過來，對程漱玉道：「姑娘口齒伶俐，難怪寧可瞎了雙眼，也不願廢了嘴巴。」

程漱玉嫣然一笑，突然嚷道：「怎麼那麼久還沒上菜，店小二呢？」店小二馬上應答，隨即端來飯菜，這飯菜早已備妥，但看著這種劍拔弩張的態勢，不敢端來。現在一邊端菜一邊心裡嘀咕著：「這可是妳要我送來，待會打翻了可別賴帳。」程漱玉一一指點小二什麼菜該放在什麼位置，竟不理會李奇鋒！

這舉動比謾罵譏諷還令人難堪！以李奇鋒的身分，在四川黑白兩道都要敬重七分，被人如此輕慢，還是頭一次。他惱怒萬分，卻不動聲色說道：「聽說前些日子有兩位殘幫的少年英雄，殺了京城來的錦衣衛高手呼延灼，莫非就是二位。」

這火面判官呼延灼在江湖上也算小有名氣，他這話一說出口，客店內十幾雙眼睛都睜得老大，更加仔細打量這兩個看似不起眼的小殘丐。

程漱玉並不驚慌，不疾不徐的說：「殺害錦衣衛可不是小事，李舵主若沒親眼瞧見，可別胡亂賴人。」

李奇鋒道：「這是我師弟秦圭親眼所見，本來在下還半信半疑，但看了姑娘的手段和膽識，不由得我不信；何況貴幫與錦衣衛向有嫌隙，殺了幾個錦衣衛，也算不了什麼。」

程漱玉笑道：「不愧是四川分舵的舵主，這招借刀殺人之計，用得可真絕！」

李奇鋒道：「什麼借刀殺人？妳說清楚！」

程漱玉道：「貴我兩幫的過節，不用我多說，早恨我們恨得牙癢癢；而七天之後正是本幫望江樓大會的日子，你大概不希望我們這幾天太過平順，正巧這時候來了一些錦衣衛的人，便想趁機挑撥本幫和廠衛，可以的話，最好讓彼此殺個兩敗俱傷血流成河；這麼一來，丐幫要獨占四川，可就方便得多！」

李奇鋒怒道：「一派胡言！一過七月，你們自然得離開巴蜀，我又何必急著在這個時候，使這種小人伎倆？」

程漱玉冷笑道：「你又何必急著否認？莫非真那麼怕東廠？……原來丐幫只會恃強凌弱，一聽到錦衣衛，就嚇得兩腿發軟。」

程姑娘心裡不知想什麼鬼，怎麼淨說這種挑釁的話語？古劍心下惴然，李奇鋒的劍法已得衛飛鷹真傳，待會若真要打起來，那是非輸不可！但他口齒笨拙，心裡著急，卻不知該說什麼？

「妳放屁！」「妳找死！」周自達和馮七一人一句，都氣到拿起傢伙，就要動手！李奇鋒雙手一伸，將二人拉住。

馮七道：「俺忍不住啦！舵主，請讓俺教訓教訓這丫頭！」

李奇鋒道：「你們贏得了呼延灼嗎？」周、馮二人愣了一下，無奈的回座。

這女瞎丐如此尖嘴利牙，再說下去只有更加難堪，李奇鋒道：「姑娘一再出言侮辱本幫，今日之事，恐怕不能就這麼算了！」

古劍終於開口道：「李舵主，這是誤會，我想程姑娘也是一時失言，尚請見諒。」說出口的話連自己都不太相信，程漱玉那是「一時失言」而已？根本是從頭到尾的亂說話！

李奇鋒冷笑道：「現在求和未免太晚！你們兩人一起上嗎？我就一個人，可別再說丐幫專門以多欺少。」

程漱玉道：「難道我們殘幫就會以多欺少嗎？木師弟，這個人交給你會一會，別怕他的『天擊劍法』，我相信你不會輸！」這個惹禍精不知心裡想些什麼？竟在這當口招惹事端！

此時客棧內外早擠滿看熱鬧的人潮，爭睹一個看似殘弱的女瞎丐，接二連三對名噪一方的丐幫舵主出言不遜。圍觀群眾中有一些殘幫的人，雖然不知這對師弟師妹是什麼時候冒出來的，然看到程漱玉一字一句講出他們想說的話，無不稱快，卻也不禁為他們擔心。當然也還有一些丐幫幫眾，見舵主的臉色一陣青一陣白，明白他正強忍怒氣，都不敢吱聲。

看這樣子，今日一戰勢不可免，古劍萬般無奈，放下碗筷，起身揖道：「在下有幸和李舵主討教劍法，希望能不傷和氣，點到為止。」

李奇鋒冷笑道：「第一，我們早就傷了和氣；第二，我這套『天擊劍法』以快聞名，哪能說止就止。你們若真害怕，就不該辱及本幫。多說無益，出招吧！」

古劍無奈，一句：「得罪了！」挺劍前刺。

李奇鋒這才把劍抽出鞘，但他運劍極快，先輕描淡寫架開來劍，再疾刺七劍，迅如雷電，竟招招狠辣。

一般比武過招，剛開始總會先以一些較平易的招式來試探對手；哪知這李奇鋒卻不按常理，一出手就見殺著！古劍一個措手不及，盡失先機，再加上他對「天擊劍法」的敬畏，出劍變招顯得慌亂保守，連連退了幾步。

李奇鋒一劍快似一劍，絲毫不讓他有喘息機會，古劍退到一張桌子旁，眼見已無退路，起腳踢出一只長凳，想藉此稍緩一下，李奇鋒一掌拍飛長凳，朝櫃檯橫飛過去，打中櫃檯，竟橫腰而斷！

兩人一交手，整個客店一樓讓出一大片，但人散了桌椅仍在。李奇鋒的劍法快得超乎尋常，一開始便落居下風的古劍，心慌意亂不知如何扳平。招架不住時，便在桌椅之間騰跳挪移，時而跳到凳上，時而鑽到桌下，模樣十分狼狽，卻藉此化解不少危機，這種打法，確有偷機之嫌，場中不少江湖人士，倒沒人出口譏笑。一個殘幫的無名小子，能在八臂神劍李奇鋒的狂擊猛刺之下走過幾十招，不管用什麼手段，都是了不起的事。

拖了百來招，李奇鋒卻漸次感覺這小子的劍招愈來愈穩，暗叫不妙，心知不宜再拖延下去。他一面追擊古劍，一面出腳將經過的桌椅一一踢向門口，兩人繞了一圈，所有的桌椅都疊在門口，一層桌一層椅，總共六層，竟井然有序，比人擺的還整齊。旁觀眾人無不叫好，俱想：「這個殘丐可要倒楣啦！」只有程漱玉滿不在乎的啃著雞腿。

大家很快發現自己看走了眼，失去屏障的古劍，不但未在短時間內落敗，反而劍招愈發沉穩犀利，和李奇鋒你來我往，鬥個旗鼓相當。

原來經過一番摸索，古劍已漸漸熟悉對手招式。這「天擊劍法」雖快，卻是虛招多於實招。騰出一片空地之後，反讓他心思澄明：「他這劍法其實不可怕，只要冷靜應對，未必會輸。」信心一來，劍法跟著強了起來，李奇鋒加緊催力，出劍更快更險，整個客店劍氣蕭蕭，看得眾人目瞪口呆，卻始終奈何不了古劍。

這樣又過了百來招，古劍已大致摸透「天擊劍法」，好幾次看到對手的弱點，卻猶豫起來。他想起了十幾年前那個親切的大師兄和熱騰騰的燒餅，不知該如何收手，才能不傷「大師兄」的顏面。

一般人看不出來，李奇鋒卻是愈打心愈灰，對方劍法多變，精妙處猶勝自己，但不知是何緣故，遲遲不做個了結。只恨當初沒有把「天擊劍法」學得透徹就急著出師。而近年來幫務繁忙，更是疏於練習，今日若敗給這個殘幫的無名小卒，將有何顏面統率這萬餘名四川乞丐！

古劍很想停手，但對手的劍太快，一個不小心，反會傷了自己；而李奇鋒也想罷鬥，但他在四川也是頂尖人物，怎麼可能撕下臉來向一個無名小卒乞和。程漱玉瞧出蹊蹺，但古劍可是真聾子，這個時候說什麼也沒用。

人群中突然走出來一個中年書生，撿起二人丟在地上的劍鞘，分別拿在左右手，雙手一伸，鞘口對著二人的劍尖，唰唰兩聲，兩柄劍各自插進劍鞘。圍觀群眾的喝彩乍聲響起，不知是讚兩人劍法精彩，還是這個書生收得巧妙。

其實書生的武功未必高過他們，只是他瞧出雙方均無心戀戰，乘隙而入，才一舉成功。對著二人咧嘴笑道：「兩位都是頂尖高手，劍術上各有千秋，何必非分個高下不可？」

李奇鋒冷哼一聲，表面上似乎是怪這書生多管閒事，其實內心暗自僥倖。他收起長劍，對著古劍道：「閣下身手不凡，若我猜得不錯，你該是殘幫的劍缽吧！」他這麼一說，現場立刻哄鬧起來。丐幫與殘幫要在試劍大會中一爭高下以決定地盤的事，武林中無人不曉，本來大家都以為丐幫是勝券在握，不料今日卻見殘幫突然蹦出來一個不起眼的小殘丐和李奇鋒鬥個平分秋色，驚訝中不禁又對殘幫另眼相看，今年的試劍大會，可不只一場好戲瞧！

古劍卻道：「您誤會了，我……」

「誤會什麼？以你的身手，就連『殘幫四老』也遠遠不及。我不信老弱殘疾的殘幫，還找得到更強的人？」說罷，看看古劍，再看一眼書生和程漱玉，便帶著隨從離去。

古劍想再解釋什麼，轉念又想：「如果現在否認自己是殘幫的人，恐將立即引來廠衛的追殺。」只得作罷。

剛才為二人解危的書生一襲長衫青衣，瞇起笑眼走過來道：「小兄弟，今天可出了一個大風頭。就讓我白清雲作東，咱們一齊喝個痛快！」

這人幫忙解了危難，古劍對他頗有好感，照說不該拒絕人家的好意；但現在可不宜再久留，正躊躇間，程漱玉走來說：「你自己去喝吧！我們還有要事在身，不能再耽擱。」

她語氣冷淡，似乎怪他多事。說完便拉著古劍逕自向西行去。

二人快步朝著西方行去，離城愈遠愈多荒郊，他們似乎已養成默契，一遇山道，領路的人就換成古劍。他專挑一些羊腸小道，一路彎彎拐拐，有時似乎走到絕路，但撥開長草，又是一片開朗。程漱玉不得不暗暗佩服他這個本事，思道：「這麼多隱密的小路？要是沒來過，打死我也找不到！真想不通他是怎麼瞧出來的？」

行了十來里路，來到一座小山丘上，此處居高臨下，二人張望四周，確定附近沒有任何人跟來，才停下來歇腳。程漱玉先責問古劍道：「方才你明明能贏，為何還拖拖拉拉？」古劍一時語塞，若說是為了十幾年前的一個燒餅，她會信嗎？程漱玉看他欲語還休，嘆道：「你就愛當爛好人，該殺不殺，該勝不勝，終有一天會吃虧！」說著，靠坐在一株梧桐樹旁，接下來要何去何從，已沒了主意。

山下是一塊塊的梯田，沿著山勢開墾，阡陌縱橫，正是春耕時節，山腳下有個小村落，稀稀疏疏的十來戶人家，幾個農夫，錯三落五忙著農事，一片翠綠田園景象，古劍曲腿而坐，傻傻望著遠方一處農舍。

程漱玉心想，經過這麼一鬧，明天的午宴怕是吃不成了！她倒不是貪生怕死，當初被送進宮時，就已料到會有這麼一天。千辛萬苦的逃命，只是想再見公子一面，雖然公子已經成親，雖然他們今生不會再有結果，但她還是忍不住想見公子，聽他輕輕的說一聲：「我還記掛著妳！」那就夠了……

可是現在綁著這條鬼鍊子，斬不斷燒不開，難道真要和古劍綁著一輩子？這要怎麼去見公子？我沿途留下暗記，又拼命鬧事，公子耳目眾多，照說早該發現，怎麼始終不見他派人前來營救？

她愈想愈是難過，正是出神，忽聞古劍道：「春天了！」這聲音明明是在她旁邊發出，卻聽來悠悠忽忽，轉頭一瞥，見他眼眶潤溼，眼角處似有一、兩顆未滴落的淚珠，這人不是沒眼淚的嗎？怎麼會在這個時候莫名其妙哭了起來！

她覺得有趣，又擺起嘻皮笑臉，盯著古劍道：「你怎麼也哭了？」

古劍默默看著她，過了半晌才說：「我看到我家……」他指著西北角一棟黑瓦黃牆的三合院道：「那個正在曬穀場上醃醬菜的是我阿婆，春米的是我娘……」他聲音平淡中帶著一股說不來的憂傷，說著說著，含在眼眶中的淚滴，被新冒出來的淚珠給擠落下來。

程漱玉大吃一驚，難怪他整天都心神不寧，難怪他對這一帶熟得很。她斂起笑容，正色道：「你多久沒回家？」

古劍側頭想了一會道：「約莫有八九年吧！」不知她問這個幹什麼？

程漱玉又嘻起臉道：「那好辦！咱們今晚就到貴府叨擾一頓。」

「萬萬不可！」古劍急道：「現在這種處境，若是錦衣衛追來，豈不害死我全家？」

「八、九年前，你還是個小孩。」她從腰間取出一只小銅鏡，照著古劍的臉問道：「你瞧瞧！現在這副德性，還有誰認得出來？」

古劍看著鏡中的容顏，長了喉結，多了鬍鬚，少了頭髮，面形更是大大不同，的確變了許多，搖頭道：「家裡的人以為我這個不肖子孫，早在七年以前跌落於青城山的某處深崖，屍體化成一堆塵土。」

程漱玉道：「那就是了！待會我們繼續扮聾丐與瞎丐，到你家乞食，你裝聾作啞，只要忍得住不和父母相認，就算錦衣衛找到這裡，也不會如何。」

古劍思量好一會兒，這麼做確實風險不大，日思夜夢的家就在眼前，他當然想進去瞧瞧，難得程漱玉如此窩心，古劍點頭示謝。

二人故意繞了一大圈，走一些普通人不可能走的路，以確信錦衣衛不會找到，在夕陽落山之前，才來到古家。

老家的外觀，是一個極為普通的三合院。黃土為牆，龜裂多處；黑瓦作頂，塌陷一角，用一塊木板將就頂著。古劍愈是走近，心情愈是淒然！老家沒什麼變化，只是更加斑駁殘舊而已。

正廳的大門上方掛著一塊匾額，寫著「仗劍行俠」四個黑色大字，下面一行小字寫著：「古家劍法：百劍門大洪山試劍第九十一名」。這塊匾額從他懂事之後就懸掛至今，那是他爹古鐵城年輕時參加試劍大會掙來的，算來將近二十年，由於祖父每年都會重新漆刷一遍，看來還光亮如新。

此時前門已閉，多半家人都回來了，二人輕聲走近，隔著窗縫往裡面瞧。

古家的人正準備進食，方形餐桌四面各坐一人，分別是古劍的爺爺古銀山、奶奶李氏、父親古鐵城和母親邱氏，卻放了五副碗筷。古劍心想，那副碗筷應該是留給姐姐的，多半晚點才回來。只見奶奶也把那副碗盛滿飯，夾了一些菜蓋在上面，大夥才開動。

扒沒兩口，見李氏道：「你下午又出去借錢了？」

古銀山點頭道：「沒法子，這次是百花莊洪莊主七十大壽，同是百劍門，住得又近，如果不去會給人說閒話。」

李氏沒好氣的道：「同是百劍門又如何？有什麼閒話好說？」

古銀山道：「婦道人家懂什麼？如果我不去，外人會說咱們第九十一劍妒忌人家第二十三劍如此風光；去了，人家是成都望族，禮可不能少。」

李氏又道：「就愛充面子。咱們現在的景況可不比當年，鐵城教了一年武術，收不到二十兩銀子，你一出手就三兩五兩，往後日子怎麼過？」

「娘！這也不能怪爹。」古鐵城開口道：「要怪只能怪阿劍！為了培養他，咱們賣光家產；可是這個不成材的孩子不但沒學好半套劍法，還沒出息的跳崖自殺，有子如此，家門不幸！」

「那還是怪你們！」李氏把碗筷重重放下道：「一個那麼小的孩子，才剛會走路就逼他學劍，七歲不到就送到河南練武。我永遠記得，那天他抱著我的腿，哭著說不想練劍，你們父子倆好狠的心……把他吊起來，打得皮開肉綻……他還只是個孩子啊……」她愈說愈是哽咽，禁不住眼淚直落！古劍的娘背對著窗，一直沒開口，只見她也抬起袖子，似在拭淚。

古銀山搖頭道：「都陳年往事了！只有妳這老太婆還嘮叨個沒完，一個月總要說上幾遍。」

李氏負氣道：「我就是要說！只要阿劍一天不回來，我就每天提一次，就像這碗飯菜一樣，永遠為他留著！」

古銀山丟下碗筷，大聲說道：「到底要我說幾遍！阿劍已經墜崖，屍體掉到青城山谷的河裡，被水沖走啦！……」

見到婆婆說那碗飯菜是留給他的，古劍既慚愧又感動，淚水早已不聽使喚渲流而出，祖父說些什麼已沒再留意。這時肩膀被拍了一下，程漱玉把他拉到外頭輕聲問道：「有沒有什麼信物？」古劍還在渾頭渾腦，也沒問她要幹嘛，傻傻的從口袋裡掏出一串銀項鍊。

程漱玉取來說：「太好了！咱這就去安慰他們。」說畢逕往木門走去，敲了兩下，朗聲問道：「請問古老前輩住在這嗎？」

開門的是古鐵城，答道：「找的可是家父古銀山嗎，兩位有何貴幹？」

程漱玉道：「正是！我叫喬小七，他叫木一竹，我們是殘幫的人，受人之託，來這裡報個口信。」說完亮出手上的銀鍊子。

這銀鍊子一亮出來，古銀山父子倒沒什麼反應，李氏和邱氏這對婆媳卻把眼睛睜得老大，十分震驚！邱氏抓緊程漱玉的手，著魔似的說：「這……東西打哪兒來的？……妳怎麼會有？」

程漱玉這次倒不再吊人胃口，直接說道：「這是我朋友古劍託我帶來，要我轉告諸位：他還平安，請你們不必擔心……」

「劍兒沒死！」李氏喊了一聲，身子突然搖搖欲墜！其餘三人震驚之餘來不及反應，古劍一個箭步過去，抱住奶奶，隔了一會，奶奶拍著古劍的手溫言道：「謝謝你，小兄弟，我沒事，只不過一時高興過了頭！你們快告訴我，他人在哪兒？現在怎樣？怎麼過了那麼久還不回家？」古劍看她如此關心自己，差點脫口而出叫一聲「奶奶」。

「他是個啞巴，您問我好了。」程漱玉道：「古大俠現下人在川東，有要事在身，一時還沒法子來。他人平安，身子也還健壯，請各位放心。」

古銀山道：「妳叫他大俠，莫非他武功很高？還使劍嗎？」

「人活著就好，還管什麼武功如何？」古奶奶沒好氣的說：「他這麼久不回家，難道是性情大變？喬姑娘，麻煩妳告訴他：回來就好，這幾年的委屈，奶奶都清楚。」

程漱玉笑道：「他脾氣是怪了一些，倒還不至於性情大變；至於劍法，時好時壞，我也弄不清楚……」她侃侃而談，說了許多有關古劍的事，四個長輩什麼都問，她也有問必答。古劍靜靜看著她在家人面前論說自己，倒是實話多於謊話，好話多於壞話，令他頗感意外！

古家的長輩欣慰之餘，不等程漱玉開口，已宰殺了一整隻雞，又弄了一份豐富的晚餐來酬謝二人，古劍好久沒吃母親煮的菜，這一頓吃得精飽。老祖母看著二人狼吞虎嚥的模樣，心裡暗嘆：「可憐的孩子！一個機靈、一個老實，若非瞎了和啞了，也不致淪落至此。」

在古銀山等人熱情挽留之下，當晚二人留宿古家，住在古劍姐姐的房間。古劍的姐姐幾年前和隔壁村的青年成了親，這個西側的房間是留給她和夫婿回家時住的，兩人又假裝做了一夜的夫妻，古劍這個主人睡地板，把床留給客人。

此處不宜久留，第二天用過早膳之後二人執意要走，古家的人強留不住。李氏進房捧了兩件長袍出來，布料普通，做工倒挺細，說道：「他們都說阿劍已死，就我不信！有一次在市集上看到賣布的，看了喜歡，忍不住就買了兩匹布，想說一塊留給阿劍，一塊留給未來的孫媳婦。哎呀！我這老太婆，昨晚問東問西，就是忘了問妳：阿劍在外頭可有認識什麼姑娘，他今年二十三歲，是該娶媳婦啦！」

程漱玉笑道：「古大俠認識的姑娘可多呢，一件女裝恐怕不夠！」她一邊看著古劍尷尬的表情，暗暗好笑。

李氏笑道：「那怎麼辦？咱們古家可養不起那麼多房啊！麻煩你們告訴他，挑媳婦重要的是身家清白，倒不一定非要什麼美若天仙的大家閨秀不可。」程漱玉斂起笑容，點頭稱是。

李氏又道：「這兩件衣服不是給他們的。昨晚我和媳婦都樂得睡不著覺，想你們走了那麼遠的路前來報訊，也沒什麼貴重的禮物好酬謝，便和媳婦趕了一夜的裁縫，希望能合身。」

程漱玉說：「您說……這兩件是要……送給我們……」她自幼無父無母，養大她的人只是想利用她，今天竟在一個陌生人家中得到如此善待，讓她真正感受到家的溫馨，不知不覺哽咽起來！

古奶奶道：「傻姑娘！像妳那麼標緻，穿起來不知有多好看呢？」

程漱玉叫了一聲：「婆婆！」抱住古奶奶不放，不知不覺流下兩行清淚。

古劍自小即知奶奶是出了名的軟心腸，這些舉措可一點也不奇怪，倒是程漱玉的反應令他訝異，思道：「明明是我的婆婆，怎麼妳倒是喊得比我還親？」

古奶奶拍拍程漱玉的背道：「別哭了！可憐的孩子。」才剛說完，看著古劍，又想起她那苦命的孫子，不禁也跟著哭了出來。

她這麼一哭，也感染到旁人，古劍看母親也頻頻拭淚，就連祖父和爹亦眼眶紅潤，怕自己再待下去會露出馬腳，拉著程漱玉向家人告別。二人往外走了數十步，古劍才敢回頭望，想到今生不知能否再回來，心下淒然！

兩人漫無目的走了一段路，也不知該去哪裡。看到一座涼亭，便往亭內走去。亭中早坐著兩個大漢，在他們坐位旁立著一面匾額，寫著「壽比南山」四個大字，看來也是一對無賴，想靠這面不起眼的木板大吃一頓。

二人才剛靠近，就聞其中一人一臉嫌惡的道：「喂！你們這兩個臭要飯的別進來，離我們遠一點！」這兩個漢子一臉髯鬚，都穿一身青綠寬袍，看來還算新豔，容貌衣著都頗為相似，多半是對親兄弟。古劍心想：「這兩個傢伙可要倒大楣啦！」

但見程漱玉不怒反笑，露出一臉卑微，往前挺進一步，涎著臉道：「大英雄您別生氣！咱們只是路過，不會向您乞討什麼。」

另一個大漢道：「那也不成！誰不知你們這些臭要飯的一年難得洗幾次澡，身上不知養了多少跳蚤、臭蟲，待會把一身髒臭傳來，叫我們兄弟倆怎麼去喝壽酒？」

程漱玉一聽喝壽酒，眼睛睜得老大，伸出長長的舌頭，舔舔嘴唇道：「喝壽酒，去百花莊嗎？」她這副饞樣十分誇張，不知不覺又向前跨了兩步。

那漢子道：「廢話！在成都除了百花莊，還有誰請得動咱們金川雙雄？」

程漱玉一臉欣羨道：「真了不起！想必你們有收到帖子囉！能否讓咱們瞧瞧……」說著又靠近兩步。

「哈哈！妳這瞎子還……」原先那漢子話只說到一半，程漱玉突然出手，二人猝不及防，分別被點中要穴。兩人愣了一下，才發現啞穴還沒被點，一連串「直娘賊」、「狗娘養」……的猛罵。

程漱玉在他們身上搜出一張請帖，笑道：「原來你們叫閻大雄、閻二雄，瞧你們這身武藝，出了金川，大概也沒幾個人曉得吧！」

那漢子忿然道：「那又如何？我們早晚會揚名立萬。妳假扮瞎丐，又用小人手段對付咱們兄弟，到底是何居心？有種解開穴道，咱們硬刀硬槍再幹一場！」

程漱玉笑道：「真要打還是你們輸，只是我覺得這樣比較好玩。」她點了金川雙雄的啞穴，轉身對古劍說：「咱們可以吃壽宴啦！」說完取出匕首，把雙雄臉上的鬚髭全刮下來，她功夫不甚俐落，差不多是半削半拔，金川雙雄疼得眼淚直冒，卻哼不出半點聲音。

刮完之後，手上抓著一大撮鬚毛，對雙雄端詳了一會，說道：「這樣可俊多了。」無視他們憎恨的眼神，又對古劍說：「阿劍！勞煩你把這兩個人拖到草叢，衣服全剝光拿來。」

見她也學著爹娘叫「阿劍」，古劍愣了一下，又見程漱玉道：「怎麼？這種事難道要我來做？」他才會過意來，原來她是想假扮雙雄混進百花莊，尋思：「這樣也好，昨天鬧得如此張揚，已不宜再假冒殘丐。她已帶我探望家人，今天就順著她的意，陪她混進百花莊吧！」依言將雙雄拖到草叢，脫下外衣，拿回來給她。

程漱玉道：「內衣也要脫，讓他們一絲不掛，就算提早解了穴，也不敢去鬧事。」這樣是狠了一些，卻更穩妥，古劍心想有理，又去把他們身上的衣物全給剝了下來。

二人各自找地方換上嶄新的外袍，程漱玉取出昨日在街上買的黏膠，和古劍相互幫對方黏上鬍髭鬢毛，大功告成，兩人相視而笑。今日不做乞丐，改行當強盜。

程漱玉用匕首把雙雄的內衣褲割得稀爛，將乞丐衣沾滿了汙泥牛屎，扔在雙雄身旁，笑著說：「叫他們穿這套回家，算是一點小小的教訓，今後再也不可對殘丐無禮。」古劍不禁莞爾，這姑娘整人的把戲可真多。

二人把鐵鍊在身上纏繞數匝，各自套上金川雙雄的連身長袍，只露出一小截鐵鍊。程漱玉早有主意，和古劍一前一後架著「壽比南山」的匾額，恰恰遮住鐵鍊，大搖大擺往城內行去。

來到百花莊，已是人滿為患，看來川省境內的江湖豪傑差不多都到了，二人在入口處交了拜帖和匾額，便混了進去。這百餘桌酒席就設在莊內的百花園中，避開亭臺樓榭，水池花圃，錯三落五的擺著。時當春盛，莊內花影繽紛，風光正豔，二人跟著人潮找尋空位，程漱玉耳尖，聽見北角一張臨時加開的酒席中，有人正在高談闊論有關「試劍大會」的事，便走到那桌坐下，壓低嗓門拱手道：「金川雙英，羅冠英、羅亞英，拜見諸位好漢。」她怕有人認識金川雙雄，臨時又捏造一個假名。

這一桌原先已坐了八個人，不約而同的說：「久仰大名……」程漱玉暗暗好笑，這金川雙英連我也是初次聽到，怎麼你們全都久仰？

這些人也各自自我介紹一番。坐在對面的是三個結義兄弟，鐘豪、周海光、李萬山，自稱川東三俠；旁邊坐了一位黑臉漢子，聲若洪鐘，人稱賽張飛焦豹；再旁邊一位叫宋岳的老學究，手上抱著一個五、六歲大的孫子；左首另有祖孫三代，一個老婦人帶著兒子和孫子，三人的穿著十分簡樸，兒子沉穩內斂，孫子精壯黝黑，腰懸長劍，看來都有一身武藝，老婦人則滿臉風霜，手掌乾粗，自稱隱婆，並未再報上兒子和孫子的名號，想是不欲讓人知悉。程漱玉心想：「看這個樣子，多半也是混進來吃百花宴的，或許連這『隱婆』的名號，也是隨口胡謅。」

寒暄甫畢，剛剛高談闊論的李萬山，又接續原先的話題道：「聽說忘憂坊已經開出幾個主要的盤口，莫愁莊和胭脂胡同分別是一賠三及一賠四。」他這麼一說，其餘眾人都睜大了眼，面露詫異。焦豹道：「你們的消息可靠嗎？怎麼好端端的把他們的賠率都給拉高？」

三俠還未回答，宋岳卻搶著道：「老朽雖非武林中人，這陣子也聽聞不少有關『試劍大會』的事；你們所說的莫愁莊和胭脂胡同好像來頭不小，但天下英雄搶一把金劍，下一賠三或賠四的賠率還不夠嗎？他們是什麼三頭六臂？」

川東三俠相視而笑，由老大鐘豪先說：「從八十年前開始舉辦試劍大會以來，今年是第五次。前面四次，前四名都是由東、南、西、北四大劍門所包辦。其中南路的武昌『洗劍園』崔家，每次都奪麒紋銀劍第三；西路的西安『樂遊苑』紀家，每次都取麟紋銀劍第四；至於最尊貴的龍紋金劍和鳳紋玉劍，必由東路的南京『莫愁莊』朱家和北路的京師『胭脂胡同』裴家輪流奪取，從無例外。」

說到這裡稍停，老二周海光立刻接口道：「所以到後來人們下注時，便自動把上次取得玉劍的劍門押得多一些。押的人多，賠率自然降，其實朱、裴兩家的劍法都在伯仲之間，還沒比也不知誰強誰弱？但前兩次朱、裴兩家分別是一賠二和一賠三的超低賠率，也就是說大家都看好這把金劍，八九不離十會落在他們手裡。」

老三李萬山又接著道：「所以這次他們的賠率被拉高，不免令人大感意外，也引來各種傳言……」他講到這裡忽然停頓了一下，瞧著哈張著嘴巴正聽得入神的焦豹，似乎是要他猜猜看。

「什麼傳言？」焦豹哪受得了有人賣這種關子，隨即問道：「莫非是朱爾雅和裴問雪是貪玩的公子哥兒，劍法比不上他們父祖當年？」

李萬山搖頭道：「朱、裴兩家的子弟向來只有一代強過一代，哪有愈傳愈弱的道理？」

焦豹搔頭想了一下，突然擊掌道：「哈！我曉得了！是不是二十年前鬧得天翻地覆的

『化身劍法』，又要捲土……」

話還未說完，同桌諸人都倏然變色！宋岳手上抱著的娃兒「哇！」的一聲哭了出來……

鐘豪馬上接口道：「這和那瘋子無關，『滄浪亭』上次鬧出那麼大的事來，這次說什麼也不敢再參賽。待會就要上菜，我看還是別提那檔事，免得大家食之無味，還害得小孩哭鬧。」

這件事只要在江湖上混得夠久，多少都略知一二；但程漱玉自小便在一個顯赫劍門中長大，反倒因此沒聽聞過。她好奇心又起，壓著嗓子道：「我們兄弟倆長居深山，對江湖中的事瞭解有限，什麼『化身劍法』、『滄浪亭』？今天倒是第一次聽到。三位能否說得明白些？好讓小弟增長見聞。」那小孩本來被哄得哭聲漸歇，一聽到「化身劍法」，又哭得更加嘹亮。

宋岳不斷給小孩摸頭安撫，並解釋道：「鄰居的大哥哥經常拿著一根竹棒，嚷著這套劍法的名字把他打得鼻青臉腫。所以這小孩只要一聽到那四個字就會哭得稀里嘩啦，還請各位別再提。」

鐘豪點頭道：「不提最好，那劍招、眼神、殺氣，叫人永遠忘不了！老實說，算來已經快過了二十年，俺到現在，還常被惡夢驚醒呢！」

焦豹道：「這麼說來，鐘兄二十年前就在現場，那可是畢生難忘啊！」

鐘豪拉開衣衫，露出胸前一道長長的疤，神情嚴肅的道：「怎麼忘得了？十七死二十九傷，當年我就是那二十九名傷者之一！」

「別再說那瘋子啦，還是直接告訴你們吧！」周海光道：「焦兄，你人在川南，消息傳得慢，但總該聽過丐幫也要參加試劍大會的傳聞吧！」

焦豹道：「這件事傳了好幾年，怎會不知？聽說丐幫想藉這次的試劍大會和殘幫搶地盤，輸的一方就得撤離四川。」

周海光道：「搶地盤只是個幌子，試劍大會辦了那麼多次，從來沒有六大門派的人參加，頭兩次人家說六大門派自恃身分，不屑參加；然而到了後來試劍大會愈辦愈熱鬧，四大劍門隱隱然有超越六大門派之勢，江湖上的傳言就慢慢變了，都說六大門派怕輸，才不敢參賽。」他環顧四周，見附近沒有乞丐，放輕聲音道：「這次丐幫終於嚥不下這口氣，派出劍缽，表面上雖說是要公開解決和殘幫的糾紛，其實是想奪下金劍，以堵天下悠悠眾口。」

焦豹道：「原來如此！但丐幫雖說高手如雲，畢竟不是一個劍派，能找到使劍高手嗎？」

李萬山道：「真正的使劍高手，只要一個就夠。丐幫首席長老衛飛鷹的『天擊劍法』譽滿江湖，絕不輸給各大劍派的使劍高手，四川分舵的舵主李奇鋒，就是他的得意弟子。」

焦豹又道：「李奇鋒的武功在四川罕逢敵手，但他也三十好幾，可不符資格啊！」

李萬山道：「丐幫的劍缽當然不是他，你說他罕逢敵手，可是昨天就碰到一個殘幫少年，硬是和他打個平分秋色。」古、程二人一直沒插嘴，聽到這段話時，兩人對望了一眼，隨即恢復正常。

只聞那焦豹又道：「這怎麼可能？誰不曉得殘幫裡頭盡是一些老弱殘疾，就連殘幫四老，一對一都遠不及李奇鋒，怎麼教出來的弟子有本事和李奇鋒對劍？」

李萬山道：「大概就是青出於藍而勝於藍吧！昨天那一戰，看過的人至少上百個，您若不信，隨便抓個人來問都知道。現在十桌裡面大概有七、八桌，正在議論此事呢？」

焦豹咋舌道：「真不容易。顯然丐幫這次遇上麻煩，搶不到金劍不說，說不定還把天府之國這個大好地盤給弄丟了去。」

鐘豪笑道：「像丐幫這麼大的幫派，如果沒有十足的把握，哪敢提出這場賭注？李奇鋒自己曾說，他幫務繁重，疏於練武，以致這些年來劍法停滯不前，已遠非其師弟的對手。這個師弟就是此次丐幫的劍缽范濬，據說天資聰穎，年紀輕輕，『天擊劍法』卻有相當火候。這次忘憂坊給他開的賠率是一賠六，比洗劍園崔榕的一賠十還低上許多。」

這三個異姓兄弟說起話來默契十足，老大說了一段之後，只一個眼神，老二就會自動接下去，說到差不多時又換老三，再輪回老大，絕不會有人搶話或是冷場。顯然有關「試劍大會」的話題他們早已磨練許久，才能有如相聲一般的流暢。程漱玉覺得有趣，要不是壓著嗓門說話不舒服，也想多插幾句。

但見焦豹又道：「您是說去年以一把鐵劍大敗江南六奇的崔榕？連他都被擠到第四，那還得了！」驚訝中，原本粗豪洪亮的聲音，又放大了不少。

周海光道：「焦兄不必太訝異，打敗江南六奇固然了不起，但洗劍園這次可能連四大劍門的席位都保不住。青城派這次也要派劍鉢，想必很多人都聽過，這次賠率排第三的正是青城派的魏宏風，一賠五。」

這次焦豹不再大驚小怪，只見他不住搖頭，喃喃道：「我不信……青城派會強過丐幫？這怎麼可能……我不信……」

李萬山道：「怎麼不可能！青城派可是道地的劍派。當年青城四劍叱吒風雲時，江湖上都說他們是七大門派之一。可惜後來狐遠春脫派改名狐未敗，胡遠清嗜賭被逐出師門，黃遠凡早逝，青城派人才凋零，七年前貝遠遙死於慕名帖之邀，從此再也不聞七大派之說，只有六大門派和四大劍門。」

鐘豪接著說道：「但現任的青城掌門商廣寒可不甘如此，一心想讓青城派再列大門巨派之中。老天有眼，果真讓他找到一個根骨奇佳的學武奇才魏宏風，據說這人的資質天分絕不輸給貝遠遙或胡遠清，未來成就甚至可望超越當今天下第一劍狐九敗。」

周海光道：「這是從青城派傳出來的消息，大家總是半信半疑；因此原先魏宏風的賠率定在一賠八，有趣的是這個賠率定出來後，不但青城派的人搶著買，連峨嵋派的弟子也偷偷摸摸買了不少。忘憂坊覺得奇怪，打聽出原因後，馬上把賠率降到一賠五，但買注的人依然絡繹不絕，現在已經暫停下注……」

「什麼原因？」說話的人不是焦豹，而是一個商賈模樣的黃衣人，他一來就坐在古劍旁邊，對著眾人拱手堆笑道：「在下黃尚金，乃本地鹽商，雖不懂武功，但對江湖中的奇聞異事頗感興趣。方才聽你們說得有趣，便坐到這來，尚請莫怪。諸位大爺請繼續說下去，可別被我這個外行人打斷了興致！」

鐘豪清清喉嚨，又道：「既然如此！我們兄弟只好繼續賣弄下去。青城派的弟子壓寶自己本門的劍缽是天經地義的事，但峨嵋派的弟子會押青城派確實令人意外；何況峨嵋和青城向來不和，照理說押貓押狗也不該押給青城派。這些人甘冒師門大忌，偷偷搶押魏宏風，顯然是對魏宏風的武藝十分嘆服。」

周海光道：「原來幾年前這兩派曾有一點小過節，青城派被狠狠羞辱一番，商廣寒的師弟邱廣平為了討回面子，每隔個兩年便帶著魏宏風到峨嵋派，美其名為切磋武學，其實是要給峨嵋派難堪。他們總共去了三次，分別和峨嵋三少對劍。」

焦豹道：「峨嵋三少有名得緊，別看他們年紀輕輕，早已聲名遠播；倒是你說的魏宏風，聽過的人不多？」

李萬山道：「那是因為他大多時候留在青城習劍，極少出外闖蕩的緣故。魏宏風第一次上峨嵋，對上唐少華的『出雲劍法』，七十三招勝出；兩年後又去了一次，用五十六招制服孫少真的『點燈劍法』；第三次更離譜，只花了三十九招，便讓顧少白的『封雪劍法』俯首稱臣。」焦豹驚道：「『封雪劍法』不是號稱守得滴水不漏嗎？怎麼撐不到四十招？莫非……他已經學會了『尋龍劍法』？這『尋龍劍法』是出了名的難學難精，一代怪傑胡遠清在二十七歲學會這套劍法，據說已超越青城創派至今百餘年來的紀錄，這魏宏風是何許人？竟又提早了好幾年？」

鐘豪道：「你猜對了一半，據說他確實學會了『尋龍劍法』，但更可怕的是：從頭到尾只用『搏熊劍法』，對他而言，要打敗峨嵋三少，根本無須用到『尋龍劍法』。」一話說完一片沉寂，焦豹更是張口結舌，連該有的驚嘆都忘了發！

就在大家驚異中，忽聞鞭炮聲劈啪作響，壽星翁洪承泰暨賀客家人從煙霧中走來，陪著他從後堂出來的賓客約莫十來人，都是巴蜀境內頗有名望的武林宿儒。其中包括峨嵋派的盧天揚、青城派的宋遠明，這二人武功不算頂尖，但輩分都比幫主還高了一代，代表幫主前來祝壽，也算給足了面子。

另有六個人，裝扮各不相同，但都身繫長劍，原來都是四川境內百劍門的代表。這六人好像半個主人，陪著洪承泰向各路英雄打招呼，充分顯示「百劍一家」的同心合意，古銀山也在其中，排在六人之末。古劍遠遠瞧著爺爺，總覺他心事重重，笑得有些落寞。

鐘豪指著站在洪承泰左側的一位白鬚老者道：「這個白鬍子老頭是重慶『縉雲山莊』的楊繼，據說是楊家槍法第十六代傳人，一手楊家槍法使得是出神入化，活龍活現……」

焦豹插口道：「鐘兄，縉雲山莊明明是百劍門裡的第十七劍門，怎麼會練什麼槍呢？」

周海光笑道：「是真的，三十幾年前楊繼出道時，便以一把楊家槍打遍九省習槍武者，罕有敵手，但名號始終響不起來；原來試劍大會愈辦愈旺，久而久之，大家以劍為武，不是比劍的事，人家沒興趣聽，聽到了也懶得傳。」

李萬山接著道：「所以他一怒之下，回家閉關五年，以其楊家槍法為根基，創出一套

『楊家劍法』，讓他兒子楊讓參加『試劍大會』，第一次就替楊家勇奪第十七名，更是四川排名最高的劍門，震驚武林。」

接著三人又介紹其餘五家劍門的「劍主」，他們依著名次的順序介紹，其中古銀山排在最末，說的也最簡短。

除了這八名主要賀客之外，另有一年輕人緊跟在洪承泰身旁，雖是一臉富貴像，但雙目炯炯，顯然一身武藝。李萬山向鐘豪問道：「那小子什麼來頭？看來還乳臭未乾，怎麼也跟那些大人物一塊？」

鐘豪道：「傻老三！那是洪承泰的寶貝孫子洪子安，百花莊今年的劍缽，洪家未來二十年的榮辱興衰就看他了，不寵他寵誰？」

沒多久鞭炮燃盡，這十個人坐上首席，洪承泰一個眼色，便有人大聲喊道：「送菜……」緊接著僕役從後堂魚貫而出，每人身上挑著兩個大食盒走到各桌停下。因為擺了一百二十三桌，竟用了一百二十三個僕役，每桌一個，都站定位後，只聽原先那人又大聲喊道：「上菜……」便見僕役們紛紛打開一個食盒，兩組食盒各有三層，每層兩道菜，共十二道。

這一百多人，不知訓練多久？動作竟是一模一樣，都是從上層靠左的燈影牛肉開始拿起，擺在圓桌上靠北的一角；接著拿出第二道的宮保雞丁，擺在燈影牛肉的左下方，接著依序是麻婆豆腐、香酥肥鴨、原籠玉簪、乾燒岩鯉、開陽白菜、紅油抄手、清蒸江團、魚香茄花、夫妻肺片及一大碗濃濃的酸辣湯。

外行人看到這菜單，可能不以為然？這川西首富的七十大壽，怎麼看不到熊掌、魚翅之類的名貴菜肴？哪知百花莊為了請齊這川西十二名廚，不知花了多少心血和銀兩。其實一道菜好不好吃，最重要的還在廚師怎麼料理，這十二道菜的材料雖然普通，但在十二名廚各施巧手下，竟是道道香味四溢，令人饞涎欲滴。

每道菜都還是熱騰騰的，顯然他同時開了十二個爐灶，將這十二道菜同時備妥。就連這食盒都是全新訂製，漆上鮮豔紅漆外，又雕上了一個斗大的「壽」字。這百花莊不愧是川西首富，排場大得嚇人。

各桌同時擺完十二道菜，又聽那人喊道：「擺器……」各桌的僕役便把另一個食盒打開，拿出裡面的碗、筷、杯、匙，依序將之擺妥。緊接著又聽那人喊：「倒酒……」只見僕役們從食盒的底層抱起一缸狀元紅，這陶缸粗如腰腹，空缸加酒，少說也有四十來斤重。見他們拆去封條，把酒一一倒在杯上，竟無一滴溢漏，不知為此習練了多久？

眾人皆感納悶，這狀元紅雖然珍貴，但通常是在子弟出外赴試送行之時飲用，從未聞有人用在壽宴之上。百花莊為了這次的壽宴準備得如此充分，許多小細節都考慮周詳，怎會犯上如此錯誤？

一切就序，僕役們不再逗留，挑著空食盒，一個接著一個井然有序走回後堂。只聽一個沉雄渾厚的聲音道：「請大家盡情享用，不必客氣。」發話之人正是壽星翁洪承泰，他站在戲臺上，白髮白鬚白眉，確實像個壽翁。簡短開場之後，比個手勢，戲班裡二胡咿咿呀呀響起，一個旦角從後臺走了出來，張口唱道：「亂荒荒不豐稔的年歲，遠迢迢不回來的夫婿，急煎煎不耐煩的二親，軟怯怯不濟事的孤身己……」

這次來的多是江湖人物，沒幾個人看得懂這齣《琵琶記》。待洪承泰走回首席，夾了第一道菜，馬上就有人跟著動筷，或急著說話，園子裡又鬧哄起來，坐在遠處的人，再也聽不見唱戲的聲音。

這一桌黃尚金首先拿起酒杯道：「在下與各位雖初次見面，但一見投緣，先敬以一杯水酒。」說完便一口喝乾，眾人客套幾句，也多一口乾盡。唯獨古劍，他酒量極差，若一開始就將這烈酒如此喝法，恐怕今天走不出這園子，只隨意喝了兩分；至於程漱玉，從不碰酒，根本沒理會別人，逕自夾菜吃肉。

黃尚金抱起酒缸替人添酒，並道：「大家是否覺得奇怪，怎麼這時候會用狀元紅來當壽酒？」

焦豹馬上道：「是啊！要不是剛剛有洪家的奴才站在一旁，我早問啦！你若知道的話，可別再賣關子，俺心裡打了結，什麼山珍海味也吃得不痛快！」

「說起這檔事，你們外地人多半不知。」黃尚金左顧右盼一下，壓低著嗓門道：「其實洪莊主今年才六十有五，今天請這七十大壽，足足早了五年。」接著以手掩口低聲道：「聽說名義上是請大家喝壽酒，其實是要為他那寶貝孫子洪子安洗霉去衰。」他邊說話邊倒酒，但顯然平日養尊處優慣了，抱起這四十來斤的酒缸已是雙手微顫，加上缸口很寬酒杯卻淺窄，濺出來的水酒比入杯子裡的還多。

「這缸酒不是你這種沒練過武的人能倒，還是專心說話吧！」焦豹實在看不下去，把酒缸接過來並道：「我看洪少爺氣色好得很，身為百花莊的少爺要什麼有什麼，哪會有什麼惡運纏身？」別看他粗裡粗氣，這一缸的水酒他只用一隻手拎住，便輕描淡寫的把桌上空杯全倒滿。

黃尚金有些尷尬，乾笑兩聲，隨即恢復正常。正色道：「你們可曾聽過『天殘神算』？」

「哈！他是川東奇人，咱們三兄弟怎可能不曉得？」鐘豪道：「所謂『天殘』，是說他一出生就缺手、缺腳、眼瞎、口啞四不全。這人若去當殘幫幫主，大家一定服服貼貼，絕無異議，但他日進千斗，可不必去殘幫受罪。」

程漱玉本來專心吃菜，聽到這裡卻忍不住笑道：「笑話！一個人落得如此地步，要靠什麼掙錢？」

鐘豪道：「靠的就是算命，他幫人卜卦推運神準無比。」

程漱玉更加好奇，又問道：「你牛吹得太離譜！又瞎又啞，怎麼算命？」

鐘豪並不生氣，給周海光一個眼神，換他說道：「這點倒沒人想得透，他的的確確看不見、聽不到，而且不識一字。然而妙就妙在這兒，只要你一開口，他就能知道你說什麼。不然怎麼敢叫『神算』？」

程漱玉還是不信，道：「就算是吧！那他啞了，又不識字，要怎麼告訴你結果？」

李萬山道：「去算命的人得先想好問題，因為他只能回答你『是』或『不是』，是的話便點頭，不是的話便搖頭；而且規矩很怪，一個人最多只能提四道問題。第一題收一兩銀子，第二題收十兩，第三題一百兩，第四題若你還要問，便得拿出一千兩來。」程漱玉吐了一下舌頭，倒真想瞧瞧這「天殘神算」是什麼三頭六臂？

黃尚金接下話道：「三位果然見識廣博，說得絲毫不差。話說上個月洪莊主帶著洪子安到忠縣給『天殘神算』卜卜運，第一題就問說：『這次的試劍大會，子安能否搶進奪劍賽？』……」

焦豹忍不住插口道：「上次才二十三名，這次就想連跳兩級，擠進前五到八名。洪莊主這種問法，未免也太有自信！」

黃尚金道：「那倒未必，百花莊第一次參加試劍大會時只有八十六名，但他們就是有本事愈來愈強，到第四次時，已經進步到第二十三名。照這麼推算，第五次試劍大會拿到前八劍的殊榮，也不是不可能的事，畢竟百花莊的『三房搶一席』，可是江湖上公認最有效的挑選劍缽方式。」

「什麼是『三房搶一席』？」程漱玉環顧四座，似乎只有她還不懂。

川東三俠相顧而笑，好像在說：原來世上的土包子還真不少！

鐘豪笑道：「所謂『三房搶一席』，是讓每一代的繼承人都娶三房媳婦，讓她們各自生下一個兒子，從小就傳予『百花劍法』。待長大後，三個同父異母的兄弟相互比劍，贏者奪劍缽。」

周海光接著道：「雖說都是親兄弟，但同父異母的兄弟卻比一般的兄弟有著更強的爭勝心，而且無論你是大房、二房還是三房，只要搶不到劍缽，不但日後分不到半分財產，還得打入冷宮，搬到西廬住。你們看！就是半山腰上的那幾間。」他手指著後山的一排小平房，看來極為平常，與這莊園內瑤宮瓊闕似的屋宇實有天壤之別，不知情的人還以為那是僕役所居。

李萬山道：「有了這種競爭辦法，無論是為了生母的榮寵或是自己的未來，這三房的年輕人無不全力以赴，不敢稍有懈怠。因此百花莊雖說是川西首富，他們的少爺可沒有一點膏粱子弟的氣息，劍法自然一代練得比一代精。」說到這裡，冷不防聽見一聲冷哼，卻是從一直沉默的隱婆口中所發出來。

李萬山不悅道：「怎麼？我說得不對嗎？」

隱婆橫掃了他一眼，仍是冷冷道：「我可沒說什麼。」

這樣的確無禮。但川東三俠耳目雖靈，名號雖響，武功卻是稀鬆平常。見她兒子和孫子都精光內斂，看來武藝不俗，雖然心中有氣，倒也不便發作，與隱婆三人互瞪幾眼，正不知該如何收場，卻聞黃尚金道：「三位說得一點也沒錯，這洪子安搶到劍缽，劍法的確又比他父親當年高明，但他也瞭解排名愈是前面，愈難再超前的道理；因此洪莊主雖然稍有失望，卻也不意外，又問道：『那黿紋劍應該沒問題吧？』沒想到神算也搖頭。洪莊主心中一沉，又問：『難道只能保住鼉紋劍？』可是天殘神算還是搖頭！這下子他可慌了，急著問道：『這可怎麼辦才好？』」

焦豹笑道：「他這樣問，叫神算怎麼答？」

黃尚金道：「是啊！這一千兩銀子算是白花了。」焦豹驚道：「什麼？回答不出來也要收錢？」

黃尚金雙手一攤道：「這規矩早就定好了，是你自己問法不對，可怪不了人。」

焦豹笑道：「真可惜！倒不如把這一千兩銀子拿來送我，我老焦替他賣命一輩子。」

眾人哈哈大笑。這兩人一搭一唱，把尷尬的氣氛化解不少。

黃尚金道：「對洪莊主而言，此行絕對值得，至少他知道這個孫兒有惡運，若不化解，將在試劍大會中輸得一敗塗地；是以一回成都，馬上把方圓百里內有點道行的和尚、道士和命理師全部找來，請他們找出破解之道。這些人各有不同的主意，有的說要做幾場大法事，有的說是洪家的風水要改，有的說要換個名字，有的說要點痣，什麼鬼怪主意都有，他寧可信其有，一一照做；其中最玄奇的，首推城南無相寺的圓法和尚，他說要解此一劫，唯有『以壽換運』。」

焦豹道：「什麼是以壽換運？怎麼個換法？」

黃尚金道：「依他推算，洪莊主應該可以活到八十八歲。他一生順遂，富貴至極，如果還得享高壽，難免遭天忌；於是老天爺打算讓他在晚年受點挫辱，這個挫辱，大概就是這次的試劍大會，若要避開，只有拿年壽來換。」

焦豹道：「所以那和尚就教他提早做壽？」

黃尚金道：「焦兄聰明，提早五年做壽，就折壽五年。圓法和尚還要他盡可能辦得鋪張一些，祝壽的人愈多，老天爺就愈賴不掉。」

焦豹被讚了一句，臉上更加得意，道：「了不起！對洪莊主來說，千兩銀子還算不了什麼！但要他自願折壽五年，可真不容易！可見他十分疼愛這個孫子。」眾人點頭稱是，唯獨隱婆一家三人一臉漠然，他們吃得不多，話更少，似乎別人興高采烈的說了一堆，跟他們一點關係也沒有。

這時候前排突然響起一陣掌聲，原來是壽星翁洪承泰要說話。他立起身子，兩頰酡紅，微帶醉意道：「今天大家不遠千里而來為老夫祝壽，如此盛情，洪某銘感五內，現以這杯薄酒，再向諸位致意。」說著舉杯一飲而盡，眾人也都起身乾杯，俱道：「祝洪老爺子壽比南山，長命百歲！」

洪承泰哈哈一笑，擺手請賓客們坐下，說道：「謝謝大家！老朽活到這把年紀，今天可是第一次聽這麼多吉祥話，真是開心極了！不過做人最要緊的還是要能承先啟後，光宗耀祖。如果能看到後代強過自己，那才真讓人歡喜！這可比跟閻王作對，賴著不死好多啦！」他這番話，不知情的人或許會覺得突兀，哪有壽星提什麼閻王死不死的字眼？然這卻是圓法和尚再三交代，非說不可的話，這些話在千百人面前說出來，神明很難拒卻。

眾人紛說：「洪老爺子了不起，把家族榮辱看得比性命還重。」「看試劍大會就知道啦，百花莊當然是一代比一代強。」「我看洪少爺劍宇軒眉，矯矯不群，成就一定不輸前人。」……這些人投其所好，忙著改誇洪子安英雄少年，說得洪承泰不住點頭，十分歡喜。

就在此時，忽聞一冷冷的聲音道：「我看未必！」

這話聲不響，但在這一片頌揚聲中卻顯得十分突兀，大家都停口無言，往發話少年身上瞧去。這少年竟是隱娘的孫兒，不知什麼時候丟下飯菜，擠到前排，仔細一瞧，倒和洪子安長得有幾分神似。

沒有人料得到會有人敢在這個時候亂來，眾賓客愣了一會才有人斥道：「你是什麼東西？怎麼說話不知輕重？」

那少年不理會旁人，取下腰間長劍，對著洪承泰拱手道：「洪莊主，請准予在下和洪子安切磋一番。」

洪承泰看著他，神情有些疑惑，問道：「你是誰的孩子？是誰要你來的？」

那少年道：「這些待在下比完劍之後，自會向您說明。在下認為洪子安難以勝任百花莊的劍缽，想先試一試他的『百花劍法』！」

坐在洪承泰身旁的洪子安本來一直面露微笑，聽到這裡，哪裡按捺得住？霍然起身向洪承泰道：「爺爺！請准試招，孫兒一定不會令您失望，就把這場勝利，當作給您的一份壽禮！」

洪承泰起身張望一圈，沒看見什麼，又瞧了兩人一眼，思索一會，嘆口氣道：「好吧！但出手要分輕重，可別傷了彼此。」

這麼一來，一些好事的賓客盡皆叫好，幫著洪少爺搖旗吶喊，都說：「洪少爺必勝，十招之內，把這無禮的傢伙打得落荒而逃。」嘴巴這麼說，心裡卻盼那狂妄少年能多挨幾招。這些江湖草莽，就愛看真槍真刀的比武競技，原來那些文縐縐的川戲，看得懂的沒幾人。

戲班子很快被請走，家奴把公子的寶劍帶來。二人步上戲臺，對視一會，不約而同拔劍往對方的右肩削去。雙劍一交，彼此錯開身子，各自迴旋，劍尖由下往上撩去，兩把劍又架在一塊，在空中各劃了一個圈圈才分開。

從第一招的「芙蓉出水」開始，接下來的「牽牛纏絲」、「薔薇盛綻」、「水仙搖曳」、「玫瑰吐刺」、「春桃漫舞」、「茉莉飄香」……二人轉瞬間對了十來招，無論招式、順序、方位、身法，完全相同。和洪子安對招的，好像不是一個人，而是一個立體的鏡子。眾人盡皆譁然，紛紛竊竊私語：「這少年是誰？怎麼也會『百花劍法』？」有人偷瞄洪承泰一眼，看他雙眼眨也不眨盯著臺上看，臉上陰晴不定，倒不見特別驚訝！

原來這少年叫洪子揚，也是洪承泰的孫子。二十年前他父親洪維周在爭奪劍缽時敗給了二房米金花所生的兒子洪維漢，照例得遷居西廬，永不再過問莊內事；但隱婆婆母子不甘就此認輸，帶著兒、媳和襁褓中的孫子離開百花莊，打算二十年後再回來挑戰劍缽。

隱婆婆也真有骨氣，臨走時不拿半分錢，一家四口在城東討生隱居，由她和媳婦在外做苦工張羅三餐，兒子則每天教導督促洪子揚練劍。他們請舊僕偷偷打聽，洪維漢的三房兒子洪子安、洪子祥和洪子明練劍的情形，並要求洪子揚更加勤勉。人家一天練了五個時辰，他就得練六個時辰；人家一招練八百遍，那他必須練足一千遍，才准休息。

這番苦心總算沒白費，剛開始還看不出來，但過了三、四十招後漸漸分出了高下。稍懂武功的人都瞧得出來，洪子揚的出招變招，總比他的堂弟快了一些，勁道也強了一點。

這「百花劍法」變化繁複，使起來龍飛鳳舞，又似百花爭豔，極為好看。兩人對劍，更像是一對彩蝶在花間飛舞，即使不懂劍術的人，也都看得目瞪口呆。古劍也認真瞧，心想：「這門劍法看似花俏，其實破綻不少；然任何平凡的劍法若能練得精熟，也有不小的威力。這二人顯然在這套劍法上下了極深的功夫，不容小覷。」

過了五、六十招，洪子安也覺得不妙，這樣下去，非輸不可！他開始頻頻變招，不按原先劍法的順序；然而洪子揚對「百花劍法」太過熟悉，只要看對方一個起手便知他要變換什麼招式，總能後發先至，逼得洪子安劍法漸亂。

百招未到，洪子安長劍終於被絞脫手，對方劍尖順勢往胸口刺來！他萬念俱灰，竟忘了閃開！

眾人驚呼聲中，一碟飛盤從臺下擲出，去勢勁急，盪開長劍。擲盤之人隨即躍上戲臺，指著洪子揚道：「你是什麼人？哪裡學來的『百花劍法』？」

「是我教的。」洪維周不知什麼時候也混到臺前，他跳上戲臺，與洪維漢對峙。

「果然是你。」洪維漢冷笑道：「手下敗將，沒想到你還有臉回來！」

洪維周道：「當年我輸，也認了！不過如今我的兒子贏了你的兒子，不曉得你服不服氣，認不認帳？」

「認什麼鬼帳？」說話的人是洪老夫人米金花，在臺下怒指著洪維周父子罵道：「虧你還曾經是洪家的子孫，難道還不瞭解洪家的家規？當年你們那一房輸了劍缽，就該移居西廬，永不得再參與比劍。」

隱婆婆也出現在臺前，對著洪老夫人道：「米金花，是妳沒弄明白，移居西廬才叫認輸。當年我們四人搬出百花莊，吃盡了苦頭，就是不想就此認了！如今我們苦盡甘來，願意回來為洪家的榮辱打拚，妳應該歡迎才是。」她和米金花相差不到幾歲，然一個養尊處優，一個飽經風霜，看來倒蒼老許多。

米金花道：「豈有此理！當年妳離開百花莊就不再是洪家的人，那有再回來的道理？」她說完話，一直瞪視著身旁的洪承泰，似乎在氣他到現在還默不吭聲，任由一個棄婦鬧場！洪承泰卻偏過頭去，假裝沒注意。

隱婆婆問洪承泰道：「請問老爺！當年有沒有給我寫休書？」

洪承泰搖頭道：「沒有。」

隱婆婆道：「既然沒寫，我們當然算是洪家的人。百花莊的劍缽，向來由比劍贏的人繼承，妳的孫子輸了，就該讓了出來。霸著不放，日後害得整個家族聲名掃地，豈不更糟！」

米金花氣得都不知該說什麼，卻見洪承泰滿臉堆著笑走過去，拉著隱婆婆的手道：「阿引！你們回來就好；但今天來了那麼多客人，有事等明天再說吧！」原來她本名叫黎引，隱婆婆只是掩人耳目的假稱號。

黎引卻甩開他的手道：「誰要你示好？這二十年來，你一直對咱們祖孫三人不聞不問，哪裡曉得我們吃了多少苦？劍缽之事，愈多親朋好友作證愈好。要就趁現在解決，過了今天，什麼也甭提！」她語氣十分堅決，完全不給洪承泰面子，壽翁修養倒好，訕訕而笑，看不出絲毫怒意。

倒是米金花嚷道：「妳這個又醜又老的老太婆，也不回去照照鏡子，看看自己變成什麼德性，竟敢在這個時候前來胡鬧？來人哪！把這三個人趕……」

「閉嘴！」洪承泰打斷她的話，轉身對著黎引陪笑道：「是我對不住你們！請你們搬回來吧！至於子揚，既然贏了，當然是百花莊這一代的劍缽。」

此話一出，米金花祖孫三人臉色大變，米金花急道：「這不公平！要重新比過。」

洪維漢也道：「爹！事前我們可不知這場比試與爭劍缽有關，您這麼做，孩兒很難心服。」

洪承泰搖頭道：「維漢，難道連你也看不出來？就算再比十場，結果還是一樣啊！」

洪維漢低頭無語，顯然父親心意已決，再爭也是徒勞。

卻見黎引揚眉對著洪承泰道：「別急！我可沒說一定要回來，除非你答應一個條件。」

米金花罵道：「黎引！妳可別得寸進尺……」只說了一句，看洪承泰的臉色不善，又不敢再多言，心下萬分委屈，眼淚已在目眶中打轉。

洪承泰轉頭對黎引道：「什麼條件？」

黎引一個字一個字緩緩說道：「按洪家的規矩，我要二房的人都搬到西園住。」

洪承泰面有難色，囁嚅道：「這……這不太好吧！你們的情況和以前不同……」

「有什麼不同？輸的那一房就得搬到西園，當年你們不就是這樣對我嗎？」她依然咄咄逼人，續道：「捨不得就算啦！就當我今天沒來過，你可別忘了『天殘神算』怎麼講的，如果你硬要逆天行事，因而在『試劍大會』中一敗塗地的話，將來百年之後，怎麼面對你洪家列祖列宗！」

這番話說得洪承泰冷汗直流，思道：「難怪神算斷言子安不會贏，原來該代表洪家出賽的不是他。」轉身向米金花道：「金花，我會在西園替你們蓋一棟大房子。」

米金花怔怔瞧著這個和他廝守四十幾年的夫君，眼淚像斷線珍珠般的落下，過了半晌才道：「我們走！」帶著兒、孫、媳婦等人離去。

洪承泰招呼黎引等三人入坐，尷尬的笑道：「打擾大家吃飯的雅興，真是不好意思！現在沒事了，請繼續用且善。」眾人紛說：「哪裡！哪裡！沒關係……」有的人恭賀壽星翁一家圓圓，喜上加喜；有的則說百花莊新劍棒的武藝更加強熟，這次可真要在「試劍大會」中大大的露臉，說得洪承泰忘記剛剛的不挾，笑得合不攏嘴。

第九章
盲女

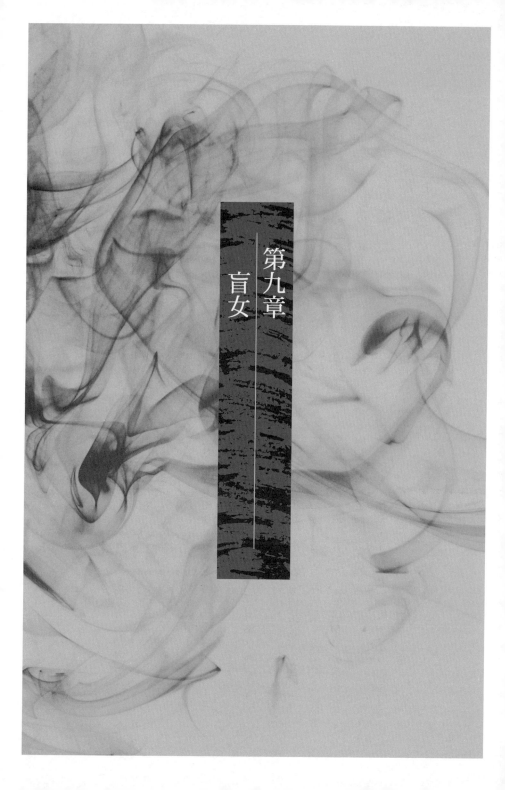

古、程二人飯菜飽足，彼此互使眼色，打算趁這個時候先行離去，比較沒人注意。程漱玉對同桌人問道：「不好意思！有沒有人知道，最近的茅房在哪兒？」

黃尚金立即起身道：「跟我來，一起去吧！」

說方便只是要落跑的藉口，程漱玉哪肯讓人跟，直說：「不用……不用，您繼續吃，指個地方，咱們自己去就行。」

黃尚金卻道：「不打緊！反正我也想上。」說著雙手分別搭在兩人肩上，往側門方向行去。二人暗叫不妙，想要掙脫，卻忽然覺得全身酸軟無力，任由他架著走。

就在這個時候，卻見一個家丁神情慌慌張張跑進門，對著主桌嚷道：「不好了……老爺！不好了……」

在這種日子聽到這等觸人霉頭的話，洪承泰滿臉不悅道：「你說什麼鬼話？我不是叫你去追二夫人嗎？到底發生什麼事？」

家丁指著門外道：「那個怪大夫……，糊……『糊塗神醫』，正往這裡走來！」

這話一傳出來，所有的江湖人物無不聞之色變，整個花園突然喧譁起來，紛說：「快走！快走！可別被他逮著……」霎時園中亂成一團，大家飯也不吃，酒也不拿，爭相奪門而出，會輕功的甚至翻牆而去，就怕跑得慢，變成最後一個倒楣鬼！

黃尚金二話不說，把鐵鍊拉出一截，繞在自己身上，拖著二人便往側門奔去。前頭本來還黑壓壓的一片，只見他雙掌指東打西，擋在前面的人紛紛被他推倒，出手狠重，只聞哀痛之聲不絕於耳，不多時大家紛紛避開，讓出一條路。

黃尚金殺出側門，抓著二人背脊，腳步不停又奔行三、四里遠，逕往偏僻處走，最後進入一個幽密的叢林中，這裡還停著一輛馬車。

他放開二人，程漱玉馬上放聲大笑，黃尚金問：「您笑什麼？」

程漱玉道：「我笑四大統領中排名第一的蕭乘龍，只敢用下三濫的軟筋散抓人，卻不敢真槍真刀和人打一場？顯然京城傳言不虛：說你升官發財，全靠逢迎拍馬，論真本事，還不如其餘三人。」

黃尚金只是假名，這個看起來和和氣氣的商人，原來是錦衣衛四大統領之一的蕭乘龍。他攻心計、善易容、精用藥，武功雖略遜另外三大統領，辦事抓人的本領卻有其獨到之手段，一旦被他盯住，很難跑得掉。

他的易容術算是武林一絕，僅次於糊塗神醫侯藏象，無論男女老少、士農工商，可以說扮什麼像什麼；也因為他經常喬裝假扮，功夫又維妙維肖，真正的長相如何，倒沒幾個人瞧過。

此人長於布線，放棄山中的追捕，卻在平地布下天羅地網。呼延灼便是他的手下，在得知其死訊後，研判出手之人可能就是古劍，於是很快在方圓百里之內廣布眼線。古、程二人哪裡曉得？他們還沒踏進成都城就已被人盯上。

既然古劍與王遂野等人交手都沒吃到虧，精明的蕭乘龍自然不想硬捉。於是先後假扮殘丐陳六、書生白清雲，企圖接近二人；但程漱玉曉得他易容術的厲害，也十分機警，一見陌生人親近便離開，才沒讓他有可乘之機。

第三次他扮作商賈黃尚金，看起來就像個充滿銅臭味的市儈商人，又說了許多在地人都未必曉得的當地事，終讓程漱玉失去戒心，不知不覺中服下了軟筋散。

蕭乘龍聽完程漱玉激將之辭一點也不生氣，依然笑容可掬的說：「這麼說也有幾分道理；在下的武藝確實不如王、劉、金三位大人，又聽說這位古少俠劍法精奇，不在他們之下，只好出此下策；然成大事者不拘小節，還請二位原諒則個。」

古劍大謬不解，思道：「這是什麼鷹爪頭子，怎麼會對我們兩個階下囚如此客氣？到底有何陰謀？」

程漱玉道：「恭喜你這次立下大功，加官進爵不說，另外三大統領，可真要對你心服口服，認你當老大啦。」

蕭乘龍笑道：「這可要感謝二位成全！」這話聽來刺耳，但他的語氣，又似乎充滿誠意，完全不像譏諷人。

程漱玉道：「人們都說你卑鄙無恥，下流齷齪，笑裡藏刀，口蜜腹劍，看來似乎不假。」

蕭乘龍也不生氣，依然笑道：「這可是天大誤會，說來在下也是秀才出身，飽讀聖賢文章，怎敢做出有違天理仁德之事？就拿此事來說，在下也是經過一番天人交戰，實因君命難違，忠義不能兩全，才決定護送二位上京。待二位平安入京之後，在下必定竭盡全力，助二位平反求情。」

他說得十分誠懇，然程漱玉一臉不信，又道：「我們殺了你的愛將呼延灼，你也不生氣嗎？」

蕭乘龍嘆道：「說到呼延兄弟，我早勸他脾氣要改一改，奈何他聽不進去。如今落得如此下場，也是他的命，怨不了別人！」說到後來，語調悲戚，眼眶溼潤，似乎頗為感傷。

程漱玉搖頭嘆道：「你果然罵不還口，笑不回嘴，正如傳言所述，臉皮天下第一。看來我再說什麼也沒用，不認栽也不成！」

蕭乘龍笑道：「只要你們合作，在下保證護送二位平安進京。」

古劍默默瞧著二人對話，愈看愈是迷糊。命懸在別人手裡的程漱玉拼命挖苦挑釁，蕭乘龍卻始終和顏悅色，滿口仁義道德，無惡不作的錦衣衛在他口裡，倒成了除暴安良的仁義之師。

二人扯了好一陣子，蕭乘龍的下屬陸續趕來，共有十九名親衛，按照職級自動排成一列。他對每個人噓寒問暖，接著下屬們一一回報。有的報告地方官府的行止，有的報告丐幫的動靜，而殘幫、峨嵋、青城等川西大幫的動靜也各有人回報；另有一票人，專責追蹤劉、王、金等三方人馬……。這十九個部屬，等於十九個探子，幫他調查大小消息。

一一報訊完畢，只見蕭乘龍兩手交疊胸前，目光由左至右緩緩掃過，又由右至左橫掃回來，神態仍是十分和悅；然而這十九個人卻無不凜然直立，畢恭畢敬，不敢有絲毫鬆散，甚至有人兩腳微顫，看似十分緊張。

忽然他將目光定在某個校尉臉上，那名校尉雙腳不禁抖得更凶，過不多時，連全身都搖晃起來，冷汗全冒！突然雙膝一軟，整個人跪了下來，抖著嗓子道：「大……大人饒命！……小的跟著金……金大人，怕……跟得太近會被他發現，只好……離遠一點。盯了……兩天兩夜……，沒想到一個……一個疏神，就此不見人影……小的……知錯，還請大人……請大人從輕發落！」

蕭秉龍耐心聽完，未現怒色，依然和煦的說：「你說金大人正在箇陽鎮？那我昨天在城東看到的人是誰？」

那校尉顫聲：「是小的不對！小的想他……受了傷，大概跑不遠，應該還在……還在鎮上，小的不對……小的跟丟了人，怕您責罰，……自作主張……編了個謊……小的罪該萬死……」說到後來，眼淚鼻涕直流，拼命磕著頭。

蕭秉龍把他扶起，緊緊抱住他，落淚道：「曹四哥！想當年我在太行山被毒蛇咬傷，要不是你背著我狂奔二十里山路，下山尋醫找藥，蕭某還有今天嗎？」他說得十分真摯，令人動容。

曹四哥似乎有救，抱著蕭秉龍道：「謝謝大人還記得當年的小事，小的日後必定拚死拚活，為您效命！」

哪知蕭秉龍突然一把推開他道：「我會厚葬你的。」說畢向後退了兩步，不再瞧他一眼。

曹四哥宛如又墜入地獄，臉色死灰，突然拔出腰刀，往脖子一抹，就此了帳！

蕭秉龍轉頭對著眾兵衛拱手道：「各位弟兄還是回去做原來的事！沒收到我的手諭，

請不要擅自回京。」剩下十八名錦衣衛齊聲答「是」，迅速離去。

接著蕭乘龍從馬車上拎起兩只木箱，先打開其中一只，裡面都是一些瓶瓶罐罐，盡是一些藥粉、黏膠、毛髮之類的玩意。程漱玉只瞄一眼，已看出來這全是易容用的材料；只是這些行頭，比起她所用的講究十倍。思道：「這可是在關公面前耍大刀啦，難怪我化了半天妝，仍被他一眼看穿。」

蕭乘龍道一聲：「得罪！」開始給程漱玉易容。首先幫她把舊妝清除，接著在她臉上塗塗抹抹。她穴道雖然沒有被制，但四肢無力，只好任人擺布。

古劍隔一陣子便轉頭過去瞄她一眼，第一次她臉上紅一塊紫一塊，模樣十分滑稽，但程漱玉兩眼也正盯著他瞧，兩人四目相對，程漱玉慍道：「看什麼！」古劍趕忙偏過頭去，想笑又不敢笑。第二次轉頭時，她臉型從瓜子臉變成了圓臉；第三次轉頭，她已成了滿臉皺皮的老婦人。蕭乘龍手腳巧熟俐落，她從壯漢變回少女，又變成了老婦，還用不到一盞茶的工夫。

接著輪到古劍，程漱玉倒毫不避忌的全程旁觀，開始沒多久，已瞧出來古劍將要被妝扮成大姑娘，忍不住噗哧一笑。她這麼一笑，一發不可收拾，笑得跌胸頓足，全身癱軟。古劍心想：「莫非我化的妝會比妳還醜？」看著眼前一個又醜又怪的老婦，張開血盆大口，笑得東倒西歪的怪樣，終於也笑了出來。程漱玉更樂，抱著肚子道：「哈哈……原來……哈哈……你也會笑……」二人似乎都看破生死，索性苦中作樂，渾忘了現在的處境。

約莫一炷香的工夫，古劍已成了一個嬌滴滴的姑娘，雖非什麼絕世美女，倒也細皮嫩肉。蕭乘龍取出銅鏡，讓二人欣賞自己的「尊容」。

程漱玉惱道：「怎麼把我弄得那麼醜？」

蕭乘龍笑道：「您天生麗質，若仍妝成少女，仍是美豔無儔，難免引人注目，只好請您委屈一點，等回到京師，再還您本來麗容。」

程漱玉知他嘴軟心硬，多說無益。再多看兩眼，自己血盆大口，鼻塌皮皺的醜樣，又不禁好笑。笑道：「你可是要把我們扮成小姐和老媽子，坐在那輛馬車上出遠門？」

蕭乘龍笑道：「程姑娘果然聰明絕頂，一般官哨，一見是女人便不會詳查，可省去許多麻煩。」

程漱玉道：「堂堂錦衣衛大統領怎會怕那些小官微吏？我看你是要防備王遂野他們吧！你叫那班爪牙繼續偵察，好讓他們以為我們還在這左近，再易容出城，便可神不知鬼不覺的把我們送回京城。」

蕭乘龍笑道：「在下這麼做也是為兩位著想，二位由我護送，保證沿途舒舒服服，若是不幸被他們劫走，可就難說！」

程漱玉心道：「這話倒不是虛言，其他三人都吃過古劍的苦頭，若再落入他們手裡，免不了有一陣折騰。」

蕭乘龍打開另一口箱子，取出一套老嫗衣服，讓程漱玉進馬車裡更衣，她遲疑了一會，蕭乘龍道：「程姑娘若無力更衣，在下可以幫忙。」程漱玉心中暗罵：「下流！」但畢竟對他有所忌憚，只好抱著衣服任由他扶上馬車。蕭乘龍再拿出一套少女華服讓古劍在地上換，自己拎著兩只木箱到另一個角落。

二人手足酸軟，更衣十分緩慢，待換好時，蕭乘龍已經變成一個馬夫。他不但妝扮行頭全換，連臉型也變成另一個人，哈著身子走來道：「小姐！天候不早，咱們上路吧！」說著把古劍提起，也丟上馬車，程漱玉嚇了一跳，他連嗓音腔調都換了一個人！

蕭乘龍一躍上馬，尚未揮鞭，卻見前方忽然冒出一男一女中年殘丐，不禁臉色微變！古劍跟著程漱玉一起探頭瞧看，只見兩名殘丐，男的腰背傴僂，臉斜嘴歪，手持一把鬼頭刀；女的持劍，似乎受過黥面之刑，臉上留下一些黑色的印記和刺痕。

這兩人古劍以前在丐幫見過，一聾一瞎，人稱「聾瞎雙丐」，現在應是殘幫幫主及長老，正是阿猴等人所稱的「師父」郭世域和「師娘」韓翠。

蕭乘龍嘻著臉道：「在下和小姐為了躲避強人而走入林道，不慎迷失行路。兩位來得正好！能否指點迷津？」

卻見韓翠冷笑道：「別費心思編故事啦！我們知道你是四大統領之首蕭乘龍。」

蕭乘龍微一變色，隨即恢復鎮定道：「在下聽不懂您說什麼？你們瞧我這副德性，怎麼可能是什麼『統領』呢？」

韓翠道：「聽說你的易容術極為高明，我這瞎子更是瞧不出來。要不是從百花莊一路盯到這裡，可真會被你瞞住。」

蕭乘龍哈哈大笑道：「螳螂捕蟬，黃雀在後，是我低估了兩位。」

韓翠比個手勢，郭世域從樹幹後方拖出四名錦衣衛，個個身子癱軟，顯然被點了重穴。韓翠道：「我們夫妻聯手，你是打不過的，但我不想殺人，和你做個買賣，用你四個得力部屬，交換那兩個冒牌殘丐。以二換四，閣下可是占了大便宜。」

蕭乘龍笑道：「既然是冒牌，兩位又何必要救？可知他們是朝廷要犯？」

卻聽韓翠道：「這兩個小鬼，明明好手好腳，卻偏要冒充殘丐四處惹是生非，給本幫帶來大麻煩。不帶回去問個明白，懲治一番，人們會說我殘幫無道無威，任人作弄。」

程漱玉坐在黑漆漆的車廂裡，靜靜聆聽，本以為聾瞎雙丐是念在他們曾搭救幾個殘幫弟子而前來幫忙，哪知她開口全無好話，雖說救人，也不安什麼好心。

蕭乘龍笑道：「什麼麻煩？他們殺了我手下第一猛將呼延灼，我也沒怪人家。」

韓翠道：「呼延灼死有餘辜。但他們既然冒充殘幫的人，就不該去客棧吃飯，不該找李奇鋒比劍，更不該濫殺……」

她話語未盡，蕭乘龍猝然發難，擲出兩把無柄彎刀，分別拋向雙丐胸口。聾瞎二丐老於經驗，低頭避過。程漱玉光聽聲音，便知是「來去刀」。她掀開布幕一看，果然彎刀急旋，竟在半空中轉頭，往雙丐後背飛來。這「來去刀」正如王遂野的離合槍、劉易風的聚散鞭及金克成的陰陽爪，是蕭乘龍的壓箱絕活，初次交手而摸不透當中玄機之人，很容易著了道。古劍也跟著湊過去觀看，暗道不妙，這兩把彎刀都從背後飛來，瞎子能聽風辨位，倒也不懼；但聾子的背後不長眼睛，可就十分危險！

卻見二丐相對而立，一個揮刀一個出劍，都往飛向對方身上的彎刀劃去，噹噹兩聲，已將彎刀打落。蕭乘龍似乎心裡有數，一見雙丐出手護住彼此，便知奇襲無效，隨即揚鞭策馬，向林外奔馳而去，口中喊道：「『聾刀瞎劍』果然配合得天衣無縫，在下不是對手。」他竟不顧屬下死活，逕自逃離。

催馬奔行了數百丈，古、程二人往後看去，只見雙丐人影愈來愈小，終至不見。程漱玉忖道：「這兩個殘丐忒也托大！這樣就想留住狡猾的蕭乘龍。」接著馬車來到一段狹隘崎嶇的路面，自然慢了，這時忽然一道灰影出現，朝著古劍身上撲來，他嚇了一跳，但見這人身法不俗，認為縱使此刻自己整個頭都露在車外，此人也必會閃避。

哪知那人似乎視而不見，依然朝著古劍直撲而來，他身子虛軟，待發現不妙時已來不及閃躲，「砰」的一聲，整個頭被灰衣人的胸口撞個正著，被壓在下面，差點喘不過氣。灰衣人「啊！」的一聲，還來不及賠不是，蕭乘龍已停下馬車從另一側鑽入，他急忙起身跪坐，拔出長劍。這時布帘又罩了下來，車內不透一絲光線。

噹噹噹噹，一陣快劍強刀，忽又悄然無聲。

過了半晌，只聽「唰」的一聲，車簾被削掉一塊，光線透了進來。卻見蕭乘龍站立在另一端，手持彎刀，身上卻有多處劍傷。他仍笑得出來，道：「沒想到『殘幫』除了韓瞎婆之外，還有人能將盲劍使得如此精妙。」說罷，削斷韁繩，跳上馬背，掉轉馬頭朝他方跑去，兩匹馬被帶走了一匹，剩下的那匹馬不安的嘶鳴一陣，慢慢安靜了下來。

馬車上的三個人都沒再開口，分別靜靜靠坐在三個角落。程漱玉仔細打量著這個幾招之內打退蕭乘龍之人，竟也是一個女瞎丐！穿的衣服和一般殘丐沒什麼兩樣，多處補丁，顏色褪舊，看來還算乾淨。她身形削瘦，容顏卻清麗絕俗，怯生生靠坐在另一角，緊抿著嘴，顏面潮紅，若不看衣妝，倒更像是個羞赧的大家閨秀。

見古劍也傻愣愣盯著人家瞧，程漱玉不禁好笑道：「原來你也不怎麼老實，見這姑娘長得美又瞧不見，便不客氣死盯著人家看！」

古劍嚇了一跳，整張臉漲得通紅，急道：「我……我沒有……」而那女瞎丐一聽，趕忙偏過頭去，但程漱玉還是看出來她連耳根都紅了！思道：「這兩個人倒是挺登對，不妨再組一對聾瞎雙丐，想必更加威震江湖。」想到這裡，心中忽然一陣莫名的煩躁，便不再拿這兩人尋開心。

沒多久聾瞎雙丐趕到，女瞎丐下車對二丐襝衽一禮道：「爹！娘！」原來她是聾瞎雙丐的女兒，古劍不禁為他們感到惋惜，心道：「這一家人父聾母瞎已大不幸，竟又生出一個盲眼的女兒！」

「很好。」韓翠語氣平靜，似乎對女兒打退蕭乘龍之事一點也不感驚訝。對著古、程二人道：「兩位就是木一竹和喬小七，請問真名本姓為何？」

程漱玉驚道：「妳怎知這是假名？」韓翠笑道：「這『木一竹』三個字合起來寫，不就是一個『笨』字，天底下哪有這麼笨的父母，會給兒子取這種名字？妳騙我那幾個不識字的徒兒可以，卻瞞不了我。」

古劍這才恍然大悟，他也曾想過這個名字有些奇怪，然心思不夠機巧，始終沒能參透。看著程漱玉似笑非笑的瞧著自己，有點哭笑不得。

程漱玉笑道：「我有好幾個名字，也不知該報哪一個才對；何況我們是朝廷要犯，您還是別知道太多的好。」

韓翠道：「哼！油嘴滑舌。綺雲，先把他們帶回家。望江樓大會召開在即，很多事不辦不行，我和妳爹先去城裡一趟。」說罷便和郭世域往城裡走去。

郭綺雲對二人細聲道：「委屈兩位。」牽著馬車，順著林道往南行去。約莫走了兩、三里，地勢由上坡轉為下坡，再行五十步，她停住馬車道：「就要到了，兩位能下車嗎？」

見她如此多禮，程漱玉也不想為難人家，和古劍緩緩爬下馬車。郭綺雲拍拍馬腿，將馬車繼續往前方趕去，待馬車走遠，帶著二人朝右方竹林走去，轉過幾次彎後，看到一間房子。

在京師的丐幫，一些長老或八袋弟子或有自己的房子，雖不至於奢華到豪門巨宅的地步，但該有的也都不缺。像衛飛鷹就有一座四合院，古劍心想這郭世域任殘幫幫主，住處應該不差；然而此時舉目一看，這間立在樹林中的茅屋，卻是如此殘破不堪，屋頂塌了一半，牆缺一角，梁歪柱斜，走進屋裡，除了一口破舊的木箱、兩面稻草鋪成的床和三顆充當椅子的大石子外，什麼家具也沒有。郭綺雲拿破布在石上擦拭一遍，道：「兩位暫且坐在這裡，寒舍簡陋，沒什麼好招待，真對不住！」她說這裡是「寒舍」，倒非自謙。

程漱玉道：「妳爹娘不是殘丐頭嗎？徒子徒孫那麼多，每人交出一文錢，你們家就闊綽啦！何必吃這種苦？」

郭綺雲搖頭道：「我爹娘說，大家都是苦命人，每一分錢都討得辛苦，怎能拿來私用？何況我爹今年暫任幫主，更應與幫眾甘苦與共，怎可獨自享福？」程漱玉搖頭道：「沒想到你們殘幫的規矩比丐幫還囉嗦。妳爹娘看我們不順眼，是否怪我們假冒貴幫弟子，又不守幫規？」

郭綺雲說：「詳細的情形我也不太清楚。聽說你們殺了錦衣衛高手呼延灼，又和李奇鋒比劍鬥個旗鼓相當，可真了不起！」

程漱玉笑道：「那不算什麼！妳短短幾招就傷了蕭乘龍，才真是駭人聽聞！」

郭綺雲靦腆笑道：「其實是我取了巧，把他引到馬車裡，在黑暗中占了很大的便宜；若非如此，恐怕我還不是他的對手呢。」

程漱玉道：「妳太謙虛了！如果我沒猜錯，姐姐應該就是殘幫的『劍缽』吧！」

郭綺雲搖頭道：「那可不一定，過幾天『望江樓』大會，薛叔叔和寇叔叔也會派人出來；如果他們之中有人的劍法比較高明，我便不必背負這個擔子。」

程漱玉道：「那兩派人練的是拳腳棍棒，能磨出什麼劍術高手？就算真有人武功強過妳，還是非派妳去太白山比劍不可。」

郭綺雲道：「為什麼？」

程漱玉笑道：「因為妳長得標緻！自二十年前『中原女俠』孟珞之後，江湖中再也難見武功高強的美女。妳一上場，對手神魂顛倒之餘，功夫自然打了三、五折，那還比什麼？自然是丟盔棄甲，俯首認輸囉！」

郭綺雲被她說得雙頰泛紅，她瞎了數年，這段期間終日留在山裡練劍，不見外人，從未有人告訴自己長相如何？女孩子家，即使當了乞丐仍是愛美，也想知道自己變成什麼樣子，卻始終不敢問爹娘。程漱玉是這些年來第一個讚美自己容貌之人，雖也是女子，卻也令她又羞又喜，細聲道：「喬姑娘愛說笑了，我一個瞎子乞丐，哪有什麼美不美的？」

程漱玉道：「我是說真的。真正長得好看之人，穿什麼也遮不住。『阿竹』，你說是吧！」兩個人都被她說得尷尬起來，古劍訥訥不知該說什麼，但覺這個姑娘除了容貌姣好外，更有一種恬靜嫻雅的氣韻，實在不像乞丐；卻見郭綺雲轉過頭去，雙頰微微泛紅，更有一股說不出的動人之處。程漱玉笑著起身向郭綺雲靠近，道：「哎呀！妳的耳朵髒了，我來幫妳擦擦。」

她走到跟前，緩緩拔出匕首，架在郭綺雲頸上道：「對不起！我們不能留在這裡，想請妳帶我們出去。」

郭綺雲心地純良，全無處世經驗，再加上程漱玉先講了一些話，弄得她心潮翻湧不止，完全失去戒心。待冰涼的匕首貼住脖子，才意會到自己上了大當，嘆道：「原來妳剛才所說的話全是哄我，娘一再要我提防別人，我老是忘了！」

程漱玉道：「那也不全是假話，妳確實長得好看，只是我們急著離開這個是非之地，只好得罪。阿竹！你去翻一下木箱，看看有沒有繩索之類的東西。」

古劍起身道：「郭姑娘把我們從錦衣衛手裡救了出來，這樣對她不好吧！……」

程漱玉急道：「我知道，但你沒看到她娘說什麼嗎？她說我們倆人是惹禍精，現在不走，難不成要等著給人折磨嗎？」

古劍道：「不過是問問話罷了，妳跟春曉聊了那麼多，應該知道他們師父、師娘都是明理之人，不會對我們如何，還是快點放了郭姑娘吧！」

程漱玉道：「我可不想試。到時候他們留我們住個一年半載，叫我天天吃冷飯剩菜，那還不如讓廠衛把我給處死算了！而你也別想去什麼太白山比劍。」

這麼說也不無道理，古劍遲疑一會才道：「妳可別傷到人家。」走到木箱旁，掀開箱蓋，裡面只有一些破舊的衣服和針線破布，找不到什麼麻繩。他對著程漱玉搖頭，程漱玉微微皺眉，忽然靈機一動，道：「你對著她繞個三、四圈，不就好了。」古劍照著做，一邊繞圈一邊還說：「委屈妳了，等我們恢復了氣力，一定放妳回來。」鐵鍊在郭綺雲的腰上，連著雙手一起綁了三圈。

就這樣，兩個虛軟無力的人，拖著一個瞎子，在崎嶇不平的山路上走著。三人走得十分緩慢，半個時辰還不到一里路，程漱玉已是氣喘吁吁，突然一個腿軟，往斜坡滾跌下去，古劍想拉住她，無奈全身乏力，自己也被往下拖，正叫不妙時，有人拉住鐵鍊，止住了跌勢。

二人往上一瞧，拉住鐵鍊的人卻是郭綺雲，她的雙手不知何時掙脫的，已在鐵鍊外，這個時候要制住古、程二人，也如彈指般容易。

程漱玉道：「原來妳早解開了，怎麼不來抓我們回去？」

郭綺雲道：「與其你們兩人留下被我爹娘責難，倒不如我一人挨罵！這裡還不夠遠，若想不被我爹娘尋到，還得再走兩、三里路。」說著，鬆開繞在腰身上的鐵鍊，逕自走回家去。

郭綺雲回到土房，先到屋後的小溪提了一桶水，撿了幾片乾柴，便在屋後生起火來，用一只缺了角的茶壺煮半壺開水，再從屋角拿出半碗剩飯，這剩飯用油紙蓋著，卻仍有許多螞蟻，她沖了半碗水，等螞蟻都浮在上面，再將水輕輕灑在地上。她娘說她營養不足，應該多吃點蟲蟻，但她總是狠不下心。

她用這碗冷飯泡開水，攪拌幾下便吃起來，扒了幾口，總覺得身旁怪怪的，停下來仔細聆聽，似乎隱約聽見兩個人微弱的呼吸聲，驚惶之下，差點連碗都拿不緊，問道：「喬姑娘，是妳嗎？」

只聽程漱玉笑道：「我們已經盡量壓低喘息聲，沒想到還是瞞不住妳。」

這兩個人不知坐在這裡多久，郭綺雲不禁又紅起臉來，說道：「你們怎麼又回來？」

程漱玉笑道：「我們也講義氣！總不能害妳被罰跪。」

郭綺雲放下碗筷，在角落拿起兩只破碗，洗淨後各倒了半碗開水，遞給古、程二人道：「最後的一點剩飯已被我吃完，希望待會爹娘能拿些剩飯回來，不然可得餓肚子啦。」

古劍接下水碗，瞧著她微潤的雙頰，忽覺這抹淺笑似曾相識，心底一陣轟然！抓著碗傻愣愣的瞠視前方，思緒回到十年前在丐幫學藝時，有個好心的小姑娘乞丐，曾默默照顧他好一陣子，只是當年那個行乞的小姑娘並未盲眼，每天將自己弄得髮亂臉汙，與眼前這位白淨娟美的大姑娘容貌差異極大，正想開口相詢，卻見程瀨玉說道：「那不打緊！反正我們中午已經在百花宴中吃得飽透，你們有分到一些嗎？那可真是好吃，有些菜煮得不輸皇宮御膳。」

「我們可沒那麼好命！」這聲音從遠處傳來，程瀨玉從牆破處望去，韓翠和郭世域還在十丈之外，但她耳力極佳，老遠就聽見屋裡的交談聲。等走進門才接著說道：「為了把你們營救出來，我們得一路跟著蕭乘龍，只好忍下這口腹之欲。」

古劍回過神起身道：「多謝三位救命之恩，古劍銘感五內。」他想這三人的確救了自己，不該再對他們隱瞞姓名。

程瀨玉瞄了一眼古劍，嘆道：「我叫程瀨玉。看這個樣子，你們冒險相救，似乎不全然是路見不平吧！到底要怎樣？」

「妳果然聰明伶俐，我就一一說個清楚。」韓翠道：「幾位小徒蒙二位搭救，說來應該道謝；而如今我女兒也算救了你們一次，大家互不虧欠。但是你們既然假冒本幫幫眾，就不應該……」

程瀨玉手抓著玄鐵鍊插口道：「要不是綁著這條斬不斷燒不熔的臭鍊子，被錦衣衛追得走投無路，誰會喜歡裝殘丐？」

韓翠道：「既然要假扮殘丐，就得守咱們的規矩，然而你們不但不守幫規，四處招惹是非，還大剌剌的說什麼本幫幫規已改，有損本幫清譽。現在外面的人都以為殘幫的人和丐幫一樣，可以隨意上酒樓、茶館喝酒吃飯，那還像什麼乞丐？」

她愈說愈是嚴厲，但程漱玉還是嘻著臉說：「既然是冒充的，幹嘛守幫規？」她斂起笑臉，又正色道：「妳不覺得當一個殘丐很可憐。這個不成，那個不許；凡事謙遜，凡事忍讓，讓丐幫騎到頭上撒尿，也不敢吭半聲！」

韓翠身為殘幫四老之一，平時哪有人敢對她說這些話。她臉色一沉，往前走兩步，但轉念一想，卻找不出她這番話有什麼不對之處，停下來吁口氣，說道：「所以你們昨夜又回到城東，殺了那十三名乞丐？」

程漱玉驚道：「妳說什麼？我們哪有殺人？那乞丐是誰？和我們有啥相關？」

韓翠道：「妳是真不懂還是假裝的？那幾個關廟街的乞丐，早上才為了搶地盤的事和你們起了衝突，半夜就全部慘死在刀劍之下！妳想丐幫會懷疑誰？」

程漱玉恍然大悟，道：「難怪你們急著找我和古劍，想必丐幫以為我倆是殘幫的人，向你們要人；若是沒法子交代，又得賠他們更多人命。」

韓翠冷哼一聲，道：「廢話少說！你們到底有沒有殺人？」

程漱玉道：「沒有。」

韓翠又問：「那昨夜二更時，你們在何處？有沒有人能作證，證明你們當時不在城東？」

程漱玉瞄了一眼古劍，想了一下才答道：「我們是去西郊的一位朋友家過夜，但現在不能告訴妳他是誰。」

韓翠道：「為何不說？」

程漱玉道：「妳也知道，我們現在仍被通緝中；如果透露了這個人，你們或丐幫勢必要找他們求證，若因此被廠衛探聽到什麼蛛絲馬跡，豈不害了他們全家？」

韓翠道：「可是若不說出這人是誰，嫌疑永難洗清，就算我們不管，丐幫也放不過你們，被錦衣衛和丐幫同時追捕的人，能逃到哪去？」

程漱玉看了古劍一眼，滿不在乎的道：「那也沒法子囉！總不能為了活命而不顧道義！」

韓翠似乎對這姑娘沒有了法子，搖頭嘆道：「感謝上蒼！妳不是真的殘丐！」轉身對著屋外喊道：「我沒辦法了！李舵主，請您自己進來問吧！」

果然屋外的大樹上躍下來一人，正是丐幫四川分舵舵主李奇鋒。他走進屋內，尷尬的笑道：「郭夫人果然聽力驚人，光憑在下的喘息之聲，便猜到了人。」

韓翠道：「這附近除了你以外，還有誰能把呼吸調得如此勻細？既然你都聽到了，也不用我多作解釋。」

李奇鋒道：「這兩個人關係到本幫十三名弟兄的性命，能否讓在下帶回幫內慢慢審訊？」

韓翠道：「不行，他們與本幫的私怨未了，我還要多留幾天，留夠了自會放他們走，到那時，有本事自己去抓。你想知道什麼？天黑之前趕快問，這位程姑娘十分刁頑，能問出什麼，得看您的本事；但這裡可不是東廠大牢，不興用刑。」

李奇鋒點頭道：「在下明白。」他上前抓起鐵鍊道：「這是西域精鋼所製成的玄鐵鍊，據說錦衣衛向紅毛國重金訂製了十餘條。鍊子不粗，卻耐熱耐磨軟韌異常，押解重要囚犯時，即使有人截了囚車逃跑，綁在要犯身上的『玄鐵鍊』卻怎麼也解不開弄不斷，很容易又被抓了回去。」

程漱玉道：「再怎麼說這也是人做出來的東西，總有法子弄斷吧！」

李奇鋒道：「幾個廠衛的大頭目當然知道該如何把楔子打斷。據說楔子打斷之後，這條玄鐵鍊就不能再用，因此若非極為重要的逃犯，並不輕易使用。姑娘身縛玄鐵鍊，想必是禁宮裡十分重要的人物。」

程漱玉不置可否，李奇鋒又多打量兩眼，道：「妳現在雖在扮成老嫗，但昨天和我抬槓的女瞎丐，倒是氣韻過人，品貌出眾；如果恢復女裝，再稍加妝點一番，必是絕世美女。我想妳在宮中，不是皇上的寵妃，就是皇子最愛的選侍或才人，不然也無須出動錦衣衛四大統領千里追緝。」

程漱玉笑道：「您太抬舉我啦！」

李奇鋒笑了笑，又指著古劍道：「至於這位古少俠劍法不俗，多半是負責保護您的大內侍衛，不然就是專門喜歡和錦衣衛作對，劫放要犯的祕密組織『赤幫』二十八星宿之一。」

程漱玉噗哧一笑，看著古劍說道：「這次你猜錯囉！他只是一個倒楣鬼，不小心碰上這種事，脫不了身。」

古劍心底泛起一絲暖意，心想：「妳說話總算還有點良心。」

李奇鋒半信半疑，卻不想在這方面多費口舌。道：「我瞧姑娘笑得如此開懷，想必心裡早有了底，猜到是誰殺了我那十三名弟兄囉！」

程漱玉笑道：「我是猜到了，卻不知你信是不信。」

李奇鋒道：「但說無妨。」

卻見程漱玉緩緩說出三個字：「蕭——乘——龍。」

「為什麼？」這次是李奇鋒和韓翠同時發問。

程漱玉卻先問道：「郭夫人，這成都城裡有沒有一個叫陳六的瞎丐，約莫四十來歲。」

韓翠思索一下，道：「沒有印象。」

程漱玉又問：「城裡的瞎丐有多少，會不會有你們不認識的？」

韓翠道：「除非他剛入門。」

程漱玉道：「四十多歲才入門，倒也罕見，我懷疑這個人就是蕭乘龍假扮。此人在昨天城東的衝突中在場，並試圖接近我們，我沒讓他得逞。」

程漱玉又轉身問李奇鋒道：「李舵主，你還記得昨天那一戰，一出手就收了你們兩人長劍的那個書生白清雲嗎？」

李奇鋒道：「當然忘不了。但我實在想不起來四川武林中，有這麼一號人物！」

程漱玉道：「放眼四川武林，有這種身手的人，卻不為丐幫四川分舵主所識，豈不怪哉？」

李奇鋒道：「妳懷疑他也是蕭乘龍假扮嗎？妳想說什麼？」

程漱玉道：「我和古劍還沒進城，就被蕭乘龍給盯上了；但他這個人不做沒有把握的事，衡量武功上未必能贏得了古劍，便想不斷找機會接近我們，以便下藥放毒。他昨天下午跟丟了人，怕我們就此不見蹤影，便殺了那十三個丐幫弟子，嫁禍於我們，讓你們來幫忙找人。你想想，在這方圓百里，還有誰能避得開錦衣衛加上丐幫、殘幫的耳目呢？」

李奇鋒笑道：「妳這推論看似合理，然而這麼一來，他要逮獲你們也增添不少麻煩！再說這麼一搞，逼得郭幫主出手搭救你們，結果反倒白忙一場。蕭乘龍這次也帶了幾十個人，再加上被他逼著幫忙的地方捕快官兵，布線極廣，連本幫和殘幫也在他們的監視之中，就算一時追丟了人，但只要你們身上繼續綁著這條標記，遲早會再找到人。」

程漱玉自認精闢的推論被人三言兩語的推翻，心中不快，卻一時找不到更好的說法，隨口道：「也許他失算了！」她話說出口，自己也覺得有強詞奪理之嫌。蕭乘龍是出了名的狡猾謹慎，怎麼可能犯下如此失誤？

卻聽韓翠說道：「蕭乘龍大概不會，但金克成呢？」

程漱玉驚呼：「他也來了嗎？」

韓翠道：「前天就到了，他一隻腳包著紗布，似乎受了不小的傷。」

程漱玉興奮的說：「一定是他！這個人外號『孤獨將軍』，獨來獨往，沒有手下。他昨天早上在城東發現我們，卻因腳傷未癒，不敢貿然動手，於是想出這招毒計，一方面叫你們幫忙盯人，一方面可搗亂蕭乘龍，不讓他這麼快抓到人。」

李奇鋒道：「兩位說得有理，我那十三位弟兄，都死於劍傷。金克成雖然練的不是劍，但以他的武功，隨便弄把劍，照樣可以殺死我那幫弟兄，而且死者的傷口，都帶有一點焦味。」

程漱玉道：「那就是了，這廝多半以右手的陽爪使劍，無意中用了純陽真氣將整把劍給炙熱，傷口才有焦味。李舵主，我看你心裡早就有了底，還跑來問一堆？」

李奇鋒笑道：「錦衣衛並不好惹，沒有十足的把握，李某不敢妄加揣測。」他轉身向韓翠道：「郭夫人，在下將盡快修書，將此事報告總舵，請您放心！」

韓翠道：「一定要快，免得大批前來支援的丐幫殺手，白跑一趟。」

李奇鋒乾笑道：「純屬誤會，這些人只是來探探路，為『試劍大會』做準備。」

韓翠又道：「其實你要毀我們也不必那麼費功夫，只要把這個地方，透露給錦衣衛就成了。」

李奇鋒隨即正色道：「郭夫人，雖然這幾年來貴我兩幫相處不甚愉快，但在下一向敬重兩位，你們怎可把李某當成卑鄙小人！」

韓翠賠禮道：「是我不對，說錯了話。」

看來韓翠只是在試探他，李奇鋒心情稍稍平復，說道：「你們放心，我會約束下屬，在七月以前，盡量避免與貴幫有所衝突，告辭。」說罷轉身離去。

待人走遠，程漱玉問韓翠道：「妳打算留我們到何時？」

韓翠道：「那要看古劍何時打敗我們。」

程湫玉道：「妳指的『我們』是誰？若是你們三人聯手，他可別想贏。」

韓翠道：「每天早上比試兩場，先和綺雲比劍，贏了再試試我們的『聾刀瞎劍』，都過了關，自然可以離去。」

程湫玉笑道：「你們瞧他劍術還可以唬人，就要拿他來當劍靶子，陪你們家小姐練劍。」

韓翠點頭道：「你們從宮裡一路逃亡到成都，應該十分疲累，何不趁這時候好好休息？」

程湫玉驚道：「妳都知道啦？」

韓翠道：「錦衣衛四大統領全到了成都，我們怎能不緊張？抓了一個落單的廠衛，隨意一嚇，什麼都招了！可惜這個人職級太低，有些東西也說不太清楚。」

韓翠轉身對著古劍問道：「敢不敢接受挑戰？」

古劍心想：「這幾天我和程姑娘確實造成殘幫不少困擾，又承其救命之恩，若留下來能對郭姑娘有所幫助，有何不可？」於是朗聲說道：「在下願意。」

韓翠道：「很好！你這軟筋散的藥力，過了六個時辰自然會消退。今天好好睡一覺，明早起床後開始試劍。」

次日凌晨，天剛微明古、程二人就被搖醒，帶著長劍走到屋後。郭綺雲持劍立在空地上，香汗淋漓，似乎已經練過一陣子劍招。程湫玉心中暗罵：「這兩個瞎子分不清日夜，卻害得我們陪妳早起。」

只聽韓翠道：「開始吧！」

郭綺雲拱手道：「請指教！」

古劍也回禮道：「得罪了！」

二人同時拔劍。只見郭綺雲身形飄忽，往古劍上身試探性的刺出一劍，古劍本能的將劍往上橫抹，意欲架開，卻見她長劍突然轉向，逕朝下盤刺來，古劍防堵不及，只有速退一步。

郭綺雲順勢踏前一步，不待招式使老，又往左上方挑去，刺向他持劍的右手手腕，古劍急忙將手臂縮回，正準備反守為攻，刺向她右脅，但郭綺雲變招更快，偏動劍尖又往古劍右腰刺來，古劍長劍遞不出去，莫可奈何的往左讓一、兩步。這樣過了三、四十招，古劍不是閃，就是讓，對方劍招既快又怪，難以捉摸，竟無法扳回一招半式。他心中驚奇不已，一個目不視物的盲人，竟能將劍使得如此炫奇！

郭綺雲使的這套「魑魅劍法」，講究的是迅捷飄忽，使劍之人，第一要清瘦輕盈、第二要感覺敏銳、第三要反應迅捷，三項條件缺一不可，所以極為難學，一萬個人之中，可能只有一百個人勉強習會；但這一百個練成的人，頂多只有一人能練得出神入化。當初創立這套劍法的武林奇人邴基，本來不是一個瞎子，剛出道時只能算二流劍客，在一場紛爭中，他被人刺瞎雙眼，反倒從此武功大進，躋身一流高手之林，若在無光的深夜，更無人接得住他十招。邴基曾幹過幾年的刺客，專挑深夜出手，從未落空，有「夜半閻羅」之稱。

郭綺雲是邴基之後，第一個能真正領悟「魑魅劍法」精要的傳人。她把這柄劍駕御得如行雲流水般順暢，完全符合這套劍法「身形撲朔、劍影迷離」的要訣。

「無常劍法」遇強則強，「魑魅劍法」儘管詭奇離幻，總還有理路可循。古劍慢慢適應，過了五、六十招，已能回敬幾手妙招，不再全居下風。此時郭綺雲劍勢一變，比原先更快更奇，古劍擋住上一招，下一招又緊追著過來，「無常劍法」在不知不覺中也跟著愈使愈快，但他使得快，對方更快，似乎對古劍的身形劍影掌握得更加精準，招招往他破綻處攻去，古劍連退數步，直到背脊撞到一株樹，再也無路可退，眼看著長劍就要往胸口刺來，程漱玉驚呼：「小心！」竟忘了古劍是聾子。

古劍自然聽不見，卻影響到郭綺雲，她一個遲疑，劍勢稍緩，古劍逮著機會，架開長劍，開始轉守為攻，「無常劍法」一招快過一招，不打算讓她有喘息的機會。

逼得愈緊，她卻還得愈快，劍招益加絕妙，而此時古劍的「無常劍法」也使了開來，雙方一來一往，竟是迭出險招。激鬥中，兩人各對了一記怪招，都差一點傷了彼此，驚出一身冷汗。古劍心中駭然，思道：「這只不過是一場練習罷了，我怎麼出手不分輕重，萬一一個收勢不及？……郭姑娘已瞎了，可不能再有什麼傷害。」他沒把握在這種快劍之下還能收放自如，想到這裡，便放慢劍勢，寧可輸掉這場劍，也不想冒險。

郭綺雲也跟著放慢劍招，這時候卻意外發現她也不若原先犀利，古劍心中澄明，沒多久已瞧出其中關竅。

瞎子使劍，全憑聽覺和直覺，對手出招愈快，風切聲愈明顯，就愈能夠精準預測其身影劍勢，回招自然更有把握。另一方面，「魑魅劍法」講究的是使劍者的直覺反應，對方愈快，她在第一時間回應的招式愈強；但對方如果放慢出劍速度，讓她有充分的空隙想到第二種或第三種破解劍招，反而容易彼此混淆，不知該用哪一種好，其實第一時間的直覺反應，往往是最準確的。因此郭綺雲的罩門是怕慢不怕快，這與古劍因為聽不見，最怕背後殺來，防不勝防的暗劍，是同樣的道理。

只見古劍出招愈來愈慢，郭綺雲漸漸慌了手腳，過了十幾招，郭綺雲用一招「倩女離魂」勉強化解古劍絕妙的一招，但她整條持劍的手臂卻因此被拉開，垂直指向天際，下盤露出極大的空門。古劍長劍緩緩往她左腿送去，郭綺雲心中一驚，一招「幽谷飄魂」將劍往下斜引，使至一半，自己又覺得不妥，急忙換成「山魈畫月」，劍刃在半空中往下劃出一道圓弧，但這時候哪容她三心二意，那道圓弧還沒劃完，左腿一點冰涼，已被劍尖抵住。古劍立即收劍道：「得罪了！」

韓翠鐵青著臉對郭綺雲道：「妳的『魑魅劍法』有三大缺失……怎麼！妳有什麼高見？」她說了一半，聽見程漱玉嘆息聲，轉身詢問。

程漱玉道：「像郭姐姐這麼仙姿玉貌的人物，所使的劍招該叫『仙女劍法』才對，你們怎麼給它取一個這麼難聽的『鬼名字』？」

韓翠道：「這有什麼難聽的？妳不知瞎子使劍的難處，如果不能使得如鬼似魅出奇致勝，而招招講究光明端正，哪是你們明眼人的對手？」

程漱玉笑道：「說得也是，就像古劍聽不見，他的劍法該叫『魍魎劍法』才對。叫什麼『無常劍法』？到底是『黑無常』，還是『白無常』？聽起來氣勢就輸人一截！」

韓翠道：「劍本無常，這麼叫也不能算錯。古劍的師父能想出如此詭奇多變的劍招，想必也是一代奇人。這套劍法與我師父邴基所創的『魑魅劍法』，在劍風上也有幾分神似，但若不能像我夫君的『魍魎刀法』，與『魑魅劍法』緊密配合，不宜稱之為『魍魎劍法』。」「無常劍法」是古劍所創，哪有什麼師父？聽她稱讚這套劍法，心中頗為歡喜，但也不好意思說出實情。

原來郭世域的刀法叫「魍魎刀法」，難怪配合得天衣無縫。瞧他們夫妻倆滿臉坑疤，嘴歪鼻斜的模樣，稱之為「魑魅魍魎」倒是貼切。

程漱玉一句：「原來如此。」不再多說。

韓翠回到原先的話頭道：「綺雲，妳方才使劍有三大缺失，第一，程姑娘一點小聲音，就讓妳分了心……」

程漱玉又插口道：「是我不好！看得太入神，擾亂了郭姐姐。」

韓翠搖頭道：「『試劍大會』有成千上萬的人在一旁觀看，妳能叫他們全都閉嘴嗎？」

韓翠續道：「第二，剛剛本來有機會一鼓作氣打敗古劍，可惜妳心太軟，怕傷人而放慢劍招，白白錯失大好良機。」

郭綺雲道：「女兒還沒練到收放自如的境界。」

韓翠道：「收放自如談何容易？沒辦法收放自如，就放膽劃下去！比武過招，死傷在所難免，若心存顧忌，如何能將所學劍招發揮得淋漓盡致？真正試劍時，人家會怕傷妳嗎？今天不改，到時候可能會因妳的一念之仁，害慘我們殘幫數萬人！」

郭綺雲低頭道：「女兒知錯。」

韓翠嘆道：「唉！『魑魅劍法』怕慢不怕快，這也是我們瞎子使劍最大的罩門所在，沒想到古劍第一次就試了出來。這第三項缺失，除了再苦練『心劍』，也沒什麼法子可想！」

程潄玉道：「您別擔心！只要郭姐姐一開始就急攻搶招，對方想慢下來也難。」

韓翠搖頭道：「這招對付一般庸手是可以，但真正的高手，可以任意改變出劍的速度而不減其威力。一般人以為衛飛鷹的『天擊劍法』是以快取勝，其實是因為他老碰不到高手，用不著使出慢招制敵。」她轉身問古劍道：「古劍，你和李奇鋒對招時，有沒有覺得他的劍招快慢不一？」

古劍道：「似乎十招裡面總有一兩招使得稍微慢一些，並不明顯。」

韓翠道：「那是他火候不夠，其實『天擊劍法』最可怕的地方，不全在快，而是變速。前一招如閃電般快捷，後一招卻似微風般緩行，練到極致，甚至可以在同一招之內由快轉慢，再自緩變急，別說瞎子，就是明眼人也難以適應。事到如今，只能盼望丐幫的『劍缽』沒能練到這個地步。古劍，你歇夠了沒？想離開，還得過我們這一關呢！」說著拔出長劍和郭世域各站左右。

古劍點頭，拱手道：「請指教！」倒退一步，振起長劍往郭世域背後刺去，他知聾子最弱的地方在背後，想看他怎麼解？

哪知郭世域根本不予理會，揮動腰刀，逕自往古劍身上斫去，「噹」的一聲，古劍的長劍被韓翠架開，身子急閃，避過郭世域的一刀，接著他輕緩遞出長劍，直指韓翠眉心，哪知她也不顧來劍，往古劍腿上刺出一劍，又是一聲脆響，古劍攻勢被郭世域輕鬆化解，身子向上急躍，才避開韓翠的劍。原來攻向聾刀的劍招，必由瞎劍負責架擋；攻向瞎劍的劍招，必由聾刀化解。

郭世域所練的「魍魎刀法」亦是邴基所創。他創出「魑魅劍法」後，也發現了這套劍法有上述之缺陷而難以彌解，不甘心只有在暗夜中天下無敵，遂又苦思出這一套「魍魎刀法」，與「魑魅劍法」正好是一陽一陰，互生互補。當時他打定主意，只要再找一個心意相通之人，練成這套刀法之後，普天之下還有誰擋得住他們這「魑魅魍魎刀劍合璧」呢？

萬萬沒想到，最後一個步驟，看似簡單卻是最難！整整花了三十年的光陰，邴基始終找不到一個心意相通、默契十足的伴侶。正是怨嘆人生總無常，萬事難盡意之際，卻發現了正在落難行乞的郭世域夫婦。

郭世域舌頭被割去大半，只能咿咿啊啊的叫著，但她妻子卻能完全瞭解他說些什麼；瞎了眼的韓翠跟著丈夫，只靠一根繩索牽引，也無須拐杖指路，穿梭大街小巷，行走階梯陡坡，有如常人，從無所懼。

當時老病纏身的邴基，極想驗證他所創的「魑魅魍魎刀劍合璧」是否真如預想的絕妙，便收下這對門徒。這兩人的默契確是萬中選一，可惜中年才開始習武，只能將武功的精要學到兩、三成而已，儘管如此，兩人聯手，已難尋敵手。他更看中他們的小女兒綺雲，這女孩有習武的天分，可惜當時她雙眼尚未失明，練不好「魑魅劍法」，又不宜練奇陽極剛的「魍魎刀法」。

「聾刀」「瞎劍」互解對方之危，受到攻擊的人，可以完全無視自身危險而全力攻敵，威力自然陡強數倍。古劍只覺對方破綻看似明顯，一劍刺出，卻被另一人輕易化解，同時卻要面對原來那人刁鑽的攻勢。他攻守難以兼顧，不出幾招便已處處受制，棄攻求守。聾刀瞎劍見他只守不攻，一刀一劍，一左一右同時攻來，依然配合巧妙。

而古劍當初自創「無常劍法」時，是希望這套劍法能在「試劍大會」大放異彩，每一招都假想是在一對一情形下的攻守往來，根本未考量面對兩人以上的劍陣該如何破解，更何況是一刀一劍？雖然左手拿著劍鞘，卻起不了多大作用，在兩人齊攻下節節敗退，只二十來招便刀劍觸體，敗得十分爽快。

郭、韓二人收起刀劍，韓翠道：「我們還要趕去望江樓，昨天帶回來的剩飯放在牆角。綺雲，妳煮給他們吃吧！」

郭世域過來拍拍古劍肩膀，咿呀兩句，比一個手勢，古劍點頭道：「多謝幫主，古某定會盡力！」郭世域臉現喜色，他知自己剪舌後說話難聽，需靠妻子轉述，平常不愛開口，其實咬字並未遺忘，看到有人會讀唇聽懂自己的話語，不免欣喜！

程漱玉拿出一粒小珍珠給韓翠道：「能不能把這拿去當，這幾天讓我請客？」

韓翠把珍珠交給郭世域瞧，他向著晨光細看了兩眼，咿呀了兩句，把珍珠交給韓翠。

韓翠道：「這麼貴重的東西，咱們做乞丐的不能收！」說著又交還給她，程漱玉心裡嘀咕兩句：「都幹了乞丐，還有這麼多臭規矩！」

郭綺雲又像昨日一樣，把白飯加水再煮了一遍，說道：「我從小胃疾，吃不得生冷。」待水滾了，恰好添滿三碗，她把較濃稠的兩碗稀飯遞給古、程二人。程漱玉勉強扒了幾口，把剩下的全倒給古劍，他倒不挑不嫌，全數吞進肚子。

郭綺雲收拾妥當，對二人道：「兩位可到附近走走，聽說這兒風景還挺秀美的。」

程漱玉慫恿古劍到附近小溪抓魚，兩人削下幾根竹枝做成魚叉，不到一個時辰，便刺中數尾鮮魚，興沖沖帶回去。

回到郭家，郭綺雲仍獨自在屋後練劍，她把「魑魅劍法」使得時快時慢，偶爾停下來思索，試想該如何應付慢劍。

古劍拿起兩根魚叉，削平尖頭，丟一根給郭綺雲道：「接住！」「咱們用竹子再練，妳放膽出手吧！」說完手持竹棒，刺向郭綺雲。他剛開始用半快不慢的「無常劍法」與之對招，待她逐漸習慣後，又把劍招放得更加輕緩，遇到一些重要關竅所在，也會出言提點。

程漱玉在一旁殺魚煮魚，她不善烹飪，弄了近半個時辰，才把簡單的魚湯煮好，邀二人共享。

但她有的魚該取內臟卻沒取，有的鱗片未刮，有的肥魚煮得半生不熟，古劍才說了兩句，倒惹得她興頭全消，放下碗筷，不悅道：「你們整天只知道練劍，真那麼行，幹嘛自已不來煮！」

古、郭二人頗感尷尬，沉寂半晌，才聽郭綺雲道：「我覺得挺好吃。」

「當然！對你們臭要飯的來說，只要不是餿白飯，什麼都好吃！」程漱玉話一出口，馬上懊悔起來！也不知哪根筋不對，竟會發這種脾氣。見郭綺雲把頭偏到一邊，似在落淚，卻不知該如何收場，吶吶道：「我……我不是故意的……」

午憩之後，程漱玉便急拉著古劍到竹林，要他用劍斬竹，扛了數十根竹竿回到茅屋。此時郭綺雲仍在獨自體悟對付慢劍之法，古劍拿起竹棒，又陪她練了起來。剛開始時，郭綺雲對付慢劍仍一籌莫展，古劍的身子幾乎不太需要移動，就能壓制住人。程漱玉趁這時候修整竹竿，做這玩意她的手可巧，削孔挖洞、去凸校直，用一把匕首全包了。

古劍每陪練半個時辰就會退開，讓郭綺雲一個人靜靜思索領會。程漱玉可不會讓他閒下來，叫他幫著架竿立竹，把他當成學徒使喚也就罷了，還猛嫌他笨手笨腳，朽木難雕：「還好你學的是劍，不是木作。不然早就餓死啦……」

就這樣，古劍一會兒陪練，一會兒幫工，不知不覺已是太陽西斜。程漱玉拿著另外幾尾鮮魚，合著匕首遞給郭綺雲道：「郭姐姐，能不能拜託妳……」郭綺雲微笑接過，便開始料理起來。她雖目盲，手腳卻也不慢，一邊煮水，一邊清魚，天還未黑，古、程二人已聞到魚湯的香味，這時候程漱玉也快完工，她不用一釘一繩，竟將這破舊茅屋修補完好。

「好香啊！」聾瞎二丐也趕在這時候回來，郭世域一進門就湊近這竹牆竹柱仔細的瞧，過了一會，他盯著程漱玉咿咿呀呀幾句，好像發現了什麼？韓翠對程漱玉道：「妳是常洛太子的選侍還是才人？」

程漱玉也嚇了一跳，道：「妳怎麼知道？」

韓翠又指著郭世域道：「他以前曾是太子講官，常洛太子小時候對四書五經興趣缺缺，卻喜歡玩木工。他無師自通，卻技藝精巧，只要鉋鋸在手，經常廢寢忘食。妳一個姑娘家，沒事怎會學這玩意？是他教的嗎？唉！太子乃宗廟神人之主，不愛學經世治國之道，卻終日沉迷於鉋鋸斧鑿之術，終非國家之福。」

其實程漱玉是先學了兩年的木作才入宮的，以確保能被太子寵幸，但她不便說出實情，笑道：「我也曾聽太子提過郭老師，不過好像您的名字有點不同？」

韓翠道：「本來叫『正域』，如今淪落至此，為避免麻煩，必須徹底斬斷過往，只得改名『世域』。」

程漱玉笑道：「原來如此！他說您可凶得緊呢！」郭世域一張怪臉笑得頗為開心，又咿咿呀呀幾句。

韓翠道：「他說不敢，程姑娘能和太子學木作，想必十分得寵，日後入主東宮，母儀天下是遲早的事。不知為何弄到如此田地？」

程漱玉自然不想答，微笑反問：「我聽說郭翰林玉樹臨風，英姿颯爽，怎麼弄成這樣？」

斗室內忽然安靜下來，過了半晌，才聽韓翠嘆道：「閹宦當道，小人得志。我們為奸人所害，去了一趟錦衣衛大牢，出來就變了模樣。」她說得十分平靜，聽的人卻感覺得出來，當中有許多常人難以想像的冤屈苦楚。

古劍本來對錦衣衛並無惡感，現在卻頗覺義憤，思道：「錦衣衛果真個個心狠手辣、無惡不作，下次再碰到這幫人，可別再心軟！」卻見程漱玉出言安慰道：「郭夫人不必難過，或許不久的將來，時局一變，那些曾經陷害你們的人，都得不到好下場！」

韓翠道：「『七月十五，神龍再現，黎民覺醒，天將巨變。』、『九月十五，天狗食日，無道之君，末日將至。』妳說的可是這幾句流傳已久的市井傳言？」

程漱玉微笑道：「有點希望不是快樂些嗎？」卻見郭世域連連搖頭，咿咿啊啊說了一堆。

「其實我們最擔心的便是這個！」韓翠長嘆一聲，又道：「此類傳言流布，表示有人蠢蠢欲動，準備起兵造反！這種事在史書上屢見不鮮，相信這次也不例外。」

程漱玉道：「壞皇帝下臺，好人變成皇上，不是好事嗎？」

郭世域的頭搖得更厲害，這回說的話更多，韓翠轉述道：「妳確定領頭造反的，一定是好人嗎？就算不是壞人，揭竿起義，勢必免不了連番惡戰，屍橫遍野，很快便是數百萬人流離失所，妳可知哪種人會死最多？」

程漱玉道：「莫非是……乞丐？」

韓翠點頭道：「一旦開戰，一般百姓自己都吃不飽，哪有餘糧給乞丐？但丐幫投靠義軍，還有一半的人能活，殘幫盡是老弱殘兵，誰要？戰爭拖得稍久，怕有九成的殘丐撐不下去！」說完一陣默然，古劍掃視一圈，似乎每個人的眼眶都含著淚。

過了一陣子，韓翠才沒事般道：「這魚湯好香，我帶了幾道小菜，正可飽餐一頓。」她攤開手上的油紙袋，果然有一些新鮮飯菜。

程瀲玉喜道：「早該如此！瞧妳女兒瘦成這樣，我怕到時她武功練好了，卻沒力氣拿劍。」

韓翠笑道：「吃飽好好睡妳的覺，別替我們瞎操心！」

程瀲玉笑道：「天快黑了，深山裡沒有半盞油燈，不睡覺還能幹嘛！」

這個房子可沒有半張床，古劍與郭世域睡一側，程瀲玉與韓翠母女睡另一側。今天不那麼疲累，程瀲玉雖早早躺平，卻難以入眠，該睡在一旁的韓翠母女不見人影，倒可聽見屋外斷斷續續的細微人聲。起身從窗口瞧去，愈瞧愈覺稀怪，便把古劍也給搖醒。

只見月光下母女二人坐在石上，韓翠手拿一根竹子不斷在地上寫字，每寫完一個字，便叫郭綺雲唸出來，有時唸得快，有時唸得慢，卻是少有錯誤！然只要回答稍慢，韓翠便會說道：「慢了！慢了！妳得再專心些！」也許是累了，郭綺雲卻是愈猜愈慢。

韓翠道：「不是娘愛逼催，從早上那次交手可以知道，妳的『心念』還是不夠快準，人家出劍稍慢就亂了。」

郭綺雲道：「他出手無常理，女兒實不知該如何捉摸？」

韓翠道：「難道范濬的『天擊劍法』就好對付嗎？劍本無常，這不能當藉口！心神若不夠專注，傻子也能殺了妳。」

郭綺雲道：「娘說得極是，女兒再練就是。」

韓翠心知修習「心念」，其實比練劍還辛苦耗神得多，忽感不忍，一把抱住女兒泣道：「我苦命的女兒，妳的辛苦，為娘豈有不知？娘答應，一等試劍結束，就給妳找個好郎君，別再管什麼幫內的事！」

郭綺雲緊緊抱住母親道：「別提了！娘！女兒只想照顧你們一輩子。」

韓翠一陣心酸，想到女兒如今雙目失明，要到哪裡找個如意郎君？哭得愈加淒然！

古劍不忍再看，給程漱玉比手勢，意思是：「窺視他人，總是無禮，不如回去睡覺。」

程漱玉以無聲唇語回應道：「有啥關係？又不是想偷學什麼功夫？咱們多聽一些，才知道人家有什麼困局，或許能幫上忙呢？」說畢又湊上去看。

古劍思道：「能幫上什麼忙？難不成能幫她換一對眼珠子？」但程漱玉說話總令人難以辯駁，自己也對郭綺雲所修習的「幻術」十分好奇，猶豫一會，又跟著瞧下去。

她們繼續修習，可是郭綺雲始終難以集中精神，時好時壞。韓翠道：「妳怎麼啦？」郭綺雲「嚶」的一聲，似乎欲言又止，韓翠道：「此時不能在乎別人，這兩個人靜靜的瞧，也沒惡意，怎麼就受到影響？要知試劍時將有成千上萬的人觀看，干擾更多，若因此分心怎麼辦？」

聽到這裡，古、程二人方知這對耳尖的母女，早已察覺自己的存在，程漱玉開門笑道：「『心念』是什麼東西？一種幻術嗎？」

韓翠道：「妳找一顆石頭，隨意刻上一個字。」

程漱玉依言撿了一顆硬石，走到五丈之外，以匕首在石上輕輕劃上一個「劍」字，擲了過去。郭綺雲以兩指夾住，也不見她用手撫摸刻痕，已能答道：「古劍的『劍』。」說完忽感一陣羞慚，心想：「這個字分明有那麼多詞可以形容，怎麼偏偏用上他的名字？」她紅起臉來，所幸月色下並不明顯，而古、程二人正震驚於她的本事，並未留意。

程漱玉道：「這究竟怎麼回事？莫非郭姐姐的眼睛突然又不瞎了？」

韓翠道：「這是一種很奇怪的直覺，我師父稱之為『心念』。其實咱們瞎子練劍，全靠耳力是不夠的，還得加上這種直覺去感受對方的來劍走勢，方能精準快速的反應。這種本事一般人或多或少都有一些，只是咱們瞎子多占了一點便宜，再經一番勤修，令其變得更加敏銳。」

程漱玉道：「就像有時候夢境會成真，預感也會莫名其妙的靈驗。」

韓翠道：「差不多，好比『天殘神算』，據說他雙耳俱聾、雙目全盲，卻能感受到你說的話，甚至比常人更準確的預測你所期望之事能否實現。」

程漱玉喜道：「既然如此神奇，耳聾的人，是否也能學學？」

韓翠道：「自然可以，但是剛開始修習『心念』，可能連續數個月毫無進展，你得禁得起挫折，忍得住無趣，方有機會。」

古劍雙瞳亮了起來，說道：「我不怕，能否請前輩指點？」

第二次清晨的比試，古劍仍破不了二丐的「魑魅魍魎刀劍合璧」，郭綺雲也贏不了古劍忽急忽緩的「無常劍法」。

刀劍陣法最大的弱點所在，正是在郭世域的背部，古劍第一次並沒有錯攻，只是萬沒料到這聾刀的安危，全由瞎劍守護。過後稍加思索，很快讓他找到藥方。原來聾怕暗瞎怕慢，攻向聾刀背後的劍，必須輕緩滑柔，讓瞎劍難以度測。這一次他將八成的攻勢，集中在郭世域身上，出招卻慢了許多，這正是二丐最懼怕的打法。

僵持了百餘招仍被制服，是因他還不熟悉「魍魎刀法」，這刀法古怪玄奇之處並不輸「魑魅劍法」，初次對陣的人往往不易應對，更何況刀劍合璧，配合巧妙；但郭世域夫婦心中有譜，這樣下去，快則明天，頂多到後天，將很難留住古劍。

然而接下來幾天，古劍仍未破解。在他連日來的餵招對劍之下，郭綺雲的劍法確有長足的進步，除非是一流高手使一流劍招，再配以忽快忽慢的劍速，否則想要勝她並不容易。聾瞎二丐首次覺得，要在試劍大會中打贏頂尖高手，並非絕不可為。

一連數日，練劍餘暇時，程漱玉喜歡拉著郭綺雲四處遊走，除沿途描述所見景物外，兩位姑娘想說一些體己話兒時，就叫古劍轉頭別看。古劍幾次想問郭綺雲是否就是當年京城的小乞丐，但話到嘴邊又吞了回去，思道：「她若不是那個小姑娘，如此貿然相詢，豈不唐突？就算是吧！經過這麼多年，人變美了，還會記得當年那個傻小子嗎？再說她現在身負重任，理應全心習劍，實不宜受到任何干擾！有什麼心裡話，試劍之後再說不遲！」

是日春芳正盛，草木新綠，微風穿過竹林帶著一股令人迷醉的花香，醺醺如夢！古劍暗思道：「若能一輩子和這兩位姑娘待在這裡，不理塵世，該有多好！」轉念又想：「狐前輩再三告誡，劍法大成以前，萬萬不可近女色，思情慾！我怎能老是飄飄遊遊，心神難寧！再說這兩位都是天仙一般的好姑娘，我這個俗凡之人，怎可如此痴心妄想？」想到這裡，轉頭朝向並肩而坐的二人，卻見程瀲玉言笑晏晏，郭綺雲忽然轉頭朝向自己，頓時雙頰酡紅！她應該看不見，但古劍卻覺得對方目光炯炯，暗叫不妙：「糟糕！她練了心劍，不知能否感應到旁人的心思！」趕忙低下頭來，暗罵自己千百回，過了一會再偷偷瞄去，卻驚見她對著自己嫣然一笑！

他卻不知這兩個姑娘也正談論著自己。

難得遇上可以傾吐之人，除了赤幫與莫愁莊種種盤算與作為外，程瀲玉將自己這些年來的經歷，能說的都說了。郭綺雲時而一同悲傷落淚，時而悠然神往，握著對方的手道：「難為妳了！雖然年紀比我小，經歷卻是百倍千倍。還好遇上了古劍，日後……」

程瀲玉急道：「別誤會啦！雲姐姐，要不是這條斬不斷解不開的鬼鍊子，我早離他遠遠的。」話說完見郭綺雲微笑不語，嬌嗔道：「我是說真的！不來了！人家跟妳談心，妳卻在心裡笑人家。交友貴誠，妳的心念，可不能使在妹子身上喔！」

郭綺雲笑道：「讀人心是最難的，我要真有那麼厲害，那天怎會著了你們的道？」

程瀲玉破涕為笑道：「雲姐姐，該說的我都說了，這回換妳告訴我，有沒有認識什麼公子或大俠？」

郭綺雲道：「這幾年閉門練劍足不出戶，哪能有什麼奇遇？再說有誰會看上一個瞎了眼的要飯姑娘。」

這話看似有理，程漱玉卻瞧出她臉頰泛紅，似有隱情。笑道：「一定有！太過分了！我說了那麼多，妳卻什麼都不提！」

郭綺雲拗不過她，紅著臉道：「硬要說的話只有一個，不是公子，也不是什麼大俠，更不知算不算數！」

程漱玉道：「洗耳恭聽。」

郭綺雲整理一下思緒，才娓娓道來：「差不多十二年前吧！那時我爹娘還在京城丐幫，他們又要學劍又常要調解殘丐與乞丐之間的糾紛齟齬，只能讓我自個出門行乞。娘怕我一個小姑娘被妓院抓走，每天早上總會將我弄得既髒又醜再出門，唯一的快樂時光，便是每晚到福王府的外牆聆聽《陽春白雪》和《十面埋伏》。」

聽到此處，程漱玉想到她從大家閨秀一夕間失去所有，變成了一個小乞丐，不禁眼眶泛紅，有些後悔如此任性逼她回憶過往，卻見她眼中似無哀傷之意，反而有種淡淡的甜喜，續道：「某個夜晚，聽得正自入神，卻見一少年前來撿食小郡主吃完隨手扔出的雞爪骨頭，這種東西連我這個小乞丐都不想吃，是什麼人這麼慌餓？微光中我慢慢瞧了出來，這少年我瞧過，竟是那個跟著衛長老學劍的小徒弟！聽說衛長老的徒兒不是天資聰穎就是富貴多金，向來不需乞討的啊？但見他如此骨瘦如柴，似乎挨餓不止一、兩天！正想出聲喊他，卻見他也發現了我，他立刻丟下雞爪，一溜煙消失不見！

「一個小姑娘能要到的剩飯常比大人還多，有時自己也吃不完，何不留下一些給他？有時候我會多待一會，藏在樹後偷瞧，他吃完，洗淨碗筷放回原處，總會先向著小郡主的房間深深一拜後才離去。我差點忍不住笑了出來，原來這人那天沒瞧清楚，以為給他留飯的是小郡主，這個傻子！那些郡主嘴刁得很，絕不吃隔夜飯菜，留給你的飯，怎麼可能帶點酸味？

「時日一久，他終究發現我這個郡主是假冒的！數個月後的一個傍晚，他飛奔而來，氣喘吁吁一身是汗，從懷裡拿出一個油紙包住的肉包子道：『給妳！趁熱吃。』我說：『你自己留著吧！』卻見他又拿出另一個肉包道：『我還有一個。』我聽見他肚子咕咕聲響，搖頭道：『你餓了這麼久，五個也吃不飽啊！』

「卻見他說道：『我的劍法一直沒有太大的進展，師父終於失去耐性，修書請我爹前來帶人，明天一早就要啟程前往華山，下次見面，不知何年何月？妳若不吃，我會一輩子難過！』瞧他眼眶含淚，神情淒然，我也感到一股離愁爬上心頭，拿起肉包咬了一口道：『這是城西張六哥的肉包，我從小就愛，但從沒像今天這麼好吃！』卻見他道：『我爹說：「有了好劍法，不怕沒銀子。」到了華山，我會加倍努力的學劍，日後掙了銀子，咱們天天買兩顆，一人一顆。』

「我明白他的意思，怔怔的瞧著他，過了好一會才說：『別亂說！一個又髒又醜的乞丐，哪有正常人家肯……』這時遠處傳來他爹催促的聲音，他起身走了幾步，又回過頭來喊道：『我是認真的！學成之後，一定回來找妳！』」

程漱玉聽畢，愣呆了一會，轉頭瞧著古劍道：「雲姐姐，如果這個人再度出現，妳是否還認得出他的聲音？」

郭綺雲道：「為什麼這麼問？」

程漱玉笑道：「我在想，對面那個劍呆子，看起來年紀也差不多，會不會……」

郭綺雲雙頰一紅，道：「幾天前在馬車上，我確有浮起似曾相識之感，直到聽聞他開口說話。」

程漱玉道：「那時他也還是個孩子，長大了難免會變聲。」

郭綺雲道：「聲音會變，但說話的語調自小就定了型，不會聽不出來。」

程漱玉道：「不如咱們把他叫來問問，是否待過京城的丐幫或華山？」

郭綺雲道：「妳和他朝夕相處這麼多天，也不知道嗎？」

「萍水相逢，何必多問？」程漱玉突然想起古劍幾次夢遊的情景，淡然道：「我不想告訴他我的過去，他似乎也有一番不堪回首的往事。」說完又露出一臉狡黠的笑容道：「不過這回不同，既然我的祕密已被妳爹三言兩語給揭穿了！不把這劍呆子的來歷問個仔細，豈不便宜了他？再說為了姐姐您，今日就算是嚴刑拷打，也得問出個究竟！」

說著伸手要招來古劍，郭綺雲一個箭步過去將她的手壓下道：「再胡鬧，我生氣啦！」

兩位姑娘冰雪聰明，這回卻是沒想到，一個人聾了之後，說話的聲調會變得連自己都認不出來。

到最後兩天，由於郭綺雲進步神速，古劍已不再像先前如此輕鬆以對，程漱玉必須放下手工，跟著古劍的騰移而走位，好幾次不禁想著：「萬一到了『試劍大會』那天，我們之間的這條鐵鍊若還解不下來，豈不得陪這渾人上那『試劍臺』？在數萬隻眼睛凝視之下，陪著他跑來跳去。那可丟死人啦！」想著想著，卻不知不覺的偷笑起來。

第六日一早起床，韓翠拿出兩件鶉衣，對著古、程二人道：「今天正午本幫望江樓大會，我們得預先趕去布置。兩位收拾妥當後，請提早半個時辰出發，望江樓前廣場將有幾千個殘丐聚集，你們把這衣服穿上，混在其中，沒人認得出來。」

程漱玉樂道：「妙極！到時候你們一結束，數千名殘丐一哄而散，任蕭乘龍等人神通廣大，又怎能找到我們？錦衣衛四大統領，是不是全都進城了？」

韓翠道：「除了四大統領之外，連胡遠清也到了。此人以前也算是青城名宿，『尋龍劍法』的造詣不差，可得特別留意。」程漱玉問道：「您是說嗜賭如命的胡賭鬼嗎？」

韓翠道：「妳認得他？」

程漱玉笑道：「人是沒見過，但此人名滿京城，想沒聽過也難！聽說他無事不賭、無時不賭，無賭不輸，經常欠了一屁股債。為了還錢，他替錦衣衛抓逃犯、做臨時保鏢、幫人打架……什麼都幹。」

韓翠道：「那就是了，以妳的身分，想必值不少銀子，他豈能放過？」

程瀄玉卻不怎麼在乎的說：「胡賭鬼再怎麼行，也不過一個人，還得找得到咱們才算數。今天不再比試嗎？這可是妳心甘情願讓我們走的，可別反悔？」

「不用比，古劍早贏了！」原來古劍有意幫郭綺雲多練兩天劍，故意不贏聾瞎雙丐。這好意助人也利己，幾天對練下來，他對劍術的領悟，在不知不覺中亦有十足的長進。

二人還沒踏進城門，已經處處可見殘丐蹤影，這些人從四面八方趕來，為的就是要親睹這次影響本幫未來興衰存亡的大會。兩人向著人多處走去，自然就到了望江樓，樓前的廣場已烏壓壓坐了數千名殘丐，分成了三大堆，一堆是聾瞎丐、一堆是斷手的缺丐和一堆跛足的瘸丐，其中聾丐都擠到前方，待會說話時，才比較看得清楚唇形。

二人混進聾瞎丐中，這裡的人最多，占了四成有餘。才一坐下，程瀄玉就注意到離此數十丈遠的崇麗閣上有許多官兵，正在監視著廣場，她悄悄給古劍指了一下。古劍眼力更好，一眼便看到頂層的王遂野、劉易風和金克成三人，正不斷朝這一帶張望，顯然這些人也都料到二人會混在裡面。他嚇了一跳，輕聲告訴程瀄玉，她不出聲說道：「別擔心！咱們這個樣子，沒走到十步之內詳細瞧，誰看得出來？」原來她早有防備，出發前先給自己化了老妝，給古劍黏上山羊鬍子，兩人都老了二十來歲。她漸漸摸索出一點易容心得，這次雖不敢說絕無破綻，但距離遙遠，又混在一堆殘丐之中，哪這麼容易再讓人認出來？唯一讓她心裡有些發毛的，卻是不在閣樓上的易容高手蕭乘龍。

程瀄玉照常和附近的瞎丐嘻哈，碰到川西來的，就說自己是從川東來的；碰到川南來的，就說自己是從川北來的，這些殘丐來自巴蜀的四面八方，住得稍遠的得花上一、二十天的路程趕來，這對一般武人而言不成問題，但對體有殘缺，身無分文的殘丐來說，絕非易事。

稍晚又擠來五個容顏憔悴，身子乾癟的殘丐，打聽之下，竟是從西北的甘孜趕來！這一路上多是高山崇嶺，荒涼之地，他們本來一行八個人，一場大風雪，凍死了兩人，另一人卻活活餓死！那人臨死之前，跪求大家將他的肉煮來吃，才保全大夥的性命。

程瀲玉聽了，差點把胃裡的飯菜給吐了出來，那些正牌殘丐雖個個面色凝重，倒無人感到驚異，似乎這種事情，也不是第一次聽人說。有人勸他們：「既然那麼辛苦，別回去了！」這五人紛道：「不行！哪兒還有上百名弟兄在等消息呢！」

古、程二人均想：「連『天府之國』都這麼難待？日後若真要遷徙到雲、貴兩省，這群可憐人，日子怎麼過？」

陸陸續續有人加入，不到一炷香時間，廣場上已經擠滿殘丐。此時也到了正午時分，忽然大家鴉雀無聲，只見四個中年殘丐緩緩走上望江樓前的戲臺，正是瘸、缺、聾、瞎，殘幫四長老。這瘸丐叫薛來俊，身形瘦長，臉色蠟黃，手持一根玄鐵杖，走起路來一拐一拐；缺丐寇照東身材適中，右臂齊根而斷，臉圓唇寬，眉粗眼細，看來頗為和善。

兩個三十來歲的殘丐緊跟在四長老後面上臺，這二人是孿生兄弟，然而從外表看來，只能說是兩個半人。哥哥叫田左生，右半邊的耳、眼、臂、腿全都不在；弟弟叫田右生，左半邊的耳、眼、臂、腿也都沒有。古劍幼時曾聽過鄰村有人生下異胎，雙頭雙身，手腳卻只有一對。這個小孩沒幾天就死了，生他們的娘也因此被認為必有失德，才會受到如此天譴，被夫家毒打一陣，放逐到深山之中，自生自滅。這二人不知是不是連體異胎，但真有那麼厲害的大夫？可以把他們從中切開而不死？

兩個殘丐各持一柄拐杖，田左生在左，田右生在右，相互倚靠，緩緩拾級而上，同步走到了四長老跟前，深深一拜。

寇照東道：「該怎麼說，你們可都記清楚？」

二人齊聲答是，轉身對著眾丐道：「各位弟兄！今天是本幫的大日子，咱們兄弟倆奉四位長老之命，要向各位說明這次望江樓大會的意義……」這兩人聲音洪亮，同時開口，每一句每一字都疊在一起，叫人分不出是一個人在說話，還是兩個人。

只聽他們續道：「六年前的今天，大夥從京城，從各省各地，不辭勞苦趕來這天府之國。天可憐見，咱們在這裡向天立誓，創立殘幫。這些日子以來，我們經歷過無數波折磨難，承受過無數痛苦恥辱。天可憐見，大夥沒有倒下，一直挨到現在。咱們雖沒有完整的身子，沒有顯赫的家世，但一枝草一點露，苦命人有苦命人過日子的手段，只要活著，就有指望！老天爺總有睜眼的時候，總有一天，咱們要揚眉吐氣！叫世人不敢再瞧不起咱們，再欺負咱們！」

這二人表情豐富，聲音抑揚頓挫，立刻感染到廣場上的所有殘丐，數千人敲著棍棒，齊聲喊道：「天佑殘幫！揚眉吐氣！天佑殘幫！揚眉吐氣……」廣場上聲震天野，好不懾人。

喊了一陣，田氏兄弟伸出手臂，作勢請眾人安靜下來，續道：「過去六年以來，本幫一直沒有一位正式的幫主來帶領我們；而是由薛長老、寇長老和郭長老輪流擔任代理幫主；然而這畢竟不是長久之計，因為若沒有一位正式的幫主，大夥的心便不能安，沒有了依靠，像一盤散沙，一群遊魂，東飄西蕩而不知該跟著誰？」這番話說得許多人猛點頭，顯然是心有戚戚焉。這些年來，殘幫一直積弱，除了先天不足之外，沒有一個能凝聚人心的幫主，也是關鍵之一。正因如此，整個幫慢慢的分出瘸派、缺派和聾瞎派，平常各自為政，搞得幫中有派，派中有系，大家不能同心齊力，自不免讓外人有可乘之機。

二人續道：「三位長老確有領袖之才，都夠資格出任本幫正式的第一任幫主。這反倒讓人頭痛？如果今天真要爭論哪一位長老是最合適的人選，在場上數千名弟兄，每個人都有一肚子的話要說，我想這場望江樓大會，開個七天七夜也沒有個結果。總不能比試看看誰比較餓不死吧！」這麼一說，眾殘丐都笑了，略微沖淡緊張嚴肅的氣氛。

二人接續：「兩年前四位長老就為此商議許久，終於決定採用『比劍奪帥』的法子，來決定幫主人選。」

這個消息，大多數殘丐已事先知悉，但缺丐堆中仍有人起身說道：「本來四位長老決定的事，咱們下面的人不該過問。但咱們還是想知道：為什麼是『比劍奪帥』？而不是『比棍奪帥』？」這麼一提，倒引起不小的騷動，在瘸丐和缺丐陣營中，更有不少人在底下抱怨，這樣做不盡公平。

在殘幫中，有練武的殘丐，絕大多數是四長老的徒子徒孫。瘸丐學的是薛來俊的「鐵拐棍法」，缺丐學的是寇照東的「獨臂迷蹤」，聾丐和瞎丐則向郭世域及韓翠學刀法和劍法，因多數買不起刀劍，便以短棒代之，招式仍是刀劍。「比劍奪帥」就是以劍法爭高下，自然對瘸丐、缺丐及聾丐不利，獨厚瞎丐。又因聾丐和瞎丐本來就常混在一塊，所以聾丐並無異議。

卻見缺派長老寇照東踏前兩步道：「當初郭、韓兩位長老所提議的原是『比武奪帥』，『比劍奪帥』卻是薛長老和在下要求的。」這話出人意料，怎麼大家都選擇對己方不利的方式比武？

卻聽寇照東續道：「我們堅持『比劍奪帥』的理由很簡單：本幫和丐幫的『試劍之約』，爭的就是在試劍大會中比劍的先後名次。本幫所派出的劍缽，可不能掄棍舞棒或赤手空拳的去參加試劍大會。為了不將培植劍缽的重擔全部推給韓長老一人承擔，薛長老和在下早讓最聰敏的弟子改練劍法。大夥都清楚這位『劍缽』對本幫的重要性，比起這『劍缽』的選任訓練，幫主之位由誰來坐，根本就微不足道。」他一字一句夾著雄渾的內力，從口中送出，前前後後的殘丐都聽得分明，倒不輸田氏兄弟的雙口齊揚。

薛來俊也往前踏步，接下他的話頭道：「大夥想想看，如果到時候這位『劍缽』不幸輸給丐幫，咱們全都得流落到雲、貴兩省乞食討生。無論是誰當上了幫主，也只是整天忙著收撿餓死屍，要這虛位又有何用？」他語音低沉，說到憂慮處，聽者不禁都皺起眉頭。

兩人說完退步回去，一個眼色，田氏兄弟接著說道：「所以今天這場望江樓大會最主要的任務，便是要挑出一位代表本幫參加試劍大會的劍缽。辦法很簡單，三位長老各派一位門徒，交互比試，全勝者即為本幫劍缽，該長老即為本幫幫主。這是我們四位長老商量的結果，大夥還有其他的主意嗎？」

田氏兄弟睜大雙眼來回梭巡，這次未見任何人異議，便朗聲道：「既然如此，咱們可先說定，今後殘幫只有一個殘派，再也沒有什麼瘸派、缺派、聾派、瞎派。無論是誰當上了幫主，大夥都得徹底服氣，一切以幫主馬首是瞻，完全接受幫主的帶領。可以嗎？」

眾殘丐齊答：「可以！」

二人拉高音量再喊：「可以嗎？」

眾丐齊答：「可以！」

二人扯開嗓門又喊：「可以嗎？」

眾丐大聲回應：「可以！」

「好！現在開始進行『比劍奪帥』。」田氏兄弟分別拿出籤筒和三根竹籤，請薛、寇、郭三長老抽籤，三人的竹籤上分別寫著第一、三場，第一、二場，第二、三場。第一場比試，由薛長老的弟子梁必金對上寇長老的弟子何晁榮。

只見兩個年輕殘丐，分從兩邊階梯拾級而上。梁必金的左腳從腳踝處被人切斷，比右腳足足短了兩寸，支著一根鐵棍，一拐一拐走上臺階；何晁榮雖雙手齊全，左手臂卻比右手臂細了一倍，是一隻毫無用處的廢手。二人上了戲臺，先向四位長老跪拜行禮，各據一端，寇照東道：「開始吧！」

二人相互拱手為禮，同時亮劍，眾丐還來不及驚呼，已經鬥在一塊。何晁榮手持短劍，繞著梁必金周身遊走，一覓得間隙便挺劍疾刺，端是刁鑽靈便；梁必金單足而立，隨著對手轉動，用一把超長的劍，或格或撥或帶或推，化解來招。

「迷蹤拳」是江湖中流傳極廣的一種拳法，雖稱拳法，但其步法強調閃展騰挪、竄縱跳躍，講究靜如泰山，動如狂風；雖名拳術，其步法實比拳法還受注重。因此寇照東雖斷一臂，但依此自創的「獨臂迷蹤」，仍有其意想不到的威力。他將拳法轉化為劍招，傳給愛徒，要求他步影迷離、出劍如出拳般的奇變神速，所以劍必須愈短愈好，何晁榮使的劍只有一尺六寸長，再短就不成劍了。

梁必金的長劍，藏在五尺二寸的齊眉鐵棍之中，這鐵棍一半是劍鞘，一半是劍柄，他拉去劍鞘，露出兩尺六寸長的劍身，形似利劍、長如快棍。薛來俊花了兩年的工夫，將「鐵拐棍法」改成這套「鐵拐劍法」，雖為劍招，但其中按、點、格、撥、撩、挑、掄、掃、纏、縮，都是棍法中常用的招式。原來的「鐵拐棍法」，相傳為八仙之一的呂洞賓所創，勿論傳言真假，但這劍法使將出來，卻是飄飄然頗有仙氣。

長劍強，短劍險，兩人各不相讓，倏分倏合，招招驚奇，看得底下的人都不敢多喘一口大氣，瘸丐和缺丐中見識稍長者，見己方所派出的「劍缽」爭奪人，劍法比原先想像的強快許多，都暗自雀躍。其實薛、寇二人當初力主「比劍奪帥」，除了上述原因外，最重要的是他們都對自己改創的劍法感到滿意，認為不輸給原先的棍法拳法；而韓翠的「魑魅劍法」雖厲害，卻得找到極有慧根之人才練得成，哪有這麼容易？二人分別對自己愛徒充滿信心，自認勝券在握。

梁必金防護嚴實，何晁榮繞了數十圈，每次奇襲都無功而返，始終未能貼進對手三尺以內，他奔行良久，開始氣息漸促，慢慢急了，心想：「馬上還有第二場，可不宜再拖延下去，把氣力耗盡。」深吸一口氣，以極快的身法，突然向左前方斜行八步，向右橫跨六步，向後連蹬五步……

這是「迷蹤拳」中最高境界，叫「迷蹤二百一十六步」，武者以極快的速度和極怪的步伐在對手周身遊走，迷惑對方眼心手足。行者在這二百一十六步之內不能換氣，一旦找到對手弱點所在，力貫拳心，猛然一擊。一旦用到了這套拳法，便到了最後的決勝關頭，若未能一擊而獲，出拳者必敗無疑；何晁榮以劍代拳，蓄勢待發，等著對手露出足夠的空檔，做最後一刺。

梁必金把長劍拉回身旁，蓄勢守禦，他單足不斷隨著對手的移動而轉，盡可能不露任何空門，同時仔細觀察，推測對方下一步的方位；然而何晁榮這「迷蹤二百一十六步」，走位不依八卦不似五行，完全看不出個端倪，只見對手在自己近身處遊來竄去，那把短劍，不知什麼時候會出手。雖然身子動得不多，但心情的緊張驚懼卻升到極處，一時之間，也打不定主意。

只見「迷蹤步」愈踏愈快，坐得稍遠的人，只能看到一團灰影在梁必金身旁穿來繞去，梁必金感到對方即將出手，他不願就此束手，一咬牙，舞起花來。

「舞花」通常用在槍棍之類的長兵器，以兩手在兵器中段處交互撥動，令之不斷快速旋轉。這個手法不難，只要是練過槍棍的都會耍那麼幾圈；然而梁必金所舞的是一柄長劍，劍柄雖長，重心仍在劍刃。他兩眼盯著對手不放，對方眼神射向左腰，便把長劍移到左方舞花；對方瞄向右肩，便改到右方旋轉。他舞得既快且猛，密不透風，手卻不斷為劍刃所傷，沒有多久，只見他雙掌殷紅，已流出不少血，眾殘丐均覺不忍，薛來俊本想出手阻止，才跨一步，猶豫了一下，又退回去。

面對梁必金用鮮血織出的劍牆，何晁榮不但找不到可乘之機，連近身都有困難，很快走完兩百一十六步，一個停步換氣，對手劍尖已抵住胸口，那把長劍的劍刃，從頭紅到尾，沾滿梁必金自己的鮮血！

何晁榮輸得心服口服，收劍拜道：「你贏了！」

梁必金也回拜道：「承讓！」

廣場響起震天動地的喝彩聲，久久不息，薛來俊和寇照東面露微笑，都十分滿意愛徒的表現。薛來俊撕下一片衣袖，過去給梁必金包紮雙掌，道：「下次可別再這樣！」

待掌聲漸歇，韓翠對薛來俊道：「他還能再比嗎？」

梁必金道：「不礙事！」薛來俊皺起眉頭，一時拿不定主意。

寇照東道：「先讓晁榮與貴徒比比看吧！若是晁榮贏了，那必金不用再比，就是當然的『劍缽』，否則再作定奪。」

韓翠道：「好！上來吧！」

只見一個持劍的女瞎丐從前排中走出來，輕輕一縱，躍上戲臺中央，薛、寇二人同時驚呼：「綺雲！妳的眼睛怎麼了？」

沒有人答話，寇照東奔前抓緊郭綺雲的手顫聲道：「妳練了『魑魅劍法』？」又瞪著郭世域夫妻厲聲道：「你們好狠的心！為了幫主之位，不惜弄瞎她一對眼珠！」

郭綺雲搖頭道：「寇伯伯！您別怪爹娘，這是我自己要的。」

寇照東慢慢鬆開雙手，退了兩步道：「為什麼？……」

韓翠的臉上全是淚珠，緩緩說道：「我試過兩百多個少年瞎丐，沒人能領悟『魑魅劍法』，只好找綺雲試試看，她是練劍的料子，不到兩年就強過我，到了第三年卻停滯不前……」

寇照東插口道：「都比妳強了，還不滿足？」

卻見韓翠搖頭，只說一句：「你見過衛飛鷹的『天擊劍法』吧！」

寇照東無話，韓翠續道：「我想起我師父的話，他說綺雲有慧根，只可惜不是瞎子……」

「胡說八道！」這次換薛來俊忍不住插話道：「要練盲劍，把眼睛蒙上就是了！何必弄壞雙眼？」

韓翠道：「我們試過，但效果不佳，必須要真正從生活上、心境上完全進入盲人的世界，才能練好『魑魅劍法』。而且她若不殘，又怎能代表本幫參加『試劍大會』？到時就算贏了，丐幫也不肯認帳！」

寇照東嘆口氣道：「原本一個標緻的姑娘，如今叫她怎麼嫁人？難不成一輩子跟著我們要飯嗎？」

只聽韓翠哽咽道：「我女兒少了兩顆眼珠沒關係，只盼老天爺開眼，別讓我們輸了試劍！」

薛、寇二人互使眼色，走到郭世域跟前，寇照東含淚道：「郭長老您雖口不能言，其實無論學識、才能和氣度均遠勝於我倆，早在六年前就該擁你為幫主。」

薛來俊亦哭道：「然而我們老是以小人之心度君子之腹，幾次起了誤會，鬧了疙瘩，真是豬油蒙了心，請您務必原諒！」說著二人突然跪了下來，雙手不停往自己臉上拍打！

郭世域趕緊跟著下跪，又比又叫，古劍看得出這是殘幫的手語，意思是說：「沒什麼……這哪兒的話？……你們比我強多了……別打了……快請起來！」三個人跪抱在一塊，韓翠、郭綺雲等人也都跟著下跪。大家想起這些年來的風風雨雨，無不熱淚盈眶，臺上臺下哭成一團。

眾丐哭了一陣方歇，一一起身。何晁榮問他師父：「還比不比劍？」

只見薛來俊與寇照東同時搖頭，寇照東道：「我五年前就瞧過她練劍，即使是當時的綺雲，現在的你和必金兩人加起來，也贏不了她！」轉頭對田氏兄弟說：「可以正式宣布了！」

二人轉身對著眾丐道：「現在正式宣布：本幫『劍缽』，將由郭綺雲姑娘代表；幫主一職，請郭世域郭長老擔任。」田左生拿出一片黝黑的木牌，上面寫著「忍辱負重」四字，郭世域恭敬跪接這幫主信物。二人又道：「請郭幫主宣誓。」

只聽郭世域一臉肅穆，咿呀一句，韓翠跟著譯一句：「郭世域今為殘幫首任幫主。……必視所有殘眾為手足，無私以待。……願蒼天將所有苦難，加諸於我身，以換取眾殘生之安樂。……幫中有一人受辱，我決不貪歡；……有一人空腹，我決不飽餐；……有一人襤褸，我決無新裘。……願忍垢蒙辱，祈求光大我幫；……願負勞任重，攜眾迎向新生。……若有違此誓！……願生生世世淪為殘丐，永不超生！……」宣畢起身，將木牌收起。

田氏兄弟跪了下來，並請眾殘丐起身，一字一句帶著眾人喊著：「田左生（田右生），在此向天立誓！……今後必當服膺幫主領導，決無二心！……與幫內兄弟和睦相處，絕不離叛！……為殘幫赴湯蹈火，在所不辭！……若有違此誓！……願生生世世淪為殘丐，永不超生！……」二人每喊一句，其餘殘丐跟著喊一句，眾人愈喊愈激動，數千人同時聲嘶力竭地喊著，整個成都城轟轟哎哎，回音久久不息……

古劍望著郭綺雲單薄的身影，她衣衽飄飄，俏立風中，神色莊嚴的站在臺上，像個穿著鶉衣的仙子。

境外之城 125

武林舊事・卷一：青城劣徒

作　　者／賴魅客
企畫選書人／張世國
責 任 編 輯／張世國
發　行　人／何飛鵬
總　編　輯／王雪莉
業 務 經 理／李振東
行 銷 企 劃／陳姿億
資深版權專員／許儀盈
版權行政暨數位業務專員／陳玉鈴
法 律 顧 問／元禾法律事務所　王子文律師
出版／奇幻基地出版
城邦文化事業股份有限公司
臺北市 104 民生東路二段 141 號 8 樓
電話：(02)25007008　傳眞：(02)25027676
網址：www.ffoundation.com.tw
e-mail：ffoundation@cite.com.tw
發行／英屬蓋曼群島商家庭傳媒股份有限公司城邦分公司
臺北市 104 民生東路二段 141 號11 樓
書虫客服服務專線：(02)25007718・(02)25007719
24 小時傳眞服務：(02)25170999・(02)25001991
服務時間：週一至週五09:30-12:00・13:30-17:00
郵撥帳號：19863813　戶名：書虫股份有限公司
讀者服務信箱 E-mail：service@readingclub.com.tw
歡迎光臨城邦讀書花園 網址：www.cite.com.tw
香港發行所／城邦（香港）出版集團有限公司
香港灣仔駱克道 193 號東超商業中心 1 樓
電話：(852) 2508-6231 傳眞：(852) 2578-9337
馬新發行所／城邦（馬新）出版集團
【Cite(M)Sdn. Bhd.(458372U)】
11, Jalan 30D/146, Desa Tasik,
Sungai Besi, 57000 Kuala Lumpur, Malaysia.
電話：(603) 90578822　傳眞：(603) 90576622

封面版型設計／Snow Vega
排　　版／極翔企業有限公司
印　　刷／高典印刷有限公司
■2022 年（民 111）1 月 4 日初版一刷

售價／399元

國家圖書館出版品預行編目資料

武林舊事・卷一：青城劣徒 / 賴魅客著 一初版一
臺北市：奇幻基地出版；家庭傳媒城邦分公司
發行；2022.1（民 111.1）
面：　公分.--（境外之城：125）
ISBN 978-626-7094-01-3（平裝）

863.57　　110019551

ISBN 978-626-7094-01-3

Printed in Taiwan.

廣 告 回 函
北區郵政管理登記證
台北廣字第000791號
郵資已付，免貼郵票

104台北市民生東路二段141號11樓

英屬蓋曼群島商家庭傳媒股份有限公司城邦分公司 收

請沿虛線對摺，謝謝

奇幻基地

每個人都有一本奇幻文學的啓蒙書

奇幻基地官網：http://www.ffoundation.com.tw
奇幻基地粉絲團：http://www.facebook.com/ffoundation

書號：1HO125　　書名：武林舊事・卷一：青城劣徒

請於此處用膠水黏貼

奇幻基地

讀者回函卡

謝謝您購買我們出版的書籍！請費心填寫此回函卡，我們將不定期寄上城邦集團最新的出版訊息。

姓名：________________________　　性別：□男　□女

生日：西元__________年__________月__________日

地址：________________________________

聯絡電話：__________________傳真：__________________

E-mail：________________________________

學歷：□1.小學　□2.國中　□3.高中　□4.大專　□5.研究所以上

職業：□1.學生　□2.軍公教　□3.服務　□4.金融　□5.製造　□6.資訊

□7.傳播　□8.自由業　□9.農漁牧　□10.家管　□11.退休

□12.其他________________________________

您從何種方式得知本書消息？

□1.書店　□2.網路　□3.報紙　□4.雜誌　□5.廣播　□6.電視

□7.親友推薦　□8.其他________________________

您通常以何種方式購書？

□1.書店　□2.網路　□3.傳真訂購　□4.郵局劃撥　□5.其他

您購買本書的原因是（單選）

□1.封面吸引人　□2.內容豐富　□3.價格合理

您喜歡以下哪一種類型的書籍？（可複選）

□1.科幻　□2.魔法奇幻　□3.恐怖　□4.偵探推理

□5.實用類型工具書籍

對我們的建議：________________________________

____

____

請於此處用膠水黏貼